Le sang des innocentes

Guy Saint-Jean Éditeur
3440, boul. Industriel
Laval (Québec) Canada H7L 4R9
450 663-1777
info@saint-jeanediteur.com
www.saint-jeanediteur.com

· · · · · · · · · · · · · · · · ·

**Données de catalogage avant publication disponibles à Bibliothèque
et Archives nationales du Québec et à Bibliothèque et Archives Canada**

· · · · · · · · · · · · · · · · ·

Nous reconnaissons l'aide financière du gouvernement du Canada par l'entremise du Fonds du livre
du Canada (FLC) ainsi que celle de la SODEC pour nos activités d'édition. Nous remercions le Conseil
des Arts du Canada de l'aide accordée à notre programme de publication.

Financé par le gouvernement du Canada | **Canadä** | **SODEC** Québec | Conseil des Arts du Canada | Canada Council for the Arts

Gouvernement du Québec – Programme de crédit d'impôt pour l'édition de livres – Gestion SODEC

Édition : Isabelle Longpré
Révision : Lydia Dufresne
Correction d'épreuves : Isabelle Pauzé
Conception graphique : Christiane Séguin
Photographie de la page couverture : Becky Stares/Shutterstock.com

Dépôt légal – Bibliothèque et Archives nationales du Québec, Bibliothèque et Archives Canada, 2016
ISBN : 978-2-89758-106-0
ISBN EPUB : 978-2-89758-107-7
ISBN PDF : 978-2-89758-108-4

Imprimé et relié au Canada
1re impression, avril 2016

Guy Saint-Jean Éditeur est membre de
l'Association nationale des éditeurs de livres (ANEL).

Mélanie Tremblay

Le sang des innocentes

Guy Saint-Jean
ÉDITEUR

À mon fils Émile, mon tendre miracle…

À mon conjoint Nicolas, mon âme sœur…

Chers lecteurs...

Merci de vous joindre à moi dans cette
mystérieuse enquête dans la *Big Apple*...

Mais... mais... n'oubliez jamais que
peu importent les questionnements et la controverse
que ce roman provoquera en vous, il s'agit d'une fiction.
Les faits, données, statistiques, lieux et groupes cités
sont réels. Or, les personnages, noms et certains
événements demeurent fictifs. L'histoire est bien sûr
une invention découlant de mon imagination...

Bonne lecture ! Mais... mais... attention
aux cœurs sensibles...

Prologue

Le fracassement

L'air était humide et pesant par cette chaude journée d'août. Les nuages se déplaçaient à un rythme effréné. Ils semblaient se mouvoir aussi rapidement que le vent soufflait sur la montagne. Au haut de celle-ci, tout paraissait si merveilleux. On entendait le bruit des vagues qui se fracassaient au bas de la falaise. Le chant des goélands qui se perdait au gré du vent. Des feuilles d'arbres et des pétales de fleurs tourbillonnaient. La poussière envahissait l'air. Des coups de tonnerre se faisaient entendre au loin. Et des éclairs lumineux déchiraient le ciel. Le spectacle était parfait. Magnifique. Si intense, qu'il en oublia presque tout le reste derrière lui.

Il tournoya sur lui-même, les yeux fermés et les bras grands ouverts. Comme pour célébrer ce qui l'attendait. Oui, la vie serait beaucoup plus belle à présent. Tout irait beaucoup mieux. Il n'avait pas été aussi heureux depuis très longtemps. Si longtemps, qu'il n'avait aucun souvenir du dernier moment pour lequel il avait souri, éprouvé de la joie. Il sentait à nouveau son sang couler dans ses veines et son cœur battre avec force. Ses lèvres se déplaçaient en arc : il souriait. Oui, il était enfin réellement heureux !

Il se plaça le dos face au vide. Il ouvrit les bras tel un ange. Il inspira profondément tout l'air possible dans ses poumons. Il ferma les yeux et laissa balancer son corps vers l'arrière dans le néant.

Il plongeait du haut de la montagne à vive allure. Plus rien. Non, plus rien ne pouvait l'arrêter. Il sentait son cœur ralentir, ses poumons s'affaiblir et ses forces s'évanouir. Tout allait si vite. La vie. La mort.

Son corps heurta le bas de la falaise. Il s'enfonça dans la mer en une fraction de seconde et termina sa destinée au fin fond des profondeurs. En paix pour toujours.

J'étais assise sur le banc de ma coiffeuse ancienne que j'adorais. J'avais fait cet achat dans une brocante située à Québec. Ce n'était pas le fait de m'être procuré ce meuble qui me rappelait de bons vieux souvenirs, mais plutôt d'avoir passé une journée inoubliable en compagnie de mon père que j'aimais tant.

Je me rappelais m'être levée à l'aube. La journée avait débuté par un petit-déjeuner avec lui dans une boulangerie champêtre du Vieux-Québec. Nous avions ensuite parcouru les antiquaires à la recherche de mon meuble convoité depuis si longtemps. Sous ses conseils, j'avais attendu sagement la bonne occasion.

Fatigués de chercher, nous nous étions arrêtés dans un café sur le bord de l'eau à l'île d'Orléans afin de contempler le fleuve, de profiter du soleil automnal et de déguster un généreux sandwich. Nous avions ensuite poursuivi notre quête.

C'est sur le bord de l'autoroute 20 que j'avais trouvé un petit trésor. Une coiffeuse datant de 1920, en bois vieilli par le temps, recouverte d'une peinture blanche écaillée et ornée de petites dorures. On en demandait seulement 250 dollars, banc compris. Mon père et l'antiquaire l'avaient embarquée dans la fourgonnette paternelle. Nous nous étions ensuite rendus à ma résidence pour l'installer dans ma chambre.

C'était le dernier souvenir que je gardais de lui. Je ne l'avais plus jamais revu après cette journée. Joseph L'Espérance avait subi un arrêt cardiaque le lendemain en tondant la pelouse. Il s'était effondré. Ma mère, Gloria Crawford, avait tout essayé en tentant de le réanimer en attendant les ambulanciers. Mais en vain.

Cela faisait déjà presque trois ans que mon père n'y était plus. Il nous avait fallu à moi et ma mère beaucoup de temps pour accepter cette tragédie. Il était si jeune. Cinquante-sept ans. Moi, Lily-Rose L'Espérance, j'en avais à peine 30.

Je revins de ces pensées lointaines et me rappelai ce qui me tracassait en me regardant dans le miroir de ma coiffeuse. J'attendais impatiemment le retour d'Émile, mon amoureux. L'horloge affichait 18 h 30. Nous étions attendus pour 20 h à une soirée où j'allais être la vedette. Je recevrais le prix du meilleur reportage canadien pour 2011.

Ce prix était remis par l'Association canadienne des journalistes au Château Frontenac, à Québec. Mon reportage concernait une courageuse fillette d'à peine 10 ans qui avait réussi à fuir son pays en guerre, seule vers un monde meilleur : le Canada. C'était le premier prix que j'allais recevoir. J'étais consciente de ma chance, ma carrière de journaliste étant si jeune.

C'était Bruce Payne, le rédacteur en chef du magazine d'actualité *Société d'ici et d'ailleurs,* où je travaillais depuis trois ans, qui m'avait lancée dans la course. Cet Américain de New York avait adopté le Québec comme terre d'accueil. Il s'y était établi afin de vivre paisiblement loin des tourments de la grande ville. Durant une dizaine d'années, il avait été journaliste, puis rédacteur en chef du prestigieux *New York Today Journal*. Le numéro un des quotidiens aux États-Unis. Les reporters d'enquête les plus reconnus y travaillaient. Bruce Payne avait fait le pari de lancer un nouveau concept : un magazine hebdomadaire québécois à l'image du *New York Today Journal*. Sa formule avait été gagnante dès la première année. Des journalistes fort connus de la province s'étaient joints à l'équipe de cet homme respecté.

J'étais la petite protégée de Bruce. Il m'avait recrutée alors que je ne détenais que trois années d'expérience et un baccalauréat en communications publiques, profil journalisme, de l'Université Laval. Nouvelle dans le milieu, j'avais tout de même déjà écrit un tas d'histoires. Bruce trouvait que je faisais preuve d'une grande rigueur, d'une empathie incontestable et que je possédais une fougue me permettant de repousser toutes les limites. Sans compter qu'il appréciait grandement la qualité de mon français : une denrée rare chez les jeunes journalistes, disait-il. De plus, je croyais fortement aux nouvelles technologies de l'information, ce qui l'arrangeait bien. Pour ces motifs, mon rédacteur en chef croyait qu'un avenir prometteur m'était destiné. Ce qui pourrait profiter à son magazine. Un périodique près des gens, qui mettait en évidence les enjeux sociétaux qui les touchaient. Il était distribué à la grandeur du Canada depuis 2000. Il détenait la particularité de ne pas avoir de siège social. Chaque journaliste travaillait à partir de la maison et voyageait aux quatre coins du Québec, du Canada et de la planète.

J'adorais mon travail. D'autant plus qu'il me permettrait éventuellement d'élever plus aisément mes enfants. Il faciliterait mon avenir avec Émile. Lui aussi pouvait jongler avec ses horaires et son lieu de travail puisqu'il était agent d'acteurs et de comédiens. Il gérait la carrière de 22 Canadiens. Certains étaient très connus, entre autres sur la scène hollywoodienne. Émile et moi essayions d'avoir des enfants depuis maintenant deux ans. Nous en voulions trois. J'avais 33 ans, lui 36 ans. Nous vivions une vie professionnelle et amoureuse enviée de tous. Nous connaissions le bonheur parfait.

On sonna à la porte. Je me levai brusquement de mon banc. Je n'attendais personne. J'étais nerveuse, car Émile tardait, et angoissée par la façon dont je devais m'habiller. Je n'avais donc pas besoin qu'on vienne me déranger. La sonnette se fit entendre à nouveau alors que je me dirigeais vers la porte d'entrée. Tout en marchant, je vis par la fenêtre qu'il pleuvait toujours des cordes. Je fis une grimace en pensant que j'arriverais probablement à la cérémonie détrempée par la pluie, d'autant que les vents se faisaient violents.

J'ouvris la porte. Je découvris deux agents de police plantés sur le seuil, vêtus d'imperméables et coiffés de casquettes sur lesquelles de petites chutes d'eau dégoulinaient. Ils affichaient un air incertain. Il y eut quelques secondes d'hésitation.

— Êtes-vous Madame Dujardin ? demanda le plus grassouillet des deux.

— Dujardin, c'est le nom de mon conjoint Émile. C'est français. Enfin, il a des origines françaises, mais il est Québécois. Mon nom est L'Espérance. Lily-Rose L'Espérance. Cent pour cent Québécoise ! Passons. En quoi est-ce que je peux vous être utile ?

Je donnais des détails superflus aux policiers. Je le savais, mais j'étais paniquée. Je tentais de repousser le moment critique. Je sentais que ma journée allait être bouleversée. Je luttais contre cette pensée lugubre. Je ressentis un serrement effroyable au cœur. Un mal de tête me foudroya soudainement. Mes yeux se remplirent subitement de larmes. Mon instinct ne me trompait jamais. Un malheur venait d'arriver à Émile. Un malheur qui changerait le cours de ma vie.

Les deux agents se lancèrent un regard triste avant de répondre.

— Madame, je suis extrêmement navré de vous annoncer qu'on a retrouvé le corps de votre conjoint, Émile Dujardin, continua le second policier. L'océan a rejeté son corps sur une plage longeant une falaise.

— À Santa Monica, en Californie, poursuivit l'autre. Nous avons pu l'identifier grâce à son portefeuille retrouvé sur lui. C'est un passant qui l'a découvert. Vous comprenez ? Mademoiselle ? Mademoiselle ?

— En Californie ? Vous avez dit en Californie, répondis-je en larmes et complètement bouleversée.

Chapitre 1

Nouveau départ à New York

Lundi 10 septembre 2012. Depuis environ cinq minutes, l'alarme du réveille-matin résonnait à tue-tête ; une sonnerie stridente qui ferait sursauter n'importe qui endormi profondément. Le bruit des voitures − majoritairement des taxis jaunes − provenant de la fenêtre ouverte était insupportable. Et que dire de ces klaxons fusant de toutes parts ? Un vrai charivari !

— Eh merde, mais ce n'est pas possible ! Je dois faire un cauchemar ! On dirait que je suis étendue au milieu de la rue ! « Une insonorisation formidable », m'avait assuré le propriétaire pour que je loue ce studio. Ouain, tu parles ! Bienvenue dans la *Big Apple,* Lily-Rose ! Tu t'y feras, me lamentai-je à voix haute.

J'étirai mon bras afin de frapper sur mon réveille-matin. Je soulevai finalement la courtepointe qui m'enveloppait complètement la tête et respirai un bon coup. J'étais trempée tellement j'avais eu chaud durant la nuit. J'avais un mal de tête épouvantable. Mes yeux étaient gonflés comme des ballons. Mais j'avais tout de même bien dormi. Il faut dire que l'alcool − plus précisément une bonne bouteille de Barefoot, ou une et demie − avait grandement contribué à mon état. Afin d'éviter à mon crâne d'éclater, je tournai très doucement la tête pour connaître l'heure.

— Nooon, non et non ! 6 h 20 ! 6 h 20 ! criai-je. Super ! Première journée de travail à New York, t'as la gueule de bois, tu ressembles à un épouvantail, et encore, à une vadrouille ! Par-dessus le marché, tu seras en retard, en retaaarrrddd pour ta première journée de travail au *New York Today Journal* ! Allez debout, ma vieille ! Tu sais combien de journalistes voudraient être à ta place en ce moment même ?

Je me levai en sautant carrément de mon grand lit de bois. Je fis quelques pas vers la baie vitrée géante qui couvrait entièrement le mur extérieur de mon studio pour en ouvrir les rideaux blancs.

Le premier aspect qui m'avait plu dans cet appartement était la vue splendide et dynamique du 10e étage sur le quartier d'Upper West Side. Un quartier branché de New York longeant Central Park. L'immeuble était situé sur la jolie Columbus Avenue, près du réservoir d'eau de la ville. L'endroit était bruyant, mais tellement plus actif que les quartiers de West Village et East Village, où j'avais également visité des appartements tous plus luxueux les uns que les autres.

Je n'avais eu qu'une seule semaine pour trouver un endroit où loger. J'avais ressenti un grand intérêt pour ce studio. Hormis la baie vitrée, la cuisine était spacieuse, champêtre et rustique avec une touche italienne irrésistible. Les comptoirs étaient recouverts de céramiques, les armoires étaient en chêne, et un énorme bloc de boucher ornait la place. Sans compter que le mur était recouvert de briques. Et que dire de la salle de bain avec son lavabo carré sur pieds et sa baignoire sur pieds-de-lion.

J'adorais tout de cet espace à aire ouverte convivial et charmant. Quand j'y étais entrée, j'avais visualisé facilement comment serait mon environnement. Comment je créerais des séparations visuelles. Je savais comment ma vie s'y déroulerait au quotidien. J'allais aussi pouvoir me rendre à Central

Park pour y jogger, pour me défouler, y prendre un café, me promener au zoo, patiner sous les flocons de neige ou encore profiter des espaces verts. Ce dernier aspect allait me manquer du Québec. J'étais habituée à vivre tranquillement en campagne.

Finalement, étant maniaque de magasinage, je m'étais convaincue que j'y trouverais mon compte à quelques pas du studio. D'ailleurs, ma garde-robe imaginaire séparée par quelques paravents, mes gigantesques armoires et commodes divisant mon espace chambre de celui du salon étaient pleines à craquer de vêtements. Sans parler de ma coiffeuse, ma pharmacie, mon meuble de salle de bain remplis de bijoux et de pots de crème ainsi que de mon banc d'entrée débordant de sacs à main.

Bref, j'avais donc signé en haut, signé en bas, pour un bail d'un an avec option d'achat. Un peu cher. C'était certain. Mais je savais qu'Émile aurait été en parfait accord avec ma décision d'utiliser la fortune qu'il m'avait léguée pour fuir et repartir à zéro sans retenue.

Je fuyais ce désastre qui m'avait marquée au fer rouge pour le reste de mes jours. Pourquoi ? L'éternelle question qui me chavirait et me donnait tant de maux de tête ! Même un an plus tard. Un an, repensai-je. J'avais végété tout ce temps à la maison. Remplie de désespoir, à essayer de remonter la pente. Qui aurait cru qu'un jour mademoiselle à toute épreuve, prête à affronter vents et marées, sombrerait dans la dépression ?

— Et me voilà repartie dans mes pensées noires, criai-je ! Non, mais c'est assez, ça fait maintenant plus d'un an, Lily ! Tu l'aimes, nous l'aimions tous et il t'aimait. Vous aviez une vie ¿prometteuse et bla-bla… Mais tu ne pourras jamais comprendre la tristesse qui était enfouie au fin fond de son cœur et de son âme ! Alors, vis chaque instant comme si c'était le dernier !

Je continuai à me préparer pour le travail. Je manquais sérieusement de temps pour me laver les cheveux. C'est dans ces moments-là que je me rendais compte combien c'était pratique d'avoir les cheveux très courts. J'avais décidé de troquer ma longue chevelure brun foncé pour une coupe à la Twiggy. J'avais même osé un blond très cendré. J'optai pour un maquillage léger avec beaucoup de cache-cernes et un rouge à lèvres saillant. Côté vestimentaire, tout était prêt sur le sofa. Quelle veine, car je pouvais mettre pas mal de temps à choisir une tenue. Je porterais un pantalon brun foncé *sixties* avec une chemise blanche transparente retombant sur mes hanches dévoilant mon énorme et récent tatouage à motifs floraux et tribaux couvrant tout le haut de mon bras gauche. Ce tatouage et ma nouvelle coupe marquaient le recommencement. Je mis des bottillons plate-forme qui allongeaient mes jambes. L'ensemble était accompagné d'une longue chaîne à médaillon et de perles aux oreilles.

J'étais en pleins préparatifs quand mon cellulaire retentit à répétition. Je ne pouvais répondre avec tout ce retard. Je le laissai sonner sans même regarder l'afficheur. De toute façon, je me doutais qu'il devait s'agir de ma chère mère protectrice. Depuis la mort de mon père, j'étais devenue sa principale attraction. Au point où je m'inquiétais de savoir comment elle allait bien se trouver un autre divertissement, maintenant que je n'y étais plus. Pourtant, ce n'étaient pas les occupations ni les amis qui lui manquaient. En plus, elle était toujours débordée par son emploi de professeur d'anglais à l'Université Laval. Elle voulait sûrement s'assurer que je me comporterais convenablement pour le grand jour.

Ce qui me préoccupait pour l'instant, c'était qu'il était déjà 7 h 15. Je devais arriver à 8 h au journal. Comment allais-je faire en pleine heure de pointe sans aucune avance sur le temps ? Cela aurait dû être déjà envisagé : voyager en métro, bus ou taxi. Pour ce qui était du métro et du bus, je n'avais pris aucune information à cet effet. Il était manifestement trop tard pour ce faire. Une semaine pour m'organiser, c'était trop peu. Je m'en rendais compte. Quant aux taxis, les travailleurs assidus les avaient mobilisés et je n'avais pris aucune entente. Je risquais d'attendre longtemps sur le bord de la rue à héler. Comment allais-je y arriver ? Les regrets se firent sentir en pensant que je venais de vendre mon auto.

Je mis mon sac de travail sur mon épaule et mon sac à main par-dessus celui-ci. Je sautai sur mon vélo et me lançai dans une course folle en plein cœur du trafic. Après tout, la température était idéale pour un mois de septembre. Soleil et 24 degrés Celsius.

Finalement, mon idée n'était pas si bête que ça puisque je me frayais un chemin assez facilement sur la 8e Avenue longeant Central Park. Je dépassais de façon surprenante les automobilistes. Il fallait admettre que je ne respectais pas tout à fait les feux de circulation et les arrêts. Et qu'on klaxonnait sur mon passage. L'important était d'atteindre mon objectif : ne pas être en retard pour ma première journée au *New York Today Journal*. J'allais y arriver.

En passant devant la multitude de kiosques à journaux et de chariots à bagels, bretzels, hot-dogs et souvlakis fumants, je ressentis une certaine nostalgie. Si seulement j'avais eu ne serait-ce que 10 minutes à perdre, j'aurais attrapé un journal et un bretzel. Et je me serais assise sur le coin d'un immeuble. C'était ça New York : vivre à cent milles à l'heure !

7 h 54. 43ᵉ Rue, Times Square. Je me situais face à l'édifice vitré du *New York Today Journal*. Je pris un virage à 180 degrés et j'entrai de plein fouet dans le stationnement souterrain de l'édifice. Je garai mon vélo sur le support réservé à cet effet. Pas de cadenas en mains ; je le laissai presque tomber entre deux rayons. Puis, je partis en courant jusqu'à l'ascenseur du stationnement. Direction, entrée principale.

Sous-sol 2. Sous-sol 1. Rez-de-chaussée. Je devais avoir un air épouvantable. Je sentais des gouttes de sueur qui me perlaient sur le front. Pour dire vrai, j'étais toute mouillée, tant je m'étais donnée à vélo. Je me dépêchai alors de sortir un mouchoir afin de m'éponger le front, le menton et le nez. Je me remis un peu de rouge à lèvres et replaçai mon toupet sur le côté. Les portes de l'ascenseur s'ouvrirent si rapidement que je n'eus pas le temps de reprendre mon souffle.

— Mademoiselle L'Espérance, j'imagine, s'exclama en français avec un accent particulier un homme dans la soixantaine avancée, vêtu d'un habit sobre, planté droit devant l'ascenseur. Nous n'avions plus vraiment « l'espérance » que vous arriviez à l'heure. Je vous attends à l'entrée depuis 15 minutes. C'est ça la *Big Apple,* ma chère ! Il faudra vous y habituer. Rapidement. J'espère voir votre joli minois plus tôt dès demain matin. Vous comprenez bien ?

Je devinai que cet homme imposant aux cheveux foncés portant d'énormes lunettes noires devait être Chris Pitt, le rédacteur en chef du journal. Celui qui avait succédé à Bruce Payne. Il pouvait bien faire un petit jeu de mots facile avec mon nom. Chris Pitt, c'était à mourir de rire ce nom !

On aurait dit une marque de céréale, m'étais-je dit la première fois que je l'avais entendu de la bouche de Bruce, qui m'avait recommandée. C'était une chance pour moi d'avoir précédemment bien ri de son nom avant de lui faire face, car j'étais du genre qui avait de la difficulté à se retenir.

— Comme vous devez vous y attendre, Chris Pitt, rédacteur en chef du journal depuis bientôt trois ans. Enchanté, poursuivit-il, en anglais, en me serrant la main tout en gardant un air sérieux.

Tout en l'écoutant attentivement, je n'avais pu m'empêcher de détourner le regard vers l'énorme horloge qui ornait le mur de l'entrée face à la réception. 7 h 59. Ouuufff ! Mon nouveau patron semblait remarquer ma distraction. Je m'empressai alors de reprendre le tout en mains.

— Monsieur Pitt, c'est un honneur pour moi de faire votre connaissance. Bruce m'a beaucoup parlé de vous. J'ai eu la chance de lire plusieurs de vos articles et dossiers. Je vous remercie grandement d'avoir accepté de m'accueillir chez vous. Vous ne le regretterez pas. Je mettrai toute la rigueur nécessaire dans mon travail. Ah, et sincèrement désolée d'être arrivée à une minute près de l'heure à laquelle vous m'attendiez ! Je serai mieux organisée à l'avenir.

J'étais bien contente d'avoir pu glisser un commentaire pour lui faire remarquer que je n'étais pas en retard.

— Très bien chère demoiselle ! Je remarque que votre accent est assez léger pour une Québécoise ! Comment est-ce possible, dites-moi ? me relança mon rédacteur en chef. Vous comprenez, je suis un peu débordé, alors je n'ai pas eu vraiment le temps de m'attarder à votre curriculum vitæ. Je fais confiance aux ressources humaines ! Ceci étant dit, on m'a confirmé que vous possédiez d'excellentes aptitudes, que vous aviez été impressionnante lors des entrevues et que vous aviez réussi nos tests haut la main !

— En fait, ma mère est anglophone. Elle parlait toujours anglais à la maison. J'ai donc grandi en apprenant tant le français que l'anglais. Aussi, mes parents m'ont envoyée dans des camps d'immersion anglophone à un très jeune âge. Et puis j'ai fréquenté l'école anglophone. J'ai également fait quelques échanges étudiants au New Jersey. Plus jeune, j'ai occupé des emplois où je devais m'exprimer en anglais. Tout cela a profité à ma carrière, puisque j'ai couvert l'actualité internationale dans les deux langues. Et voilà, l'anglais a toujours fait partie intégrante de ma vie, tout comme le français ! expliquai-je.

— Alors, espérons que votre anglais est aussi bon à l'écrit qu'à l'oral ! Bien, assez discuté maintenant, suivez-moi ! Nous allons faire une tournée des lieux et je vous présenterai à toute l'équipe. Finalement, je vous montrerai où est votre bureau. Votre première affectation vous y attend. Vous devrez rédiger un article sur le sujet dès aujourd'hui, faire une entrevue et préparer une galerie de photos que vous prendrez vous-même. Bref, pondre un dossier, quoi !

Un dossier pour ma première journée. Wow ! L'adrénaline monta dans mes veines : c'était si inattendu et extraordinaire ! Et monsieur Pitt avait presque souri en me le disant.

— Me permettez-vous de vous demander le sujet qui m'a été assigné ? Je suis un peu curieuse, osai-je.

— Bien entendu, chère. D'autant plus que cette première affectation, ce n'est pas votre chef de pupitre qui l'a choisie, mais moi-même. Or, dès demain, vous devrez vous en remettre à Stephany Morgan, responsable de la section Mode et beauté. C'est une vraie professionnelle ! Elle fait partie de l'équipe depuis bientôt cinq ans.

Mode et beauté ? Avais-je bien entendu ? Non, non et non ; n'importe quoi, mais pas ça ! Je détestais écrire sur de tels sujets. En plus, je n'avais aucun talent dans ce domaine. Moi, je couvrais plutôt les enjeux politiques et économiques. Et allait-il cesser de dire *« ma chère »* par-ci, *« ma chère »* par-là ! Lily-Rose. Je m'appelle Lily-Rose.

— Vous serez attitrée aux tendances beauté plus précisément. Si tout va bien, vous pourrez aussi toucher à la mode et courir les podiums new-yorkais. Et si ça va très bien, Stephany vous affectera aux histoires à potins et aux portraits de quelques coqueluches hollywoodiennes. Mais vous devez commencer par faire vos preuves durant les six premiers mois.

Je n'en croyais pas mes oreilles ! Les tendances beauté durant six mois. Le désastre !

— Monsieur Pitt ?

— Appelez-moi Chris.

— Chris. Je pense qu'il y a un petit malentendu. Je croyais couvrir plutôt les enjeux politiques, économiques ou sociétaux. Bruce semblait dire que je poursuivrais sur ma lancée ici. J'ai toujours travaillé sur des sujets liés à ces aspects. Je ne suis pas certaine d'être à la hauteur en parlant de tendances beauté. Y aurait-il d'autres possibilités de couverture ? Pourrait-on faire un compromis ? Sinon, dans combien de temps pourrai-je écrire sur d'autres sujets ?

Je vis alors le semblant de sourire de mon rédacteur en chef fondre complètement. Il enleva ses lunettes, les posa sur sa tête, fronça les sourcils et mit les mains sur ses hanches.

— Houlala ! Attention, danger ! Quand Chris fait cette tête, gare à toi ! Je ne sais pas ce que tu as bien pu lui dire, mais ça va chauffer ! lança un jeune homme dans la trentaine qui passait par là. Je m'appelle Georges et je suis journaliste à la section des crimes et enquêtes, laissa-t-il tomber en s'éloignant. Georges Roberts.

Ouah, ce gars avait le mot sexe écrit en plein milieu du front. Mes hormones s'emballèrent. Après Émile, je n'avais laissé aucun homme entrer dans mon quotidien. Pas même pour une nuit. Mais la page était tournée, même si Émile demeurait l'homme de ma vie et que j'étais loin d'être prête à m'engager à nouveau. Mais j'étais décidée à reprendre ma vie sexuelle en mains. La drôle de tête que me fit mon rédacteur en chef me ramena à l'ordre.

— Très chère Lily-Rose. Je peux vous appeler Lily-Rose ? Ici, c'est moi le patron. Vous faites ce que je vous dis ou vous prenez la porte. Cela tombe bien puisque nous sommes à côté de l'ascenseur qui vous mènera d'où vous venez. Au *Société d'ici et d'ailleurs*, vous étiez peut-être une vedette. Mais ici, il y a de nombreux journalistes talentueux qui ont une longueur d'avance sur vous. Et ce journal compte un tirage mille fois plus élevé que celui du magazine où vous avez travaillé. Je ne suis pas Bruce. Je suis Chris. Est-ce que c'est clair, Mademoiselle L'Espérance ?

— Oui, Monsieur Pitt. Mais avec tout le respect que je vous dois, vous avez tort. Je saurai vous le prouver. Mais ça me va, je serai journaliste aux tendances beauté. Dès que je prendrai connaissance de ma première affectation, je me précipiterai pour la remplir.

Après ces quelques mots qui ne me semblèrent pas trop sincères, j'espérai malgré tout que monsieur se calmerait un peu. Je voyais que son expression faciale revenait à la normale. Son semblant de sourire s'afficha à nouveau. Je l'avais échappé belle !

— Bon, j'admets que je suis un peu sévère avec vous,

chère. Allez, ne faites pas cette tête ! Les amis de Bruce sont aussi les miens. Vous savez, vous n'avez pas besoin de m'amadouer. J'ai la certitude que nous allons nous entendre et que toute l'équipe vous adoptera.

— Merci Chris !

— En parlant d'équipe, je crois qu'il est temps de faire notre petite tournée. Par contre, plusieurs journalistes sont à l'extérieur afin de préparer des reportages en vue des commémorations de demain. Il y a déjà 11 ans que les deux tours du World Trade Center se sont écroulées, que cette tragédie nous frappait de plein fouet. Bien qu'on en ressente encore les effets, disons qu'avec le 10e anniversaire qui a été marquant l'an dernier, puis la mort de Ben Laden en mai, cet événement risque d'être plus modeste cette fois-ci ! D'autant plus qu'avec la campagne présidentielle en cours et la crise économique qui sévit, les New-Yorkais ont bien d'autres sources de préoccupations. Mais je trouvais cela tout de même important de mettre le paquet pour qu'on se souvienne ! m'informa mon rédacteur en chef. Bref, allez, suivez-moi !

— Je vous suis de ce pas avec grand plaisir, cher !

— Lily-Rose, sachez qu'il n'y a que moi qui utilise cette expression ici. Chère.

— Désolée !

— Je plaisantais, voyons ! N'avez-vous donc aucun sens de l'humour ?

Ah, parce que c'était censé être une plaisanterie ?

— Je suis simplement un peu stressée, c'est tout. Le stress du premier jour. Ça passera.

— Bien sûr, chère Lily. Je comprends.

Lily ? Il me donnait un surnom ? Il valait mieux me taire. De toute façon, c'était sans importance. Ce prénom me plaisait. Ce n'était pas la première fois qu'on me l'attribuait.

Enfin, après 10 minutes de discussion avec Chris Pitt — qui m'en avaientt paru 30 — j'allais mettre le pied dans la salle de rédaction. J'avais attendu ce moment durant trois mois, depuis ma confirmation d'embauche par Bruce. Le rédacteur en chef du *New York Today Journal* m'avait engagée, car il lui en devait une. Je soupçonnais qu'il s'agissait de sa promotion en tant que rédacteur en chef du journal. Après trois mois d'attente, ça y était dans 4, 3, 2, 1, 0…

Chris Pitt posa les mains sur les poignées des portes d'acier fenêtrées de la salle de rédaction, cachées derrière la réception. Il les bascula à bras ouverts. Je sentis alors toute cette frénésie, ce brouhaha, cette adrénaline, cette soif de découvrir, d'informer. Je sentais cette odeur. Une odeur incomparable dont les journalistes ne pouvaient se passer. Cela faisait si longtemps que je n'avais pas travaillé dans une salle de rédaction. Auparavant, j'étais la plupart du temps à la maison, et celle du magazine où je travaillais avant cela était minuscule.

Il était vrai que 80 % d'entre nous y avaient trouvé leur compte : éviter le tumulte du trafic, moins de coûts de déplacement, possibilités de concilier famille-travail, en plus de pouvoir traîner en pyjama durant les heures d'écriture. Disons que les 20 % restants étaient majoritairement nos aînés qui se montraient plutôt conservateurs. Travailler à la maison, écrire un blogue, prendre des photographies et faire ou produire des vidéos, fournir des articles ou des images en temps réel, le journalisme Web ; tout ça représentait pour plusieurs d'entre eux la perte de méthodes rigoureuses.

Un vrai journaliste devait s'investir, prendre le temps néces-saire pour livrer la marchandise, ne faire qu'une tâche à la fois – écrire – et devait avoir les fesses assises dans une salle de rédaction.

Je faisais bien sûr partie des 80 %. Pour moi, la rigueur allait de soi et le journalisme d'enquête devait survivre par-dessus tout. Mais nous devions suivre le virage des nouvelles technologies, nous adapter et innover pour garder notre lec-torat au rendez-vous. Sauf qu'il n'y avait rien pour remplacer l'ambiance qui régnait dans une salle de rédaction. C'était la jungle. Dieu sait à quel point j'avais besoin de retrouver cet état de bien-être dont je n'avais pas souvent bénéficié durant ma jeune carrière. Tout sauf me retrouver seule à écrire chez moi, à me tourmenter sur mon passé.

Le *New York Today Journal* était l'un des seuls médias écrits qui avaient pu garder pratiquement tout leur effectif en place sans coupure, malgré le virage technologique et la baisse des ventes des journaux partout dans le monde. On avait opté pour une mise à la retraite avancée des journalistes étant sur le point de se retirer. Ceux-ci avaient accepté. Pour les autres, tous étaient d'accord pour innover.

Dès notre entrée, un journaliste à l'air intellectuel, mince et rouquin, se précipita sur le rédacteur en chef, en faisant presque abstraction de ma personne.

— Chris, ça tombe bien ! s'exprima-t-il. J'aimerais obtenir votre approbation. L'équipe de presse d'Obama vient de faire paraître un avis aux médias. Les journalistes parlementaires sont convoqués d'urgence à un point de presse extraordinaire qui devrait se tenir à 17 h. Je veux et je dois y assister, car…

Chris Pitt le coupa sans même lui laisser le temps de ter-miner sa demande.

— Ben, vous savez que notre journaliste parlementaire est sur place. Je suis persuadé qu'il doit être au courant et y participera. Alors, pouvez-vous me dire où est l'intérêt de vous y envoyer ? Où voulez-vous en venir, et rapidement s'il vous plaît ?

— Selon l'une de mes sources, Obama ferait une sortie surprise afin d'annoncer qu'il refusera dans les prochaines semaines à TransCanada l'autorisation de construire le pipe-line Keystone XL. Comme vous savez, il s'agit de l'un de mes plus importants dossiers en environnement. Mais jamais je n'ai pu assister à l'une des sorties publiques d'Obama sur le sujet, jamais je n'ai eu la chance de donner la nouvelle en direct, de le prendre en images, de poser une question. Mon dossier manque d'objectivité puisque j'ai questionné plusieurs écologistes. J'ai même eu le premier ministre du Canada, Stephen Harper, en entrevue. C'est du sérieux là : un projet de sept milliards !

Chris Pitt le regarda d'un œil et se mit à ricaner, tout en lui donnant une petite claque d'encouragement sur l'épaule.

— Non, mais c'est une farce ? Cessez de vous servir du manque d'objectivité comme prétexte. Vous ne pensez tout de même pas obtenir une entrevue avec Obama juste comme ça ? Je ne doute pas de vos talents. Mais crachez le morceau, sinon vos fesses demeureront vissées sur votre chaise au journal.

Je constatai que Ben n'avait pas dit son dernier mot. Je l'admirais pour sa persévérance.

— Chris, vous connaissez le métier mieux que moi ; on ne dévoile pas d'histoires scandaleuses, même à son rédacteur en chef, sans avoir validé ses sources sur le terrain et fait quelques entrevues. Mais je crois que vous ne me laissez pas trop le choix, si je comprends bien.

— Aucun. C'est en minimisant les risques qu'on évite des frais inutiles. Et c'est en évitant des frais inutiles qu'on évite de couper dans les effectifs.

Pris au piège, le jeune homme expliqua à notre patron que le journaliste parlementaire avait réussi à obtenir un rendez-vous pour une entrevue grâce à l'un de ses contacts du cabinet d'Obama. Il avait accepté cet entretien parce qu'on lui avait laissé comprendre que Ben détenait des informations compromettantes.

Le journaliste continua en assurant qu'il avait des preuves sûres à l'effet qu'Obama aurait reçu d'un groupe d'écologistes extrémistes de graves menaces mettant sa vie et celle de sa famille en danger. Or, la CIA ne réunissait pas encore assez de preuves pour procéder à des arrestations, expliqua-t-il.

— Le clou, c'est que le groupe, bien connu du milieu, aurait accepté un pot-de-vin de plusieurs millions de dollars d'une compagnie pétrolière nationale compétitrice afin de compromettre le projet Keystone XL de TransCanada. Ainsi, Obama s'apprêterait à retarder le projet. Du moins, à annoncer qu'il travaillera en ce sens[1].

Chris Pitt avait les yeux grands ouverts. Il n'en croyait pas ses oreilles et moi non plus d'ailleurs. J'étais arrivée pile dans le feu de l'action, ce qui m'excitait. Or, pour ma part, le plus grand scandale qui m'attendait serait sûrement qu'un mannequin se planterait durant un défilé ou que Brad (Pitt) quitterait Angelina (Jolie).

— Non, mais qu'est-ce que vous attendez pour préparer votre départ ? Vous partez pour deux semaines. Fournissez

---

1 Ce pot-de-vin provenant d'un groupe d'écologistes extrémistes est un élément de fiction servant au roman.

tout ce que vous pouvez en temps réel en ligne et alimentez la une du portail dès que tout se confirme. Et aucun autre sujet sur votre blogue, aucun. Vous devriez battre des records de clics pour un sujet lié à l'environnement. Je vous promets plusieurs unes de l'édition papier si vous faites du bon travail !

Ben le remercia, apparemment très fier de lui-même, et se dirigea vers l'adjointe administrative responsable d'organiser les déplacements.

Pour sa part, mon patron me fit remarquer que « ça, c'était du journalisme d'enquête prodigieux et que Ben avait travaillé fort pour en arriver là après plus de 17 ans au sein de l'équipe, alors qu'il avait commencé à la rubrique nécrologique ».

La rubrique nécrologique : qu'est-ce que ça devait être lourd, pensai-je tout en suivant Chris Pitt à travers la salle de rédaction. Je me réjouis soudain de mon destin au journal. D'autant que la mort avait toujours été ma plus grande peur dans la vie.

Il continua notre tournée en me présentant tour à tour les recherchistes, journalistes, chefs de pupitre et photographes des différentes sections situées aux premier et deuxième étages. Faits divers, politique, économie, santé, environnement, société, culture, tendances mode et beauté, automobile, divertissement, techno, sciences, sport, crimes et enquêtes, courrier du cœur, horoscope et j'en passe ; le journal touchait tous les sujets.

Ce fut ensuite le tour des membres du personnel administratif, des ressources humaines, de la pub, des petites annonces, de l'édition, de l'informatique et puis du multimédia installés sur les trois étages suivants. La visite avait été assez expéditive puisque tout un chacun était fort occupé.

Le dernier étage n'avait pas été inclus dans la visite. Il resterait mystérieux pour moi. Mon rédacteur en chef m'avait simplement mentionné qu'il était réservé au PDG et à la direction.

Mon patron termina la tournée des lieux avec mon bureau. Nous étions donc redescendus par l'escalier jusqu'au deuxième étage. Un meuble en chêne jauni en forme de L avec des étagères, une lampe rouge, un portable dernier cri, une imprimante laser, quelques ouvrages de référence, de la papeterie, un téléphone sans fil, une chaise pour moi et une seconde pour les invités y étaient aménagés. Des panneaux de bois délimitaient mon espace. Ces panneaux de séparation colorés aux mille et une couleurs donnaient un aspect dynamique à l'endroit.

La salle était immense, composée d'une centaine de bureaux à aire ouverte. On y trouvait aussi une quarantaine de bureaux fermés réservés aux reporters-vedettes dont une douzaine disposaient de baies vitrées avec une vue sur Times Square à couper le souffle. Les murs étaient tapissés de découpures de journaux, de mots, d'affiches inédites, de peintures et de graffitis. Sans oublier la dizaine d'écrans géants qui diffusaient information et émissions d'enquête de toutes sortes. J'adorais cette ambiance !

Pour ce qui était de mon voisinage immédiat, à ma gauche se trouvait une fille originale assignée aux critiques de spectacles. À ma droite, un gars particulièrement efféminé, journaliste aux tendances mode. À l'avant et à l'arrière de mon bureau, des couloirs. Parfait, je n'aurais pas trop à me sentir obligée de jaser ! pensai-je.

J'aimais discuter, échanger, mais j'étais plutôt réservée, un peu gênée avec les inconnus malgré les apparences. Mon beau grand sourire et ma facilité à communiquer en public n'étaient qu'une façade. J'étais observatrice. Ceci étant dit, en tant que journaliste, je pouvais soutirer n'importe quoi à n'importe qui. On me faisait confiance, j'avais la sympathie des gens. Nous méritions tous une oreille attentive. Avec de l'empathie, on réussissait les meilleures enquêtes ! Or, j'avais aussi mes points faibles : il m'était difficile de mettre une barrière entre faits et émotions, et je devais faire beaucoup d'efforts pour écrire de la façon la plus concise possible.

Une fois l'examen de mon emplacement terminé, j'ouvris mon ordinateur et je saisis mon affectation afin de me mettre au travail. J'étais déterminée à prouver à mon rédacteur en chef qu'il pouvait miser sur moi, qu'il avait commis une erreur en me sous-estimant. Je devais être promue à la section politique ou économie.

Je sortis de mes pensées quand j'entendis un homme crier mon nom au loin. Georges Roberts de la section des crimes et enquêtes. Quelle chance : les crimes et enquêtes ! Ça faisait trois fois que je le croisais en une journée. Il était l'un des journalistes vedettes du journal.

D'ailleurs, pour avoir lu leurs exploits, tous les journalistes de la section crimes et enquêtes semblaient faire partie de l'élite journalistique new-yorkaise. C'était connu, les crimes et enquêtes avaient toujours été payants, peu importait le média. Le lectorat recherchait le sensationnalisme, l'inédit. Les affaires judiciaires le maintenait en haleine et réveillait sa curiosité. Il fallait non seulement une plume aiguisée, un sens de la déduction exceptionnel pour faire partie de ce groupe, mais aussi un courage hors du commun, une intuition particulière, et le goût de vivre dangereusement. Je les admirais.

— Chris ne t'a pas trop secouée ? Tu crois pouvoir t'en sortir vivante avec les fonctions qu'on t'a attribuées ? Si je ne m'abuse, tu faisais plutôt dans les dossiers chauds avant ton arrivée ici. Ne t'en fais pas ! Mets ton orgueil de journaliste de côté. Ce n'est que partie remise, me rassura Georges avec un sourire en coin.

En entendant le son grave de sa voix, je me sentis flattée, car je semblais attirer son attention. Je plaisais encore. Je trouvais néanmoins ses paroles un peu directes.

— Merci de t'inquiéter pour moi, mais je ne devrais pas avoir besoin d'un défibrillateur pour me ressaisir. Je trouve la section Mode et beauté aussi noble que n'importe quelle autre. Mon orgueil n'a pas du tout été touché. Je ne vois pas ce qui te fait croire ça. Après tout, c'est un poste comme un autre, mentis-je avec un air sûr de moi et incertain à la fois.

Georges me lança un regard dans lequel on pouvait deviner qu'il ne gobait pas du tout ce que je racontais. Il avait les yeux d'un bleu perçant et un charme irrésistible. Comment lui faire face sans succomber ? Il présentait un style qui me plaisait : chevelure en pagaille, barbe d'une semaine, jeans défraîchis, t-shirt ajusté, veston rapiécé et chaussures Converse. Hum, mes hormones féminines se laissèrent aller encore une fois.

— Allez mad'moiselle L'Espérance, ne le prends pas ainsi ! On est tous passés par là. Pour me faire pardonner, et question de te familiariser avec le groupe, que dirais-tu de venir prendre un p'tit verre ? Disons, vers les 19 h, vendredi, chez Pop Burger, un pub branché où plusieurs d'entre nous aiment boire et se régaler. Je t'y amène. Rejoins-moi à l'entrée du journal à 18 h 45. J'ai un support à vélo sur ma voiture, ne t'en fais pas. En passant, c'est bien l'aller-retour au travail à vélo pour maintenir la forme !

Comment en savait-il autant sur moi ? J'allais lui répondre que j'avais déjà quelque chose au programme et qu'on se reprendrait une autre fois, mais il ne m'en laissa pas le temps. Il accrocha le bras d'un collègue qui passait par là et quitta rapidement avec lui.

— Il croit pouvoir faire tomber toutes les filles à ses pieds ! T'as pas fini avec moi, chuchotai-je.

18 h. Cela faisait plus d'une heure que j'avais terminé mon dossier sur la nouvelle gamme de produits cosmétiques *D'hier à aujourd'hui*, une jeune compagnie ayant le vent dans les voiles. La PDG, une ex-scientifique d'environ 70 ans, rajeunie exagérément grâce à la chirurgie plastique, prétendait avoir fait la découverte du siècle en reproduisant une molécule essentielle de l'épiderme responsable de la reconstitution de la peau. Cette molécule pouvait être recréée et multipliée sans cesse grâce à une formule découverte en laboratoire. On garantissait un effet rajeunissant de cinq à dix ans. Je racontais l'expérience d'actrices qui ne juraient que par cette nouvelle potion magique, selon le dossier de presse que j'avais en mains.

C'était l'un des plus gros dossiers du jour de ma section et l'un des sujets principaux sur les tendances beauté pour l'édition papier du lendemain. Je ne pouvais donc pas trop me plaindre. Malgré mes fonctions qui me rebutaient quelque peu, je devais admettre que je ressentais une certaine satisfaction.

Vendredi 14 septembre, 18 h 43. Cela faisait déjà une semaine que je travaillais au journal. Les tendances beauté ne représentaient pas le domaine que je préférais, mais je m'y faisais tranquillement.

Je fixai ma montre. J'étais à l'heure. Je n'étais habituellement pas très ponctuelle. Mais j'étais prête à tout pour démontrer subtilement mon intérêt à Georges. J'attendis donc patiemment et nerveusement à l'entrée du journal comme prévu, vélo à mes côtés. Je me balançais d'une jambe à l'autre, d'avant en arrière. Je changeais mon sac de travail et mon sac à main constamment d'épaule et me replaçais le toupet sans cesse. Maladroite comme je l'étais, je finis par faire tomber mon vélo sur le côté dans un énorme vacarme, pour ensuite renverser tous mes documents sur le sol.

18 h 57. Georges arriva enfin.

— Lily-Rose, je vois que tu as accepté mon invitation. Content qu'on puisse faire la fête ensemble ce soir ! Désolé pour le retard. J'ai été retenu par Larry, un enquêteur du NYPD[2], responsable des relations avec les médias. C'est l'un de mes meilleurs collaborateurs. T'es au courant pour cette histoire du jeune qui a carrément jeté sa petite amie et sa mère en bas du pont de Brooklyn ?

J'étais complètement obnubilée par le charme de cet homme ; pendue à ses lèvres. Sa voix résonnait comme un bruit de fond. Je revins tout d'un coup à la réalité, et continuai

---

2 New York City Police Department (Département de police de la Ville de New York).

d'écouter ses propos beaucoup plus passionnants que ce que j'avais à raconter. J'enviais cette fougue, cette passion.

— Semble-t-il qu'il était schizophrène et drogué à l'héroïne. Les deux femmes de sa vie l'auraient menacé de le faire enfermer dans un hôpital psychiatrique, poursuivit-il, sans remarquer mon malaise. Elles en avaient plus qu'assez de ses menaces, vols, brutalités et tout et tout. Il n'en était pas à ses premières frasques. Il avait déjà étranglé un *dealer* qui ne voulait pas lui donner une p'tite dose. Accusé à ce jour, mais toujours pas condamné. Une affaire semblable à bien d'autres, quoi ! Et tu sais la meilleure ? La jeune femme a survécu. Devine à qui je vais bientôt rendre visite ? Bon assez parlé de moi. Et toi ?

Une affaire habituelle ? Pour moi, ça n'avait rien d'habituel. Au contraire, cela me paraissait complètement tordu. La *Big Apple* me semblait relativement sécuritaire. Mais l'État de New York comptait près de 20 millions d'habitants, dont plus de huit millions dans la ville de New York. Ce qui faisait d'elle la ville la plus peuplée des États-Unis. Je supposais donc qu'il devait y avoir plus de chances pour que des histoires sordides s'y produisent comparativement à un plus petit territoire.

Je sortis de mes pensées en regardant Georges droit dans les yeux. Je n'allais tout de même pas me laisser impressionner.

— Pour répondre à tes questions, je n'ai rien d'extraordinaire à raconter. Les tendances beauté, c'est une affaire de filles. Je doute que ça puisse t'intéresser.

— Bon, je comprends. Allons-y alors ! Es-tu prête à manger les meilleurs burgers au monde et à profiter de quelques bières ou coupes de vin mad'moiselle ? Je dois à tout prix t'initier à notre routine du vendredi soir !

Je ne pus m'empêcher de rire. Il possédait une telle facilité à rendre les gens à l'aise. Je le laissai s'occuper de mon vélo. Il l'installa rapidement sur son support, en me racontant combien il était passionné par ce sport. À vélo le soir, c'est ce qu'il préférait. Seul dans le silence de Central Park ou à se faufiler à travers les taxis dans les quartiers huppés de New York.

J'embarquai côté passager dans sa Porsche noire. Je m'y connaissais peu, mais c'était facile à deviner que ce petit bijou devait valoir une fortune. Georges prit place au volant. Je sentis alors son odeur corporelle sucrée. Il me sourit, embraya le bras de vitesse et démarra à fond. On remonta les rues de Manhattan jusqu'à la 58e Rue.

— Nous y sommes presque. Pop Burger est directement situé en face de Schwarz. Ne reste plus qu'à trouver un stationnement, au Rockefeller Center. Ou si tu préfères, je longe Central Park, on se trouve un emplacement et puis on marche jusqu'au pub ? À toi de voir !

J'optai pour le stationnement longeant Central Park. Georges se gara. Comme un gentleman, il se dépêcha de m'ouvrir la portière. J'affichai un sourire béat. Il faisait encore chaud à l'extérieur : 18 degrés Celsius. L'air était calme. Je me pavanais aux côtés d'un beau gars. La soirée commençait bien. Quelques minutes de marche plus tard, nous arrivâmes face au Pop Burger. Nous n'avions échangé que peu de mots. C'était parfait ainsi. Le silence pouvait être parfois aussi profitable que la parole.

Le pub arborait une devanture architecturale avant-gardiste. On aurait dit un gigantesque miroir d'environ quatre étages, en aluminium couvert de grosses bulles de verre rappelant la forme de hublots. Un quadrillé rouge vif entourait chacune des bulles. En grosses lettres bleues, on y lisait l'inscription Pop Burger. Le O étant un burger. Ça me plaisait. Même que cela me rappelait de bons souvenirs. Je pensai aux nombreuses fois où je m'étais régalée avec Émile, ma famille ou encore avec mes amis, à l'un des pubs Chez Victor, où l'on cuisinait de façon raffinée les meilleurs burgers et frites à Québec.

Alors qu'on traversait la rue, je jetai un œil aux immenses vitrines de Schwarz. C'était sans aucun doute l'un des magasins de jouets les plus connus de la planète. On l'avait tous vu un jour ou l'autre au grand écran. Georges s'aperçut de ma distraction.

— Eh, oh, mad'moiselle L'Espérance, tu es sur quelle planète en ce moment ? Ça va ?

Il s'arrêta net de marcher sur le trottoir et posa lui aussi ses yeux sur les grandes vitrines de Schwarz.

— Désolée, tous ces jouets m'ont toujours fascinée. J'adore me divertir chez Schwarz. Ça fait un bout que je n'y ai pas mis les pieds. Ça doit remonter à pas loin de deux ans.

— Alors tu faisais du tourisme à New York avant d'y travailler ? Avec tes enfants ? T'en as Lily-Rose ? On dirait que ça te bouleverse !

— Wow ! poses-tu toujours autant de questions indiscrètes ? Pour répondre, eh bien oui, j'ai toujours adoré cette ville. Et non, pas d'enfant. Il faudrait d'abord que je trouve un père pour en concevoir. Et je ne suis pas bouleversée, disons plutôt que la dernière année a été difficile. Mais je préfère ne pas parler de tout ça. Je peux seulement te dire que j'ai perdu l'homme de ma vie beaucoup plus tôt que prévu. Et que la dernière fois que j'ai flâné chez Schwarz, c'était avec lui. Alors, tu comprends ! me justifiai-je.

Georges acquiesça. Nous entrâmes chez Pop Burger. Il y

avait une courte file. Nous nous faufilâmes sur le côté puisque nous avions une réservation. Georges ne pouvait s'arrêter de poser des questions. Il me demanda, entre autres, si je voyageais beaucoup. Ce qui m'amena à lui parler de mes nombreuses aventures et à lui avouer mon amour pour l'Italie. Il discuta aussi des siens. Quelques minutes plus tard, nous pouvions rejoindre le groupe en suivant la placière.

Tous étaient assis dans la section bar autour de trois tables rapprochées pour l'occasion. Bières, verres de vin et nachos ornaient chacune d'elles. Le climat était *cool*. La première personne que je remarquai avec plaisir fut Stephany Morgan, ma chef de pupitre. Je pensais plutôt avoir affaire à l'équipe des crimes et enquêtes seulement. Je m'approchai d'elle.

— Allo Stephany ! Contente de te voir.

— Ouais, t'as l'air de te demander ce que je fais ici ? Je suis mariée à l'un des gars des crimes et enquêtes, tu vois. Eh oui, qui l'aurait cru il y a de ça moins d'une année. Mais le reste de la gang sort tout droit de cette section. Viens que je te présente mon époux.

— Voici Tom Morgan. Tom, j'te présente Lily-Rose L'Espérance, nouvellement arrivée au journal ! Elle est originaire du Québec. S'il te plaît, épargne-la. Lily, ne fais pas attention à ses plaisanteries, il est vraiment sympathique !

Les Morgan formaient un couple parfait. Elle, avec sa coiffure blond doré, son Botox bien dosé, son maquillage très apparent et son look haute couture. Et que dire de monsieur le séducteur, cheveux bien lissés vers l'arrière par du gel et costume classe.

— Ça me fait plaisir Lily, Steph m'a déjà parlé de vous. Paraît qu'un bel avenir vous attend au journal. Bienvenue ! Prenez place et buvez ! Pop a un choix très varié de bières.

Allez, vous avez l'air beaucoup trop timide !

Il se retourna rapidement vers Georges, qui était toujours debout tout comme moi, incertain de l'endroit où nous devions nous asseoir.

— Eh, comment tu vas mon ami ? Paraît que cette affaire du pont de Brooklyn avance ? Ouain, je sais, je sais, les nouvelles vont vite ! C'est Chris qui m'en a parlé.

— Tais-toi un peu Tom, lança Georges avec un air moqueur. Et pousse-toi !

Nous nous installâmes au bout de la troisième et dernière table aux côtés de Tom et Stephany, question de ne pas déranger tout le monde. Vu mon côté un peu réservé et timide, valait mieux que je sois en terrain connu et que j'observe.

Georges prit soin de me présenter chaque personne une par une : John, Harry, Joshua, Rachik, Frank et Alice, seule et unique représentante féminine à la section. Il reprit l'énumération de noms : Bradley, Denys, Alex, Nico, et je perdis les noms suivants. Aucune chance que je me souvienne de tous ces noms.

— Que veux-tu commander Lily-Rose ? T'as eu le temps de jeter un coup d'œil au menu ? lâcha Georges, en passant son bras droit par-dessus mes épaules, ce qui me gêna.

— J'aime bien les bières brunes et noires caramélisées ou chocolatées. Sinon, je vais opter pour la même chose que toi. Ça m'ira. Et je me lance en grand avec l'assiette Pop Burger.

Georges leva le bras pour faire signe au serveur. C'était parti. Une bière, puis deux, trois et quatre. J'avais fini par cesser de compter. L'ambiance était à la fête. La bande me paraissait fort sympathique. Les sujets échangés sur les crimes et enquêtes étaient des plus palpitants. Chaque discussion débouchait sur des anecdotes curieuses, surprenantes ou inquiétantes. J'en vins à penser qu'il pouvait y avoir plus intéressant encore que couvrir les sujets politiques et économiques et les enjeux sociétaux.

Plus la soirée avançait, plus je me sentais à l'aise, et plus notre taux d'alcool dans le sang grimpait. Et plus mon corps et celui de Georges se frôlaient. Je commençais drôlement à trouver qu'il faisait chaud là-dedans. D'autant plus que les interrogations commençaient à se voir dans les regards des uns et des autres.

2 h du matin. Une bonne partie du groupe avait déserté la place. Les autres étaient sur leur départ. Georges me regarda et posa la question piège.

— Ouais, ben il est clair que la Porsche restera là où elle est pour ce soir. Alors Lily, on part en taxi ou on prend le grand air ? J'sais pas où tu demeures, mais si on va chez moi, ça ne sera sûrement pas à pied, proposa-t-il discrètement. Je vis à Brooklyn, tu comprends.

— Ah, je vois ! Monsieur croit que c'est gagné ; affaire facile ? Ben, t'as raison pour ce soir, je suis toute à toi. Un an ! Un an sans relation sexuelle ! T'imagines ? Donc à pied chez moi dans l'Upper West Side, lui chuchotai-je à l'oreille.

Avec toutes ces consommations dans le nez, j'étais beaucoup moins gênée et plus aventureuse qu'à l'habitude. Je me laissai donc aller.

Nous quittâmes rapidement les lieux en omettant volontairement de saluer le reste de la bande. J'allais traverser la rue quand Georges m'attrapa par le bras d'un geste brusque et me tira vers lui. Je me crispai et perdis mes grands airs. Je vis que ça l'amusait. Sans dire un mot, il m'embrassa.

Une fois l'affaire réglée, je me fis couler un bain chaud moussant. J'y relaxai en lisant *Les Neuf Dragons* de Michael Connelly. Près d'une heure plus tard, je sortis, la peau plissée. Je m'enroulai dans une serviette.

J'ouvris la porte de mon studio qui donnait sur le corridor afin d'y récupérer le journal. Je m'étais abonnée au *New York Today Journal* pour le recevoir tous les jours. Je me rendis à la cuisine me préparer un petit-déjeuner. Puis, je me mis à la lecture.

La une était occupée par la campagne présidentielle, une manifestation qui s'était tenue dans Times Square la veille pour les droits des homosexuels, les dernières mises à jour du taux de chômage qui grimpait en flèche et par un sondage sur le tourisme international plaçant New York dans le top 10 des lieux à visiter à tout prix. Je tournai rapidement les pages jusqu'à la section des tendances mode et beauté. Même si je n'avais aucunement envie de relire mon dossier, il était toujours plus impressionnant de constater le fruit de son travail sur papier que sur le Web.

Je devais admettre que j'étais assez fière du résultat et du montage de ma galerie de photos. Et c'était signé : Lily-Rose L'Espérance. On pouvait même voir mon minois très sérieux aux côtés de ma signature. Je lus ensuite l'article de Georges sur son maniaque schizophrène. Il avait une plume très directe et concise qui ne laissait aucune place à l'interprétation.

Une fois le journal lu en profondeur, jusqu'aux petites annonces, je mis des leggings et une camisole. C'était parti pour un entraînement de 45 minutes avec ma Xbox 360 et ma Kinect. J'étais mordue. Je m'entraînais de deux à trois heures par semaine minimum.

Après ma séance, je passai le reste de l'après-midi à ne rien faire, étendue sur mon canapé bleu en forme de L. Lire, faire défiler les postes de la télévision et contempler le paysage me suffisaient. En regardant la vue exceptionnelle qui s'offrait à moi, je sentis que j'allais m'adapter facilement à mon nouveau milieu de vie. Ce n'étaient pas tant les nombreux séjours que j'avais passés à New York qui me permettaient d'avoir cette impression, mais plutôt ce sentiment de bien-être qui m'envahissait. Un sentiment qui avait été fort absent au cours de la dernière année. J'espérai alors qu'Émile était fier de moi en me voyant enfin heureuse de là-haut. Émile… Il me manquait tellement !

Brusquement, je me levai du divan pour me changer les idées. Je décidai de terminer la journée sur une note épicée ! Je me rendis à la cuisine afin de préparer des pâtes aux saucisses italiennes piquantes et légumes sautés rehaussés d'huile d'olive, de vinaigre balsamique et d'herbes de Provence. Un de nos plats préférés à Émile et à moi. Je déposai mon assiette, une baguette de pain et de la mozzarella fraîche sur l'îlot. Puis je dégustai mon premier vrai repas cuisiné maison depuis mon arrivée, accompagné d'un verre de merlot.

La soirée fut paisible comme le reste de la journée. Je troquai mon verre de vin pour une tisane que je bus sous les chaudes couvertures de mon lit. Puis, je visionnai un film dans le but de m'assoupir.

Dimanche. J'étais décidée à être un peu plus active que la veille. Je commençai par faire ma B.A. de la journée : téléphoner à ma mère avant qu'elle ne me déclare portée disparue. Elle

s'était inquiétée, me précisa-t-elle. Quatre jours sans nouvelles de sa fille seule à New York. Et alors, j'avais 34 ans !
Mais, je me fis compréhensive avec elle. Je lui racontai tout
dans les moindres détails ou presque. Je modifiai quelque
peu l'épisode de baise avec Georges.

— Quoi, les tendances mode et beauté ? C'est une farce
que tu me fais là ma chérie ? Mais pour qui se prend-il, ce
rédacteur en chef ? Lily-Rose L'Espérance est une vedette
chez nous ! Ma chérie, tu ne dois surtout pas accepter cela !

— Comme je viens de t'expliquer, ce n'est que pour six
mois. Je vais me débrouiller. T'en fais pas pour moi !

— Mais chérie, il y a tant de sujets à couvrir à New York !
Ton rédacteur en chef aurait pu t'affecter aux commémorations des attentats des tours jumelles ! T'aurais pu nous
écrire un bon texte sur le renforcement de la sécurité nationale depuis cette tragédie et les retombées positives qui en
découlent ! Hein, qu'en penses-tu ? Tu pourrais proposer
cette idée à ton rédacteur en chef ! À ce propos, rassure-moi,
il y a bien un service de sécurité au journal ? Et à ton studio,
les voisins semblent sympathiques, pas trop bizarres ? Tu
sais, New York…

— Maman ! l'interrompis-je. Arrête un peu, voyons !
Premièrement, nous ne sommes pas dans un journal régional
québécois, je ne peux pas proposer des sujets de reportage le
jour de mon arrivée et m'imposer. Deuxièmement, le taux
de criminalité à New York n'a jamais été aussi bas qu'en
ce moment, alors je te rassure ! Tu sais, pas besoin d'être à
New York pour être témoin d'un crime extraordinaire. Pense
à ce qui s'est passé avec Pauline Marois, il y a quelques jours,
lors de son discours d'élection de première ministre. Elle
a failli se faire tuer par un fou furieux au Métropolis ! Et il a

réussi à tuer un technicien et à en blesser un autre gravement. Alors, calme-toi !

— C'est bien vrai ! Chérie, je t'en prie, ne le prends pas comme ça ! Désolée, je vais me taire ! Pas la peine de t'énerver. Tu as raison. Ah, ça cogne à la porte. Ça doit être Marie. Je dois te laisser là-dessus. Nous allons faire une balade sur la promenade Champlain. Désolée encore ! Je t'aime ma chérie ! À bientôt et prends soin de toi !

— À bientôt maman ! Je t'aime aussi ! Bye ! conclus-je.

Après avoir raccroché avec ma mère, je me lançai dans une seconde conversation téléphonique avec mon amie Zoé.

— Quoi, t'es pas sérieuse là ! De nouveaux amis ? Ça va pas ou quoi ! Tu dois traquer ce gars-là ! Après tout ce temps, tu as besoin d'un homme dans ta vie.

— Zoé, arrête un peu ! On dirait ma mère ! S'il te plaît, joue pas à ça avec moi ! J'te dis que ça me va ! C'est également ma décision. J'ai pas vraiment besoin de baiser. Mais d'une oreille masculine attentive, oui !

Je terminai la conversation en promettant à Zoé de l'inviter chez moi prochainement. En attendant, je la verrais aux fêtes. Mon intention étant de faire un saut au Québec afin de passer du « temps de qualité » avec mes proches.

Après deux heures passées au téléphone, je me rendis compte que la journée filait rapidement. Comme j'avais plusieurs projets en tête, je devais m'y mettre. J'enfilai donc un jeans, un t-shirt et je chaussai des souliers confortables. Je ramassai mon sac, ma veste et une paire de lunettes. Puis je partis à la conquête de Manhattan.

Je commençai par une longue promenade dans Central Park. Je me dirigeai ensuite sur Broadway faire quelques boutiques. Cinq cent quarante-trois dollars bien dépensés.

Je terminai finalement la journée au Eataly pour déguster une assiette de viandes séchées, de fromages et de confits. Le tout accompagné d'un verre de vin rouge.

Eataly était situé sur la 5e Avenue. Il s'agissait d'un marché public gastronomique aux saveurs de l'Italie. On pouvait y déguster des mets savoureux assis à l'un des petits comptoirs de restauration charmants, acheter des produits frais ou encore des articles culinaires. C'était un endroit classe, coloré et vivant, digne des épiceries et cafés italiens.

Je quittai les lieux avec deux sacs d'épicerie à la main. Pour le retour, je pris un taxi jusqu'au studio. J'allais consacrer la soirée à me prélasser au salon encore une fois afin de poursuivre ma lecture des *Neuf Dragons*, tout en admirant la ville illuminée. Je venais de passer un beau week-end comme je n'en avais pas vécus depuis fort longtemps. L'avenir m'appartenait, mais j'étais loin de me douter de ce qui m'attendait…

Chapitre 2

Meurtre à Central Park

Début novembre. Près de deux mois s'étaient écoulés depuis mon arrivée dans la *Big Apple*. Le temps avait filé à vive allure. J'étais assez satisfaite de ma nouvelle vie, de mon nouveau départ.

À commencer par ma vie personnelle. Je me sentais chez moi dans mon studio. Je pensais même sérieusement à l'acheter. New York m'offrait tant de possibilités, de divertissement et de loisirs. Les marches et promenades à vélo dans Central Park faisaient partie de mon quotidien. Je partais à la découverte de nouveaux restaurants et boutiques. Je parcourais les musées, galeries d'art et lieux culturels de toutes sortes. Je m'étais remise à lire et à cuisiner. Et j'étais à jour en ce qui concernait les sorties de cinéma.

Pour ce qui était de mes relations, j'avais régulièrement de longues conversations téléphoniques avec Zoé, sans compter le nombre incroyable d'échanges par courriel. Ma mère, elle, avait cessé de s'inquiéter inutilement. On se donnait des nouvelles au moins une fois par semaine. Je parlais également à mon frère Yan. Zoé, ma mère, mon frère, sa blonde et leurs trois enfants viendraient passer quelques jours chez moi après le congé des fêtes. Ce qui me réjouissait.

Au travail, je me surprenais à fraterniser avec les filles des tendances mode et beauté. Faisant partie des tournées hebdomadaires chez Pop Burger, je commençais à me lier d'amitié avec l'équipe des crimes et enquêtes. Avec mon rédacteur en chef, Chris Pitt, tout allait comme sur des roulettes. Il avait délaissé un peu ses grands airs avec moi. Concernant Georges Roberts, il était réellement devenu mon nouvel ami. Il était mon allié, mon confident. Nous étions toujours ensemble, dès que nous pouvions nous le permettre. Mais ni l'un ni l'autre n'éprouvait quoi que ce soit ressemblant à de l'amour. Pour ce qui était de notre aventure d'un soir, nous en étions restés là. Seuls baisers et accolades étaient permis. Alors, je faisais à nouveau abstinence.

Finalement, pour ce qui était de mes affectations au travail, je m'y habituais. Mais les tendances mode et beauté ne représenteraient jamais pour moi un sujet passionnant et enrichissant à couvrir. J'avais ressenti jalousie et déception devant mes collègues, qui, eux, couvraient des sujets d'intérêt tels que la campagne présidentielle et la réélection de Barack Obama ou encore les ravages estimés à plusieurs milliards et les dizaines de morts qui s'accumulaient à la suite du passage de l'ouragan Sandy. Mais il fallait admettre que j'étais bien payée et que je ne vivais aucun stress ni pression. Je commençais à m'y faire malgré mon manque de passion. Je prenais mes aises.

Jeudi 22 novembre. Un matin comme un autre. Enfin, c'était ce que je croyais. J'étais loin de penser que ma vie serait complètement bouleversée. Je me dirigeais vers le journal en taxi. Il commençait à faire froid à l'extérieur. On sentait que l'hiver allait se pointer le bout du nez bientôt. Quelques flocons tombaient. J'avais heureusement pris un contrat avec un chauffeur de taxi pour l'aller-retour au travail, une semaine après mon arrivée au journal.

Je me faisais conduire par Bob Miller. J'aimais bien cet homme à la peau noire comme l'ébène. Toujours à l'heure, matin et soir, peu importait le trafic ou la température. Il jasait juste assez sans s'immiscer dans ma vie personnelle. Seulement quand je lui ouvrais une porte. Il souriait toujours, en plus d'être fort sympathique. Il avait dans la cinquantaine, et était père de cinq enfants. Il portait toujours une casquette ou un chapeau. En plus de payer mon chauffeur de taxi pour mes allers-retours au travail, je m'étais assurée qu'il me soit attitré sur la liste des chauffeurs du journal au besoin, dès que je devais me déplacer pour remplir une affectation.

— À plus tard, Mademoiselle L'Espérance. Gardez votre joli sourire, vous mettez du soleil dans ma vie !

— Trop gentil Bob ! Vous savez que vous aussi vous ensoleillez mes journées ! À bientôt !

J'entrai d'un pas pressé au journal, café dans une main, sac sur l'épaule. Je me dirigeai vers mon bureau. J'enlevai mon manteau et mes mitaines. Je les lançai avec mon sac sur la chaise des invités. Stephany devait déjà m'avoir envoyé un courriel pour m'indiquer mon dossier du jour. La veille, elle m'avait prévenue d'arriver très tôt au travail, car j'allais devoir assister à un événement très spécial. Alors que j'attendais avec impatience que mon ordinateur s'ouvre, mon cellulaire se mit à sonner.

Brusquement, mon cœur battit la chamade. Qui pouvait bien vouloir me parler à une telle heure ? Même au journal, c'était désert. Je crus que quelque chose de grave pouvait être survenu à l'un de mes proches.

— Lily ?

— Georges ? Mais ça va pas la tête ou quoi ? J'ai failli avoir une attaque ! T'as vu l'heure ? Il est 6 h du matin, mon ami ! J'étais certaine qu'il était arrivé une tragédie. J'espère que c'est important ! Je t'ai dit hier que je devais rentrer au journal tôt. Fais vite, car je dois me mettre au travail là !

— OK, désolé si je t'ai alarmée, m'dame, pas de panique ! Écoute, je t'appelle justement parce que je savais que t'étais déjà au travail. J'ai un gros problème ! Tu es l'unique personne qui peut me sortir de là. Alors, tu te tais et tu fais ce que j'te dis ! Tu ne te préoccupes pas des réprimandes, ça, je m'en occuperai ! D'accord ? Fais-moi confiance, c'est la chance de ta vie de faire volte-face dans ta carrière !

— Ça y est, t'as fini ? Allez ! T'es pas croyable !

— OK, OK ! Le standardiste du journal vient de me contacter afin que je me rende à Central Park. Il s'agirait d'un meurtre sordide. J'ai très peu de détails. La scène de crime est située entre le réservoir d'eau et le Musée d'histoire naturelle. Paraît que ce n'est pas beau à voir. Ça sent la nouvelle à sensations fortes. Or, j'ai un problème là ! Je suis en panne à deux rues de chez moi en plein milieu du chemin. Impossible que j'y sois. J'ai tenté de joindre des journalistes des crimes et enquêtes, sans succès. Soit ils ne répondent pas comme c'est congé de Thanksgiving, soit ils sont occupés sur une affaire. Ces jours-ci, on est vraiment débordés ! On ne répond pas à la demande ! Et si je tente de contacter mon chef de pupitre pour l'avertir que je ne peux y être, alors là, je serai encore plus dans le trouble ! Donc, la seule idée de génie qui m'est venue en tête, c'est de contacter ma nouvelle amie pour lui demander un petit coup de main ! OK ? Tu te rends sur les lieux et tu fais du mieux que tu peux pour recueillir le maximum d'infos. Et tu prends quelques photos de la scène.

Ensuite, tu ne perds pas une minute pour écrire une brève suivie d'un article. Et tu envoies ça directement au webmestre en ne passant pas par mon chef de pupitre. Tu vas assurer, ne t'inquiète pas ! Je dois te quitter là, la remorque arrive !

— Georges ? Georges, t'es toujours là ? Attends, je n'ai jamais couvert de crimes, moi ! J'ai aussi des obligations envers ma chef de pupitre ! Georges ? Ah non, il a raccroché !

Je n'avais aucunement le temps de réfléchir. Je me fermai les yeux et me donnai cinq secondes pour réagir.

— Qui ne risque rien n'a rien. Je suis complètement cinglée ! Je ne risque rien de moins que mon emploi, mais je m'en fous, me convainquis-je à voix haute.

Comme je n'avais aucune minute à perdre, je sélectionnai le numéro de Bob Miller sur mon cellulaire. Il répondit rapidement. Je lui expliquai en quelques secondes pourquoi j'avais besoin de lui de façon urgente. Quelques minutes plus tard, nous nous dirigions vers Central Park. Une fois arrivés, je lui demanderais de m'attendre sur les lieux tout le temps que je passerais sur la scène de crime. Il devrait ensuite me ramener rapidement au bureau. Je prendrais quelques minutes sur place afin de faire parvenir au webmestre une brève de l'affaire et une photo ou deux pour assurer au journal d'être parmi les premiers médias sur le coup en ligne. J'espérais réussir ce défi. Je souhaitais aussi que mon rédacteur en chef ne soit pas trop en furie, et qu'il me laisse couvrir cette histoire.

6 h 25. Le taxi filait à vive allure. Nous y étions presque. J'aperçus les nombreuses sirènes des voitures du NYPD et des ambulances au loin. Mon cœur battait si fort que je croyais qu'il allait sortir de ma poitrine. J'étais paniquée. Mon chauffeur freina brusquement. Je débarquai à la hauteur de la 86e Rue Est. Là où se déroulait l'action. À quelques pas à peine de mon studio, il y avait eu un meurtre horrible, pensai-je.

Je marchai le plus rapidement possible pour me rapprocher de la scène de crime. Mes jambes se faisaient flageolantes. Malgré le froid, je ressentais des chaleurs intenses. J'étais étourdie. J'avais une phobie de la mort et j'allais devoir l'affronter en face. Je respirai à fond. Je tentais de me calmer. Ça y était, j'étais arrivée. Un policier qui surveillait les lieux me remarqua. Je ne pouvais plus reculer. Un périmètre avait déjà été défini à l'aide d'un ruban jaune. Je m'approchai du policier qui me surveillait.

— Il est strictement défendu d'être sur les lieux, Madame. Je vous demanderais de bien vouloir circuler. Il n'y a rien à voir ici pour les curieux. Allez, dégagez de là ! me dicta-t-il bêtement.

— Je suis journaliste au *New York Today Journal*. Je viens couvrir l'événement, répondis-je, tout en lui montrant ma carte de presse accrochée à mon cou.

— C'est la première fois que je vous vois. Vous faites partie de la section des crimes et enquêtes ? Pourquoi n'est-ce pas Georges ou un autre habitué qu'on a envoyé ?

— Écoutez, c'est un peu compliqué là ! Je n'ai pas le temps pour des explications. Et oui, je suis nouvelle. Je peux m'avancer plus près de la scène, poser des questions à un enquêteur et prendre des photos ?

— C'est bon. Mais je dois d'abord vous citer les procédures à suivre. Je vous conseille de ne pas déroger aux règles.

Vous pouvez vous approcher du second périmètre que vous voyez là-bas, m'indiqua-t-il en pointant l'endroit du doigt. Or, il vous est strictement défendu de franchir le ruban jaune. Donc, pas de bras tendus au-dessus pour prendre des photos. Vous ne devez pas embêter les enquêteurs, médecins légistes et criminologues qui s'affairent à recueillir des preuves et analyser la scène. Aucune question n'est permise tant que Larry, l'enquêteur en chef de la section des crimes du NYPD, n'a pas confirmé aux journalistes qu'il est prêt à faire une déclaration. Il vous dira ce que vous pouvez écrire ou non afin de ne pas nuire à l'enquête. Voilà, alors bonne chance Madame ! Ce n'est pas du tout joli ! J'espère que vous avez le cœur solide.

J'acquiesçai aux recommandations du policier, sans rien ajouter. Je repris mon élan vers le second périmètre. Tout en marchant, je sortis mon carnet de notes, un crayon et mon appareil-photo. Et je rangeai mes mitaines dans mon sac à main. Je mis ensuite mon cellulaire dans ma poche de manteau afin de me permettre d'envoyer une brève rapidement.

6 h 33. Je commençais à voir des journalistes, photographes et policiers qui se tenaient autour du périmètre. Ils me cachaient la vue. Il valait mieux que ce soit ainsi pour mon cœur fragile, tant que je n'étais pas arrivée à proximité du ruban jaune. Je voyais tout de même plusieurs paires de jambes et de bras qui bougeaient près du sol. L'équipe des crimes du NYPD. Je continuai de respirer à fond, tout en essayant de me convaincre que ce que j'allais voir serait comparable à la projection d'un film. Je devais agir comme s'il s'agissait d'un scénario.

L'équipe du NYPD semblait être sur les lieux depuis déjà un bon moment. La mort devait donc remonter à quelques

heures. Je me faufilai pour être au premier rang ; à la limite
du ruban de périmètre. Je m'apprêtais à voir l'inimaginable.

Je faillis m'évanouir tant je vis des étoiles au dévoilement de la
scène. J'avais la nausée. Mon corps tremblait. Je devais me ressaisir. Au moins, personne ne sembla remarquer mon malaise.

Une femme de race noire complètement nue était étendue
sur le sol gelé. Aucun vêtement à l'horizon. Il y avait tant de
sang qu'on devinait à peine les traits de son visage si bleuté.
Ses longs cheveux noirs baignaient dans une mare de sang. Ils
étaient tellement trempés que même le froid ne parvenait pas
à les glacer. Sa bouche était ouverte, comme si elle criait de
désespoir. Ses yeux foncés étaient demeurés grands ouverts.
Ils étaient vides. La peur qui se dégageait de son regard était
indescriptible. Je n'avais jamais vu un regard aussi effroyable
ni regardé la mort dans les yeux de cette façon. Avant de
rendre l'âme, la dernière personne qu'elle avait vue était son
assassin, pensai-je. On le percevait dans l'expression de son
visage. Des images choquantes me vinrent à l'esprit.

Mais au-delà de son expression faciale et de tout ce sang,
il y avait plus horrible. J'en ressentis des sueurs froides. Mon
sang se glaça littéralement dans mes veines. Or, je n'avais
pas le choix : je devais maintenir mes yeux fixés en direction
de son ventre pour décrire le meurtre. Comment un être
humain pouvait-il être capable de faire subir une telle abomi-
nation à un autre être humain ? Il y avait l'acte de tuer. Celui
d'humilier sa victime. Et celui de profaner son corps, tel un
vulgaire morceau de viande.

Elle était enceinte. Ça se voyait par la forme de son ventre étiré, arrondi et rebondi. Mais il n'y avait plus de fœtus. Le meurtrier lui avait découpé le ventre. La coupure franche descendait de ses seins jusqu'à son sexe. Observer ainsi ses entrailles qui pendaient le long de son corps et de son vagin déchiré m'était atrocement insupportable.

Toutefois, le vide visible au milieu de son ventre me parut plus effrayant. La forme de ce vide rappelait celle du fœtus. Elle devait en être à environ la moitié de sa grossesse. Je m'imaginai que son prédateur le lui avait arraché de l'utérus. Il avait dû couper le cordon ombilical avec le même objet avec lequel il avait tranché sa victime. Ce crime était monstrueux. Sordide.

Je trouvais très courageux tous ces experts qui décortiquaient la scène de crime méticuleusement. Ils devaient mettre leurs émotions de côté. Chaque geste posé semblait réfléchi. Tous prenaient les précautions nécessaires afin de ne pas altérer les lieux ou effacer par distraction une preuve qui pourrait se révéler cruciale.

Certains prenaient des photos des lieux, de la victime et des indices trouvés, en plans rapprochés, puis éloignés, sous tous les angles. Ils reconstituaient la scène en images. D'autres prélevaient à l'aide de leurs mains gantées et de petits instruments des traces d'ADN, des empreintes autour du corps, des cheveux et tout objet pouvant permettre d'identifier la victime et le tueur. Le dernier groupe observait, analysait et prenait des notes. En les regardant travailler, je remarquai que l'un d'eux, probablement un criminologue, s'attardait sur les mains et le cou de la victime. Je découvris alors qu'elle portait un collier noir autour du cou ayant l'apparence d'un chapelet, et qu'elle tenait un crucifix blanc dans la main droite. Mais que pouvait bien cacher toute cette mise en scène ? C'était probablement ce à quoi réfléchissait l'homme.

Bien que cela me parût déplacé dans les circonstances, je devais faire mon travail. Avec dédain, je pris donc une soixantaine de photos de la victime et des lieux. Je ressentais un grand malaise. Mais ces photos pourraient m'aider à comprendre, à me questionner, à investiguer sur le meurtre.

Comme l'enquêteur en chef tardait à faire une première déclaration et que les médias étaient de plus en plus nombreux sur le terrain, je décidai d'envoyer immédiatement la nouvelle au webmestre en priorité haute avec l'inscription *Urgence* dans l'objet de mon courriel. Je pris une photo avec mon cellulaire pour la joindre au texte. Une photo qui dévoilait seulement les avant-jambes de la victime, la mare de sang et un médecin-légiste agenouillé de dos, examinant le corps. Ça me semblait suffisant comme image pour l'instant. Il était inutile de sombrer dans le sensationnalisme.

En tant que journaliste, je croyais qu'il y avait des limites à respecter, à ne pas franchir. Rien ne nous obligeait à tout dévoiler. Je pensais aux proches de la victime. En plus, je n'avais reçu aucune indication sur ce que je pouvais ou non divulguer.

Mon texte était écrit et la photo jointe. J'avais même trouvé le numéro d'urgence des crimes du NYPD sur le Web afin de le mentionner. Je cliquai sur *envoyer*.

À : webmestre@nytodayjournal.com
De : lily-rose.lesperance@nytodayjournal.com
Objet : URGENCE ! MEURTRE !
N.B. À mettre en ligne immédiatement sans consulter le

chef de pupitre. Je me porte garante. Nous ne devons pas nous faire *scooper* cette nouvelle. Sinon, je vous tiendrai responsable!

Central Park
Une jeune femme noire sauvagement assassinée
Par Lily-Rose L'Espérance

Manhattan, le 22 novembre 2012 – Le corps dénudé d'une jeune femme de race noire a été découvert la nuit dernière dans Central Park, à la hauteur de la 86e Rue Est. Selon les circonstances et l'état de la dépouille, tout porte à croire qu'il s'agirait d'un meurtre extrêmement sauvage. Un périmètre de sécurité a été érigé. L'équipe des crimes du NYPD s'affaire toujours à prélever des indices et à analyser la scène.
À 6 h 55, aucun commentaire n'avait encore été émis par le NYPD sur ce triste événement.

Tous les détails suivront au cours des prochaines heures et des jours à venir au www.nytodayjournal.com.
Vous êtes aussi invités à partager vos commentaires au infos@nytodayjournal.com et toute information pouvant faire progresser l'enquête au NYPD au 1 800 577-8477.

En relevant les yeux, je remarquai que plusieurs journalistes écrivaient la nouvelle sur leur cellulaire, leur tablette ou leur portable. Les autres présentaient la nouvelle en direct aux bulletins d'information du matin. Ce qui s'avéra assez impressionnant comme ambiance. Je retournai la tête pour scruter au loin le premier périmètre. Des masses de curieux étaient rassemblées. Plusieurs policiers tentaient de les contrôler.

Je m'éloignai de la scène de crime afin de récupérer un peu de mon énergie. J'attendis impatiemment que l'enquêteur en chef tienne son point de presse afin d'en apprendre davantage pour informer mes lecteurs. La matinée était à peine entamée, mais j'avais mal aux jambes à cause de mes talons vertigineux. Disons que je les aurais bannis du programme si j'avais su. Mon cellulaire se mit soudain à sonner. J'étais tellement énervée que je ne pris même pas la peine de regarder l'afficheur.

— Chè-re ma-de-moi-selle L'Es-pé-ran-ce! Est-ce que j'ai bien lu sur le portail du journal, tout en prenant mon petit-déjeuner? Dites-moi que j'ai eu une hallucination, que je n'y ai pas lu votre nom en signature aux côtés du texte sur le meurtre survenu cette nuit dans Central Park? J'ai failli m'étouffer avec mes céréales! J'exige des explications sur-le-champ! Vous m'entendez! J'espère pour vous qu'il ne s'agit là que d'un hasard; que vous passiez par là en faisant votre jogging du matin! cria mon rédacteur en chef.

— Chris, je vous en supplie, ne vous énervez pas ainsi! Je le suis déjà assez moi-même. Donc oui, vous avez bien lu. Je vous expliquerai plus tard. Mais en gros, Georges a eu un imprévu et aucun autre journaliste des crimes et enquêtes n'était disponible. Donc me voilà! Je dois vous quitter là! L'enquêteur en chef va commencer son allocution.

Je raccrochai sans attendre de réponse tellement j'étais nerveuse. J'avais fermé la ligne au nez de Chris. Il devait être furieux. Pour le besoin de la cause, il ne m'avait laissé aucun choix. Je me dirigeai vers l'enquêteur en chef qui se préparait à faire le point sur les circonstances du meurtre. Je pris soin de fermer mon cellulaire.

— Bonjour. Pour ceux qui ne me connaissent pas, je

suis Larry Robinson, enquêteur en chef du département des crimes du NYPD. Je porte aussi le chapeau de directeur des communications.

J'inscrivis son nom sur mon carnet tout en me rappelant que Georges m'avait déjà parlé de lui en tant que bon collaborateur. J'avais retenu son nom puisque c'était aussi celui d'un défenseur connu des Canadiens de Montréal, de l'époque de mon père. Ce dernier, si fanatique, avait souvent vanté ses performances. Larry Robinson nous donna ses coordonnées complètes. Je sortis mon cellulaire afin de l'enregistrer pour ne pas manquer un mot de ce qu'il allait raconter. J'aurais sûrement à communiquer de façon fréquente avec lui si Chris me laissait couvrir ce crime.

Pour un policier, il semblait sympathique malgré son air sérieux. Plutôt costaud, il n'était pas très grand, avait les cheveux rasés, et les traits de son visage rappelaient ceux d'un clown. Il commença par expliquer la partie technique sur la méthode de communication à respecter entre le NYPD et les médias. Il indiqua qu'au cours des prochaines semaines, des communiqués seraient mis sur le fil de presse du portail du NYPD dans la section médias, et envoyés aux chefs de pupitre. Ces communiqués nous indiqueraient les nouveaux éléments d'enquête que nous pourrions dévoiler. Des conférences de presse seraient également organisées pour divulguer les informations plus importantes. Il termina en soulignant qu'il ne fallait pas oublier de respecter les obligations de non-divulgation.

Les renseignements qui suivirent m'intéressèrent davantage. Il décrivit les circonstances du meurtre.

— Je vais maintenant vous dresser un portrait de la situation. Nous confirmons la thèse du meurtre. La victime est une jeune femme noire âgée entre 30 et 40 ans. Son corps a été découvert la nuit dernière vers 4 h. C'est un joggeur, s'apprêtant à effectuer son relais quotidien autour du lac servant de réservoir d'eau, qui a fait la macabre découverte. Il a immédiatement composé le numéro des urgences. Il est demeuré sur les lieux jusqu'à l'arrivée des policiers. Un enquêteur l'a rencontré pour prendre sa déclaration des faits. Pour l'instant, nous tairons son identité à sa demande, puisqu'il a été écarté hors de tout doute des suspects potentiels. La mort remonterait aux environs de 2 h du matin. Selon les marques de violence et de force physique laissées sur la victime, le meurtre aurait été commis par un homme. Il n'y a aucune indication laissant croire que la victime ait tenté de se débattre. En ce sens, on a des raisons de penser que l'agresseur aurait pu droguer sa victime pour se faciliter la tâche. Mais il ne s'agit que d'une hypothèse. Elle sera confirmée lors de l'autopsie. Pour ce qui est des lacérations, le corps aurait été découpé à l'aide d'un objet tranchant qui serait peut-être un instrument chirurgical. Ce qui a permis, pardonnez-moi l'expression, de faire du beau travail.

Je remarquai que le policier ressentait un certain malaise lié aux dernières informations et descriptions qu'il venait de soumettre. Il frotta son front qui commençait à suer, malgré le froid. Puis il se ressaisit, et poursuivit tout en soupirant.

— Nous pouvons aussi confirmer que la jeune femme était bel et bien enceinte, comme son ventre nous permettait de le présager. Selon toute vraisemblance, le fœtus a été arraché de l'utérus par le ou les meurtriers. Probablement à l'aide du même instrument dont je viens de vous parler. Le fœtus n'a pas été retrouvé sur les lieux du crime. Ni les vêtements et effets personnels de la victime d'ailleurs. Les seuls objets significatifs que nous avons en mains sont un chapelet et un crucifix. Le meurtrier les aurait soigneusement placés autour de son cou et dans sa main droite. D'autres indices découverts sur les lieux ont tout de même été recueillis aux fins d'analyse en laboratoire.

Des chaleurs commençaient réellement à envahir Larry Robinson. Ça se voyait. Je me demandais comment cela pouvait être possible pour un policier d'expérience de cette trempe. Il fallait croire que personne ne pouvait finir par s'y habituer. Il reprit son discours devant les journalistes impatients de connaître la conclusion des événements.

— Bien entendu, nous tenterons également d'identifier les traces d'ADN et les empreintes qui pourraient nous aider à retrouver le meurtrier. Pour ce qui est de l'identification du corps, si personne ne le réclame, nous procéderons à l'analyse de fiches dentaires. Pour terminer, j'aimerais vous dire que le NYPD formera une équipe permanente pour enquêter sur ce drame. Elle sera dirigée par moi-même, un médecin-légiste et un criminologue, soit du NYPD, soit du FBI[3]. Ça reste à déterminer. Mais bien sûr, tous les policiers du NYPD et du FBI collaboreront dans cette affaire au besoin. Ça sera tout pour aujourd'hui. Je ne prendrai aucune question. Toutes les informations transmises et photos prises sur les lieux peuvent être dévoilées. Mais je vous demanderais un peu de jugement concernant les photos que vous présenterez à la population. Comme à l'habitude, nous demandons votre collaboration afin d'inviter votre public à nous transmettre tout renseignement pouvant être utile et pertinent à la conduite de cette enquête. Merci.

---

3 Federal Bureau of Investigation (Bureau fédéral d'enquête).

L'enquêteur en chef s'éloigna rapidement, alors que les journalistes posaient des questions tout en criant après lui dans l'espoir d'en savoir un peu plus. Le policier n'y porta pas attention. Les journalistes abandonnèrent. Tous rebroussèrent chemin rapidement afin de soit faire un reportage télévisuel en direct, soit retourner à leurs occupations. Je fis de même. Je marchai tout en remettant mes notes, mon crayon, mon cellulaire et mon appareil-photo dans le fond de mon sac à main. Quelques minutes plus tard, j'arrivai enfin au taxi. Bob m'attendait patiemment.

8 h 30. J'étais déjà exténuée par toute cette histoire. Je me demandais si un jour je serais sincèrement capable d'intégrer officiellement l'équipe des crimes et enquêtes si une opportunité se présentait. Je me questionnais même à savoir si j'allais réussir à couvrir les suites de l'enquête policière en cours.

Avant d'entrer au journal, j'eus la bonne idée de vérifier si j'avais reçu des messages. Ainsi, j'allais pouvoir mieux me préparer mentalement à affronter la tempête une fois dans la salle de rédaction.

J'en avais six. Ça s'annonçait plutôt mal. Le premier venait de Chris, qui criait son indignation face à mon manque de respect. Il n'avait pas tout à fait tort. Mais étant donné l'état de panique dans lequel je me trouvais, j'osai espérer qu'il me pardonnerait. Second message, on avait raccroché. Le troisième avait été laissé par ma chef de pupitre qui était en colère. Elle me prévenait que j'avais intérêt à lui fournir une bonne excuse pour justifier mon absence. Elle me signalait aussi que j'aurais dû me trouver à l'hôtel Marriott, où séjournaient Julia Roberts et autres acteurs connus pour faire une série d'entrevues concernant le tournage d'une comédie romantique. Pour réparer mon erreur, elle avait contacté le responsable des médias afin de lui inventer une fausse excuse et de reprendre elle-même les entrevues manquées plus tard dans la matinée.

En sélectionnant le mode *effacer le dernier message*, je me convainquis qu'elle aussi allait probablement me pardonner et comprendre lorsqu'elle saurait. Message suivant. Georges. On sentait l'énervement dans sa voix. Probablement qu'il craignait que j'aie échoué ma mission. Il souhaitait que je le rappelle le plus tôt possible. Cinquième. Encore Georges. Après avoir enchaîné quelques jurons, il me rappelait qu'il attendait toujours mon appel.

Dernier message, incroyable, mais vrai : Chris me félicitait pour mon premier texte en ligne sur le crime. Il avait comparé l'heure de parution à celles des autres médias électroniques. Il avait été diffusé en deuxième position. Ce qui faisait en sorte qu'il me pardonnait le tiers de mes actes, m'apprenait-il. J'allais finalement m'en sortir avec un minimum d'écorchures.

Chapitre 3

La naissance d'un disciple

Fière, je fis mon entrée au journal. Un sentiment que je n'avais pas ressenti depuis longtemps à la suite de la couverture d'un événement. Je possédais une occasion en or qui ne se représenterait plus à moi. Je devais apprendre à contrôler mes émotions afin de démontrer ce dont j'étais capable.

Je n'étais pas encore rendue à mon bureau que je tombai nez à nez avec Stephany Morgan, ma chef de pupitre. Chris venait de l'informer des motifs de mon absence. Elle me fit un sourire en coin en me disant de ne pas m'en faire. Elle m'annonça aussi qu'elle devrait me trouver une remplaçante jusqu'à ce que cette affaire soit réglée. Mon rédacteur en chef avait pris la décision de me la laisser entre les mains. Stephany souligna qu'il souhaitait ainsi donner une petite leçon à Georges en ne lui confiant pas la suite de l'enquête. Aussi, il voulait s'assurer qu'il se sente responsable advenant que je gaffe. Elle me félicita avec une petite tape sur le bras, et s'éloigna rapidement, devant mon air étonné.

Arrivée à mon espace de travail, une autre surprise m'attendait. Georges était assis sur mon bureau. Il m'expliqua qu'il avait eu droit à un sermon de la part de notre rédacteur en chef. Mais il précisa que la conversation s'était terminée sur une bonne note. Chris lui avait même demandé son avis sur le fait qu'il pensait me laisser sur le coup. Georges avait gentiment vanté mes mérites en l'encourageant à me donner une chance de faire mes preuves.

Pour sa part, des heures de gloire, il en avait eues et continuerait d'en avoir un maximum. Il était donc d'accord pour abandonner la partie pour cette fois. En plus, il m'offrirait son aide et ses conseils au besoin. Je le remerciai en lui faisant une accolade, tout en lui donnant un baiser sur chaque joue. Une fois Georges reparti, je me mis à penser que c'était plutôt surprenant que je n'aie pas encore vu Chris. Or, je n'eus pas à y réfléchir très longtemps. Il fit son apparition en moins de deux.

— Bon matin Chris ! J'allais justement me rendre à votre bureau pour discuter du crime de Central Park. J'étais seulement venue poser mes affaires.

— Bonjour chère. Alors, on joue les héroïnes pour sauver son ami et le journal du pétrin ? Tu devines combien j'étais furieux ce matin, Lily ! Au moins, le journal était sur le coup et tu t'es bien débrouillée. Pour une première, c'est bien. Profite de ces bons mots, car je ne vais pas les répéter. J'ai pris la décision de te laisser couvrir le reste de l'enquête. Le hasard a bien fait les choses pour toi, ce qui t'a permis de te retrouver au beau milieu de cette galère. Tous mes journalistes de la section des crimes et enquêtes s'affairent en ce moment sur des dossiers chauds aussi importants sinon plus que cette affaire de meurtre dans Central Park. De plus, j'admets que tu as une excellente expérience d'enquête, quoique ça ne soit pas en criminalité. Finalement, il y a une règle de loyauté qui prime ici au journal comme dans bien des médias : ne jamais voler l'histoire d'un collègue et ne jamais assigner une affaire en cours bien traitée à un autre journaliste sans motifs. Pour toutes ces raisons, on dirait bien que c'est ton jour de chance ! Mais tu ferais mieux de ne pas me décevoir, chère. On se comprend ? Donc, qu'est-ce que tu me proposes pour aujourd'hui ?

— Je vous remercie sincèrement pour votre confiance. Je vais m'investir à fond ! Promis ! Je commencerai donc par un article court pour le Web. Ensuite, je préparerai une version approfondie et une galerie de photos que je trafiquerai légèrement avec Photoshop afin de ne pas horrifier notre lectorat. Et que diriez-vous d'une entrevue avec un psychologue, un psychiatre ou un profileur qui pourrait nous dresser un portrait du tueur selon les détails que nous avons ? Finalement, je ferai quelques recherches et j'écrirai un petit quelque chose à propos de l'avortement. Arracher un fœtus de l'utérus de sa victime, c'est bien une interruption de grossesse, non ?

— J'approuve. Par contre, tu devras présenter ton dossier à John Carter, qui est le chef de pupitre des crimes et enquêtes, comme tu le sais déjà, puisque vous traînez ensemble régulièrement chez Pop Burger. Eh oui, j'ai des yeux et des oreilles partout, chère ! Tiens-toi-le pour dit ! Je t'ai à l'œil Lily ! conclut-il en s'éloignant rapidement sans me laisser répondre.

Je me réjouissais en pensant que John Carter serait mon nouveau chef de pupitre, lui qui était si sympathique. Je me mis au travail sans tarder. J'avais une faim de loup, mais avant de penser à me régaler, je devais préparer ma version pour le portail du journal pour ne pas laisser les internautes trop longtemps sur leur appétit. Sinon, en un clic ou deux, ils trouveraient rapidement de quoi se rassasier chez nos compétiteurs. Il fallait que je crée une dépendance. Je promis de me récompenser ensuite avec l'achat d'un sandwich et d'un café à la cafétéria du journal. Étant donné le nombre élevé d'employés permanents – aux alentours de 300 – nous avions un espace de repas à notre disposition qui ouvrait à 6 h du matin et ne fermait qu'à 23 h. On y offrait des produits frais variés et cuisinés sur place.

Avant de commencer mon article, j'envoyai un courriel au webmestre pour lui demander de trier les commentaires des lecteurs et de me faire suivre les plus pertinents et les plus susceptibles de me mettre sur une piste. Je repris ensuite mon premier texte mis en ligne et y rajoutai deux paragraphes, décrivant brièvement les lieux du crime et l'état du corps. Je glissai aussi deux citations de l'enquêteur en chef pour rendre le tout un peu plus vivant. Une fois mon article terminé, je sortis toutes les photos de mon appareil et les transférai dans mon ordinateur. Ces images si terrifiantes avaient moins d'impact sur moi que le matin sur les lieux du crime. Pourtant, elles me dégoûtaient toujours. J'envoyai par courriel mon article pour le portail à John, accompagné de deux photos supplémentaires.

Moins de cinq minutes plus tard, le tout était déjà en une du portail du journal. Ce qui me fit croire que John avait mis cette affaire dans sa liste de sujets prioritaires, et avait averti le webmestre de faire de même. Mon texte était presque intégral. Une phrase et deux mots avaient été modifiés. Très précisément. En voyant le titre en grosses lettres à l'écran, j'espérais qu'il allait attirer l'attention puisque je l'avais soigneusement choisi dans cette optique. Je souhaitais qu'il surprenne, frappe les esprits et laisse présager ce que le lecteur pourrait lire dans l'article afin de piquer sa curiosité.

L'Avorteur avec un A majuscule. Je venais de donner un nom au tueur. Mon surtitre : *Central Park*. Ce qui donnait : *L'Avorteur de Central Park*.

Je repris cette dernière version Web que j'allongeai de

quatre paragraphes, et y ajoutai une citation de plus. Cette dernière variante servirait à l'édition papier.

Prochaine étape : une galerie de photos. Nous étions tous un peu voyeurs. Ainsi, des séries de photos avaient toujours un succès fou en ligne. Le nombre de clics s'élevait généralement bien au-delà de ceux de l'article ou du dossier qu'elles accompagnaient. Les photos recevaient également une très bonne cote dans les journaux. Comme le dicton le disait : une image valait mille mots.

10 h 48. Un peu tôt pour se taper un dîner, mais je n'en pouvais plus. Avant de commencer à traiter et classer mes photos, j'allai réclamer ma récompense à la cafétéria sans attendre plus longtemps. Je me ramassai une baguette de poulet garnie, un café corsé et un sac de croustilles. Je m'attaquai ensuite à mon lunch tout en travaillant sur mes photos. C'était un excellent exercice qui m'amena à me questionner davantage sur les circonstances du meurtre. Des tas de questions me passaient par la tête. Chacun des détails se révélait à moi comme un morceau de casse-tête. Il fallait que je m'y attarde afin que mon entrevue avec un psychologue ou un psychiatre soit des plus profitables.

Ce qui me fit prendre conscience que la journée avançait à grands pas. Je devais donc me presser un peu pour fixer un rendez-vous. J'appelai donc Georges afin qu'il me donne un nom ou deux. À travers toutes ses enquêtes, il devait sûrement s'être dressé une précieuse liste de contacts. Plus le carnet d'adresses d'un journaliste était garni, plus il valait de l'or en barre !

Georges me donna le nom de Julia Lewis. Elle travaillait actuellement pour l'État au ministère de la Santé et des Services aux personnes depuis cinq ans et plus précisément pour la recherche sur les maladies mentales, m'expliqua-t-il. Elle avait derrière elle une carrière de plus de 25 ans en tant que psychologue spécialisée dans le crime, en plus des désordres psychologiques et maladies mentales. Toute sa vie, elle avait œuvré dans le privé en tournant le dos à la santé publique. Des spécialistes de la santé et des services sociaux de tous les domaines, les instances policières et des tas de journalistes faisaient sans cesse appel à ses services pour des situations diverses. Elle travaillait à présent au sein du gouvernement fédéral dans le but de s'assurer une belle retraite dorée. Toutefois, elle avait négocié avec le Ministère pour être en mesure de poursuivre ses consultations auprès des policiers et journalistes pour des cas dits spéciaux.

Je la contactai donc en lui mentionnant que Georges m'avait dirigée vers elle, car il croyait que mon cas valait la peine d'être approfondi. À ma grande surprise, elle accepta mon invitation sans hésitation. Elle me retrouverait à l'entrée du journal pour une entrevue à 13 h 30.

C'était parfait ! J'aurais ainsi le temps de terminer le traitement de mes photos. Si le temps me le permettait, j'allais même pouvoir entreprendre mes recherches sur l'avortement. Et chercher à savoir si ce type de massacre s'était déjà produit auparavant.

Pour l'entrevue, je comptai une bonne heure et une heure et demie pour rédiger un article à partir des propos recueillis. Après coup, je poursuivrais mes recherches et j'irais faire un deuxième saut à la cafétéria. Il ne resterait qu'à écrire un dernier article pour compléter mon dossier. Selon mes prévisions, je terminerais vers les 19 h ou 20 h. Deux journées de travail en une. Je serais brûlée le soir venu, mais combien excitée et satisfaite du devoir accompli !

En attendant, je m'affairai au traitement de mes photos. Pour chaque questionnement et détail qui attirait mon attention, je pris des notes afin de faire quelques recherches et d'élaborer des hypothèses, comme prévu. J'en sélectionnai finalement une dizaine. Je les envoyai par courriel au webmestre et à John. Encore une fois, mon travail fut diffusé rapidement sur le portail du journal. Les photos étaient aussi jointes à mon article.

Il me restait un peu plus d'une heure avant que la profileuse arrive. Je commençai mes recherches sur le Net et dans les archives du journal. Je ne trouvai aucune histoire criminelle semblable à celle de L'Avorteur. Des femmes avaient été tuées alors qu'elles étaient enceintes, mais le plus souvent par un petit ami violent ou débile. Des médecins pratiquant l'avortement avaient aussi été victimes de militants extrémistes pour le droit à la vie. Mais en aucun cas, il n'était question d'un avortement violent lié à un meurtre. Quel était le mobile du tueur, le message qu'il souhaitait passer ? Pourquoi avorter une jeune femme de façon si brutale ? Tant de questions demeuraient sans réponses dans ma tête.

Je pensai alors qu'il pourrait être intéressant, tant pour mon enquête que pour que mes lecteurs, de non seulement écrire un article sur l'avortement, mais de faire ressortir quelques faits saillants. Afin d'éviter de perdre l'attention des gens dans une multitude d'informations sur le phénomène international, je me concentrai sur les statistiques liées aux États-Unis. Mes recherches furent fructueuses.

En plein travail, je fus dérangée par le bruit de mon cellulaire. C'était Julia Lewis. Pendant un instant, je craignis que mon enthousiasme ne prenne fin avec l'annulation de notre rendez-vous. Et je n'avais pas préparé de plan B, comme tout bon journaliste devait prévoir. Quel fut mon soulagement lorsqu'elle m'annonça vouloir retarder notre rendez-vous vers 15 h afin de terminer la correction d'un résumé d'études qui devait être remis à son chef de département. En fin de compte, cet imprévu me permettrait de terminer ce que j'avais entrepris.

14 h 30. Mon article sur l'avortement était fin prêt. Je me relus plusieurs fois avant de faire parvenir le tout à mon chef de pupitre pour corrections finales pour l'édition papier du lendemain.

NEW YORK TODAY JOURNAL   A3

L'AVORTEUR DE CENTRAL PARK
L'avortement : un phénomène controversé
Par Lily-Rose L'Espérance

Manhattan, le 23 novembre 2012 – Quel est le mobile du tueur ? Le message qu'il veut transmettre ? Pourquoi a-t-il avorté une jeune femme de façon si brutale ? Pourquoi elle ? Fait-il partie d'un mouvement extrémiste ? Tant de questions demeurent en suspens. Pour l'instant, ni le NYPD ni les journalistes n'ont de réponses concrètes à vous fournir. Hormis les circonstances. En attendant les développements de l'enquête, le Journal vous propose une brève analyse du phénomène controversé de l'avortement.

Un peu d'histoire
En 1970, à Dallas, au Texas, Norma McCorvey était enceinte pour la troisième fois. Elle était alcoolique, toxicomane, pauvre et sans éducation. Ses deux premiers enfants avaient été donnés en adoption. Pour le troisième, elle souhaitait obtenir un avortement. Le parti démocrate de l'époque, qui cherchait à faire légaliser l'avortement, a défendu sa cause. On a appelé la jeune femme Jane Roe afin de cacher son identité. C'est le procureur du comté de Dallas, Henry Wade, qui s'est opposé à cette affaire.

Norma McCorvey a été contrainte de placer son bébé en adoption bien avant que la cause ne soit entendue. Pour faire suite à de nombreux appels de la défense, le 22 janvier 1973, la Cour suprême des États-Unis a rendu sa décision dans cette affaire communément appelée Roe contre Wade. L'avortement a été rendu légal dans tout le pays. Ce qui fait des États-Unis un précurseur en la matière.

À titre de comparaison, au Canada, l'avortement a été décriminalisé le 28 janvier 1988, en réponse au procès du Dr Henry Morgentaler. Il soutenait qu'aux termes de la *Charte canadienne des droits et libertés,* le *Code criminel* limitait la liberté d'une femme d'obtenir des soins sécuritaires.

Mouvement de contestation

D'après un sondage paru en août 2008 dans le *Washington Post,* aux États-Unis, 44 % des sondés se définissaient comme étant pro-vie contre 50 % se disant pro-choix. Selon un sondage de la société Gallup datant du 15 mai 2009, on comptait pour la première fois plus d'Américains pro-vie, avec 51 %, que pro-choix, avec 42 %.

Le mouvement pro-choix défend l'idée éthique que les femmes ont le droit d'interrompre une grossesse si les circonstances démontrent qu'il en va du bien de la mère ou de l'éventuel enfant à naître. Le mouvement pro-vie, lui, défend le droit à la vie du fœtus, le considérant comme un être humain à part entière. Ainsi, l'avortement est considéré comme un meurtre.

En ce sens, nous ne citerons pas d'associations en exemples dans cet article. Mais il faut savoir que de nombreuses menaces, divers moyens d'intimidation, des sorties médiatiques et parfois des actes de violence ont été et continuent d'être commis par ce dernier type d'opposants. On utilise également des images d'avortements clandestins effectués dans des pays en voie de développement pour défendre la cause. Ce qui donne de fausses perceptions au public des pratiques légales courantes. Fait encore plus troublant : aux États-Unis, huit médecins et employés de cliniques pratiquant l'avortement ont été tués. Sept entre 1993 et 1998 et un en 2009.

Les associations et personnes faisant partie d'un mouvement pro-vie sont souvent proches des mouvements religieux chrétiens, parfois extrémistes. L'Église catholique a toujours rejeté l'avortement. Les papes Paul VI et Jean-Paul II sont même les modèles de certains militants pour leur persévérance à dénoncer l'avortement comme une culture de mort.

Quelques statistiques

En 2008, 1,21 million d'avortements ont été effectués[*]. De 1973 à 2008, près de 50 millions d'avortements légaux ont eu lieu.

Vingt-deux pour cent de toutes les grossesses se terminent par un avortement. La moitié des femmes qui se font avorter ont déjà eu un avortement. Et environ 61 % des avortements sont obtenus par des femmes qui ont un ou plusieurs enfants.

Chaque année, 2 % des femmes de 15 à 44 ans se font avorter. De ce nombre, 18 % sont des adolescentes. Les femmes de 20 à 24 ans comptent pour 33 % des avortements, et les femmes de 25 à 29 ans représentent 24 %.

Quarante-deux pour cent des femmes qui obtiennent un avortement ont des revenus inférieurs au seuil de pauvreté. Les femmes qui n'ont jamais été mariées et n'ont pas de conjoint de fait représentent 45 % des avortements.

Trente-sept pour cent des femmes qui obtiennent un avortement sont identifiées comme protestantes et 28 % comme catholiques.

[*]Étude dévoilée en 2011 par l'Institut Guttmacher se basant sur diverses références et statistiques scientifiques sur l'incidence de l'avortement aux États-Unis au cours des dernières années. Notons que l'organisme a pour mission d'assurer la plus haute norme de santé sexuelle et reproductive pour toutes les personnes dans le monde entier.

Je terminai la correction de mon article juste à temps, avant l'arrivée de Julia Lewis. Tout se déroulait comme prévu. Mon entrevue avec la profileuse serait des plus palpitantes ! D'autant plus que le lectorat était particulièrement attiré par les avis d'experts. Ils permettaient de pousser plus loin les suppositions, et d'attirer ainsi l'intérêt des lecteurs. Je l'attendais donc avec impatience. Qu'allait-elle mettre sous la dent des lecteurs affamés ?

Chapitre 4

Le temps des collaborations

La profileuse Lewis arriva avec 10 minutes de retard. Elle avait un air très intellectuel et sérieux avec ses cheveux longs crépus séparés dans le milieu du front et ses lunettes noires presque rondes. Elle devait avoir une bonne quinzaine d'années de plus que moi. Elle portait un chemisier beige avec une boucle près du cou, une jupe verte droite en bas des genoux et des souliers à talons carrés. Elle paraissait un peu timide – ce qui me surprit – mais fort sympathique.

Nous fîmes les présentations. Elle s'assit et m'informa qu'elle pouvait me consacrer environ une heure. Elle devait retourner au bureau pour une réunion importante vers 17 h.

Je n'avais que quelques questions gribouillées sur un bout de papier. J'aurais dû être mieux préparée, ce qui me rendait un peu nerveuse. Mais je me convainquis qu'elle en aurait sans doute beaucoup à raconter avec son bagage professionnel. Pour faciliter sa compréhension, je l'invitai à lire la version longue de mon article qui allait paraître dans les pages du journal du lendemain. Ensuite, celui sur l'avortement. Puis je lui montrai ma galerie de photos. Je ne décelai aucun signe sur son visage révélant que ces images l'horrifiaient ou du moins la troublaient. Je supposai que c'était une question d'habitude. Une psychiatre se devait de ne pas laisser transparaître la moindre émotion. J'entrepris ensuite mon entrevue.

— Alors commençons, Madame Lewis. À la lumière des informations que nous détenons, à quel type de tueur pouvons-nous attribuer ce crime horrible, selon vous ?

— Votre question est assez générale, mais je vais tenter de vous répondre le plus précisément possible au mieux de mes connaissances.

Même s'il n'y avait pas le moindre ton de reproche dans sa voix, je pris ce commentaire de façon personnelle ; elle me soulignait que ma question était assez nulle. Je démarrai tout de même le mode d'enregistrement de mon cellulaire et commençai à prendre des notes.

— Si je m'appuie sur le matériel présenté, je peux mettre quelques suppositions sur la table, mais il va sans dire que les résultats de l'autopsie et les éléments d'enquête à venir pourront nous aider davantage à préciser le profil du tueur et ses motifs. À identifier qui il est. Mais nous pouvons nous permettre un certain questionnement. Je dois admettre, Madame L'Espérance, que vous avez fait du beau travail en décortiquant le phénomène de l'avortement. Cela porte à réflexion. Je crois, tout comme vous, qu'il ne s'agit pas là d'un hasard si la victime a été dénudée, découpée et départie de son fœtus ainsi. La naissance est selon moi la motivation première du tueur. Lorsque le NYPD nous dévoilera l'identité de la victime – qui elle était, son lieu de résidence, ses relations, son métier, ses activités, ce qu'elle envisageait concernant l'enfant à naître – alors là, nous pourrons développer le sujet avant même d'avoir mis la main sur le tueur.

— Pardonnez-moi si je vous interromps Madame Lewis, mais dites-moi, pourquoi tuer pour répondre à une motivation ? Et pourquoi maintenant, à cet instant précis ?

— Bien entendu, nous avons tous des motivations dans

la vie, mais nous ne tuons pas pour autant pour en arriver à nos fins. Un cocktail de facteurs et de désordres mentaux en est responsable. Les facteurs peuvent être d'origine physiologique, psychologique, neurologique, génétique, sociale, culturelle ou environnementale. Pour certains, le croisement de facteurs précis déclenchera un désordre qui mènera à l'accomplissement d'un meurtre. N'en demeure pas moins que deux personnes peuvent vivre des expériences de vie similaires, être touchées par des facteurs semblables et ne pas réagir de la même façon. L'une d'elles peut devenir tueur en série, et l'autre, un médecin renommé menant une vie exemplaire. Pourquoi certains se sortent de situations indemnes et d'autres pas ? Si vous rencontrez un psychiatre qui a une réponse précise à cette question, dites-vous qu'il vous ment. Il n'y a pas d'études scientifiques qui promeuvent une théorie sans failles. C'est très complexe tout ça. C'est comme se demander pourquoi une personne en vient à se suicider face à une problématique, alors que celle-ci aurait été facile à surmonter pour une autre personne. C'est comme ça, il y a des questions qui demeurent malheureusement sans réponses.

Lorsqu'elle prononça ces derniers mots, j'eus l'impression de me retrouver en thérapie. Je cherchais à répondre à cette fameuse question depuis si longtemps : pourquoi se suicide-t-on ? J'avais essayé de me fournir à moi-même des réponses me déculpabilisant, me convainquant qu'Émile était mieux où il se trouvait que sur terre. Mais en vain. Elle avait raison, il y avait des questions qui demeureraient à tout jamais en suspens.

— Ça va Madame L'Espérance, vous me suivez toujours ? me questionna la profileuse avec un air interrogateur.

— Oui, désolée si je paraissais distraite. Mais au contraire, vos propos sont très intéressants. Ils nous amènent à comprendre, à saisir certains comportements. Je vous en prie, continuez.

— Merci. Alors vous souhaitiez comprendre pourquoi le meurtrier a décidé de passer à l'acte à ce moment précis. Un stresseur, un événement traumatisant déclencheur dans la vie du meurtrier. Ça, c'est un élément que je peux vous certifier. Cela a créé chez lui une grande confusion, une tension psychologique énorme. Il s'agit d'un mobile qui lui a confirmé qu'il devait faire le grand saut. Probablement un échec sans possibilité de retour, ou une goutte qui a fait déborder le vase. Un vase rempli d'une série d'échecs. Dans le crime qui nous intéresse, il y a une motivation : la naissance. Ainsi, le tueur n'a probablement pas tué pour le plaisir, mais pour une cause qui lui tient à cœur depuis longtemps. Mais qu'il n'a jamais su faire entendre. Maintenant, après avoir vécu un stresseur, il veut prendre le contrôle de sa cause. Éliminer ce qui est une indignation sociétale pour lui. Il a soif de pouvoir. Il désire passer un message clair dans la communauté.

Julia Lewis reprit son souffle pour continuer sur sa lancée devant mon intérêt évident.

— Toutefois, comme je le mentionnais précédemment, il est encore trop tôt pour mettre des hypothèses sur la table. Or, je peux ajouter que s'il a un motif, c'est qu'il ressent des émotions. Comme nous le disions, il a de l'empathie pour une cause. Il ne tue donc pas simplement pour se procurer du plaisir, sans motivations ni objectifs, tel un psychopathe. Un psychopathe n'a aucun sentiment. Il se nourrit d'émotions fortes et malsaines. Il n'a pas de remords face à ses actes violents, car il ne distingue pas le bien du mal. Il n'a pas de vie sociale. Il manipule les gens, il joue avec eux. Ses victimes sont de vulgaires jouets, sans plus, qui ne méritent ni de vivre ni de mourir. Il s'agit d'un jeu sadique qui l'amuse. Il ne s'agit pas non plus d'un meurtrier qui tue pour un motif maté- riel, tel qu'une somme d'argent importante. C'est une évi- dence. Et il ne cherche pas à assouvir ses pulsions sexuelles. Je suis presque certaine que l'autopsie nous apprendra qu'il n'y a eu aucune agression sexuelle sur le corps. Dans le cas de notre tueur, le plus inquiétant avec son profil, c'est qu'il y a des risques de récidive élevés. Il est plutôt rare de pou- voir livrer un message, et qu'il soit entendu après une seule tentative, une seule action. Vous serez sûrement d'accord avec cette constatation. Est-ce la naissance – pardonnez- moi le jeu de mots – d'un nouveau tueur en série ? Je ne veux pas trop m'avancer sur cette supposition. Or, j'ai bien peur d'avoir raison. Il ne faut jamais oublier que les victimes d'un meurtrier stimulé par une cause liée à une motivation sont déshumanisées. Elles ne sont que des objets sans valeur nuisibles à la société. Ce qui simplifie la tâche quand vient le temps de décider entre passer à l'acte à nouveau ou non. Comprenez-vous ?

— Malheureusement oui, je comprends, répondis-je. Et je me sens un peu mal à l'aise de vouloir pousser notre entrevue plus loin. Mais je souhaite profiter de votre exper- tise. Alors, permettez-moi de vous poser une autre question.

Elle acquiesça de la tête. Je poursuivis.

— Des éléments de la scène de crime ont-ils attiré votre attention ? Je pense entre autres au chapelet et au crucifix posés dans le cou et la main droite de la victime. C'est assez inhabituel, non ? Bien que mon expérience à titre de journa- liste criminelle soit très limitée, continuai-je. Mais ne vous en faites pas, au Québec, j'ai fait mon petit bout de chemin.

J'ai même remporté un prix du meilleur reportage de l'année au Canada. Disons qu'un événement tragique a transformé ma vie et m'a menée ici.

— Arrêtez de vous justifier ainsi ! Vous devez être du genre à culpabiliser pour tout et pour rien dans la vie. Pour être honnête, je m'étais déjà informée à votre sujet auprès de Georges. Je voulais savoir à qui j'avais affaire. Je connaissais donc une partie de votre histoire. Comme nous aurons sûrement à travailler ensemble de nouveau, il faut me faire confiance et arrêter de vous mettre tout sur le dos. Je ne veux pas jouer au psychologue avec vous, puisque ce n'est pas le but de notre rencontre, mais je crois que vous devriez tirer un trait sur votre passé et accorder un peu plus d'importance au présent, pour un meilleur avenir.

Ces propos me prirent par surprise. Que dire de plus ? Elle m'avait décelée derrière mon masque. Je me contentai de répondre par un sourire en coin subtil. Face à mon silence, elle poursuivit.

— Pour revenir au sujet qui nous intéresse, vous avez raison. Les deux objets principaux trouvés sur place représentent des preuves intéressantes. Si nous prenons leur présence au premier degré, nous devinons que notre tueur est probablement catholique pratiquant et extrémiste. Mais il faut voir au-delà des premières apparences. Est-ce qu'il y a un lien avec le motif qui semble être la naissance ? Ou s'agit-il d'une signature ? Est-ce une simple façon de brouiller les pistes en laissant sur la scène du crime des objets qui n'ont aucun lien ni signification pour le tueur ? Ça pourrait aussi être des objets qui appartenaient à la victime. Il est tôt pour axer notre réflexion sur une donnée exacte. L'enquête nous en dévoilera davantage. Par ailleurs, j'aimerais attirer votre attention sur un fait intéressant. On a retrouvé la victime en plein cœur de Central Park, un endroit animé, même la nuit. Elle était complètement nue, sans effets personnels ni vêtements. Mutilée d'une façon atroce. Pensez-vous vraiment que la tuerie aurait pu se dérouler là tranquillement à l'abri des regards indiscrets ? Je suis sûre que vos lecteurs se questionneront à savoir comment cela peut être possible. C'est simple. Ce n'est pas la scène de crime originale. Elle a été déposée à cet endroit à la vue de tous. N'oublions pas que notre meurtrier veut lancer un message à la population. Il devait donc être certain que tout se déroulerait comme prévu. Suivant un plan établi et réfléchi. Il devait réussir à tuer d'une manière précise. Et qui dit prendre son temps dit le faire dans un endroit isolé. Il y a meurtre avec préméditation ici, c'est plutôt clair. Ensuite, il devait exposer le corps afin qu'il soit trouvé rapidement. Le plus vite possible. Ce n'est pas demain, ou la semaine prochaine qu'il souhaitait que son message soit entendu. Mais là, maintenant. Une fois le corps en état de décomposition avancée, le message serait passé beaucoup moins bien. Du moins dans l'immédiat. Il aurait fallu plus de temps. Et notre tueur n'a pas de temps à perdre.

Je jetai un coup d'œil sur l'horloge de mon ordinateur. Le temps filait. J'allais donc poser une dernière question. Étant donné le peu d'indices que les policiers pouvaient dévoiler sur le crime pour l'instant, je trouvais que cette entrevue nous en avait malgré tout appris amplement. Je détenais suffisamment de contenu à livrer à nos lecteurs pour les tenir en appétit.

— Je sais que votre temps est précieux, Madame Lewis. Mais si vous me le permettez, j'aimerais vous poser une dernière question. Le NYPD a déjà été en mesure de révéler que l'arme ayant servi à trancher le ventre de la victime serait vraisemblablement un instrument chirurgical. On nous a aussi confirmé que le travail avait été bien exécuté par le meurtrier. Et que pour faciliter sa tâche, il avait peut-être administré un sédatif à la victime pour éviter qu'elle ne se débatte. Ces faits nous laissent croire que le meurtrier pourrait travailler dans le milieu de la santé, non ?

— Tout à fait. Mais il ne faut pas oublier que tout est possible. Aujourd'hui, on peut apprendre des tas de trucs sur le Web. Ce tueur aurait très bien pu y étudier certaines méthodes chirurgicales et se procurer le matériel nécessaire ainsi que des sédatifs ou encore les voler. L'autopsie médico-légale pourra sûrement nous en apprendre plus sur cet aspect. Les lacérations seront analysées en profondeur. On identifiera le type de sédatif administré. Ce qui pourra guider les enquêteurs vers sa provenance. Selon l'autopsie, s'il s'avère qu'il y a de fortes chances pour que le tueur provienne du milieu de la santé, le cercle des recherches se refermera. Ce qui serait une excellente nouvelle.

Je mis fin à cette entrevue et remerciai la psychologue en lui donnant une poignée de main. Je lui affirmai à quel point son aide m'avait été utile. Je lui demandai si elle accepterait de collaborer avec moi pour la suite de l'enquête. Elle accepta en me précisant qu'elle était satisfaite de notre premier entretien, et elle me remercia pour la confiance que lui témoignait le journal. Dès qu'elle eut quitté les lieux, je me remis au travail sans tarder. J'avais énormément de notes et de temps d'enregistrement. Je devais démêler tout ça de façon concise. C'était primordial pour un journaliste de savoir vulgariser ses écrits.

Environ deux heures plus tard, j'envoyai l'article final de mon entrevue au chef de pupitre de soir. John, comme les autres chefs de pupitre qui travaillaient de jour, quittait vers 17 h, 17 h 30. Une fois sa relecture terminée, il m'avisa que je pouvais partir. Ce dernier article ainsi que celui sur l'avortement ne paraîtraient pas sur le portail du journal avant la parution de l'édition papier. Il fallait donner une raison au lecteur de maintenir son intérêt pour le bon vieux journal manipulable.

J'appelai le service de taxis pour qu'un chauffeur passe me chercher dans les 15 minutes, le temps de ramasser le désordre sur mon bureau. Je ne voulais pas déranger Bob Miller, qui devait être à la maison avec sa famille en train de souper. Une fois prête et enveloppée dans mon manteau, je me dirigeai vers la porte de sortie du journal en saluant les journalistes présents d'un signe de tête. La plupart faisaient partie de l'équipe du soir. Seulement quelques valeureux soldats de l'équipe de jour étaient toujours au poste. Je passai devant la réception déserte. Le soir, nous n'avions pas de réceptionniste puisque les départements de l'administration, de la publicité, du marketing et des petites annonces étaient fermés. En plus, l'équipe de rédaction était réduite de 150 à une quarantaine d'employés.

Arrivée à la sortie, j'aperçus à travers les portes battantes une voiture jaune qui était garée devant l'édifice. J'accélérai le pas. Alors que j'ouvrais la portière, je remarquai que Bob Miller était au volant.

— Mais que faites-vous là, Bob ? Il est 18 h 45. Vous devriez être à la maison en train de passer du bon temps en famille. J'ai pris la peine de ne pas vous déranger en passant par le standardiste du service.

— Ne vous en faites pas mad'moiselle Lily. J'avais laissé

un message au standardiste pour lui demander qu'il me transfère tout appel de votre part. Je me doutais que vous alliez passer par lui avec votre gentillesse. Je me suis dit que vous auriez eu une journée difficile. Donc, que vous auriez besoin d'un service courtois et rapide agrémenté de quelques mots de réconfort ! Bon, je dois vous avouer que j'étais aussi très curieux d'en apprendre un peu plus sur toute cette histoire.

Il était vrai que j'étais contente que ça soit lui qui me ramène à la maison. Je me trouvais même gâtée. Pour lui montrer ma reconnaissance, je lui racontai tous les détails de cette journée rocambolesque et répondis à ses questions. C'était la première fois que nous tenions une si longue conversation. Il dut garer son taxi devant mon immeuble pour m'écouter jusqu'à la fin. Lorsque vint le temps de le quitter, je lui demandai de passer vers les 7 h 30 le lendemain. Je voulais être certaine de ne pas me faire devancer par mes compétiteurs s'il y avait du nouveau du côté du NYPD.

J'entrai dans mon studio. Je ressentais une faim de loup. Mais ayant les idées quelque peu embrouillées, je dus reconnaître que la lâcheté avait pris le dessus sur moi. Je décidai de me préparer une assiette de viandes séchées, de fromages et d'olives provenant de chez Eataly. Et je me servis un verre de vin rouge afin de me détendre. Après tout, ne restait plus que vendredi et c'était congé pour le week-end. Je m'assis au salon pour déguster mon repas, tout en faisant le tour des chaînes qui présentaient les nouvelles en continu.

Le meurtre de Central Park était au premier plan. Je m'arrêtai sur CNN pour écouter un reportage complet sur la situation. Je fus étonnée de constater que la journaliste n'avait pas approfondi tellement le sujet. Il y avait un direct du point de presse donné par l'enquêteur en chef, des commentaires agrémentés d'images horribles et elle avait interviewé quelques passants afin de connaître leur réaction sur le crime. Interviewer des passants me parut inopportun et inintéressant. Je lui laissai le bénéfice du doute en me disant qu'il y aurait sûrement une suite un peu plus tard dans la soirée. Et je me réjouis que mon dossier soit meilleur que son reportage.

Après un moment, j'en eus assez et je commençai à être exténuée par toute cette histoire. J'éteignis la télévision et allumai mon Blu-ray pour y faire jouer un CD que j'avais créé et nommé *Défoulement*. Les Metallica, Nirvana, Guns N' Roses, Pearl Jam, Foo Fighters, The Pretty Reckless, Stone Temple Pilots, Slash and Myles Kennedy jouèrent à tue-tête. Quel soulagement !

Après une bonne heure de défoulement mental, je pris la direction du bain, puis du lit. Je me glissai sous les draps et éteignis ma lampe de chevet. J'eus peine à m'endormir. Il n'y avait rien à faire, des images de la scène de crime défilaient sans cesse dans ma tête. Quand elles cessaient, je m'inquiétais et paniquais : mon dossier ne ferait pas trop fureur auprès du public, Chris me mettrait sur le carreau pour le reste de l'enquête afin de laisser la place à un journaliste plus expérimenté. Puis, il y avait Georges. Pourquoi ne m'avait-il pas rappelée pour connaître le déroulement de ma journée ? Était-il fâché ? Ensuite, les hypothèses liées au meurtre me tracassèrent.

Je finis par m'assoupir en réfléchissant à la journée à venir. J'allais contacter Larry Robinson pour en savoir davantage sur l'enquête. Je lui ferais mon petit numéro pour qu'il me mette sur une piste. Et, je lui promettrais un embargo sur les éléments fournis.

6 h, le lendemain. Le cadran me fit sursauter. Ce n'était plus le brouhaha des taxis qui me réveillait. Je m'y étais habituée. Déjà ? La nuit avait été mouvementée. Les cauchemars avaient perturbé mon sommeil. Je n'avais pas trop les idées claires. Je décidai ainsi de sauter dans la douche avant même d'ouvrir les rideaux pour voir la clarté du jour.

Comme je manquais un peu de confiance en moi pour faire face à mes collègues et affronter mon dossier dans les pages du journal, je pris la décision de me mettre sur mon 36. Je me vêtis d'une robe en jeans avec un collant et des bottes longues à talons. J'exagérai un peu sur le maquillage en mettant mes lèvres en évidence. Pour finir, j'accrochai des anneaux géants à mes oreilles. Après un bon café et quelques rôties, je ramassai mon sac à main et je mis un manteau feutré, un foulard et des mitaines de fourrure. Je me sentais sexy et sûre de moi. Prête à affronter le monde entier.

J'ouvris la porte d'entrée et découvris le *New York Today Journal*. Comment avais-je pu oublier à ce point de lire le journal en déjeunant, et de scruter mon dossier ? La nervosité me gagna. Je relevai les yeux droit devant et pris une grande respiration avant de me pencher pour le ramasser. Je fis demi-tour, fermai la porte et m'accotai dessus. Je n'avais pas encore mis les yeux sur la une.

Ça y était. Ce n'était pas possible ! Je devais rêver ! Le meurtre de Central Park occupait la une presque en entier. Presque, car il fallait bien souligner que les Américains célébraient le « Black Friday » et que Wall Street risquait de clôturer en hausse en ce jour de folles dépenses. Mais on pouvait aussi y lire en gros titre : *L'Avorteur de Central Park : un dossier complet sur la scène de crime.* Et en petits caractères : *Plus de détails à venir sur les suites de l'enquête avec notre journaliste des crimes et enquêtes Lily-Rose L'Espérance.*

J'hallucinais ! J'étais citée, moi, comme une grande reporter du journal. C'était complètement fou. Je virai les pages deux, trois, quatre et cinq. Tout y était : ma version longue de la scène de crime, mon article sur l'historique et l'incidence de l'avortement, mon entrevue avec Julia Lewis, en plus d'une galerie de photos. Quatre pages étaient entièrement consacrées à mon dossier. Un sentiment de fierté m'accrocha un sourire aux lèvres. Je pouvais partir travailler la tête haute.

Je descendis les marches à vive allure et sautai dans le taxi. Bob Miller me félicita en pointant le journal qui était posé sur le siège du passager avant. Une fois arrivée devant l'édifice du journal, je repris la cadence en grimpant les marches de l'entrée à la course. J'étais follement excitée. Je m'arrêtai un instant devant la salle de rédaction dans le but de me ressaisir pour éviter d'avoir l'air d'une demeurée avec tout mon énervement.

La réceptionniste était occupée au téléphone et trois personnes attendaient au comptoir. Mais en me voyant, elle prit la peine de se tourner la tête pour lever le bras et le pouce en guise de félicitations. Je lui dis merci du bout des lèvres sans laisser de son s'échapper de ma bouche.

Je pénétrai ensuite dans la salle de rédaction. Quelle ne fut pas ma surprise ! Tout le monde se mit à applaudir. Quel esprit d'équipe ! Moi qui m'attendais plutôt à devoir négocier avec des journalistes plus compétitifs les uns que les autres. Je me sentis rougir. Je remerciai les gens sur mon passage en me dirigeant vers mon bureau. Chris était assis dessus, les mains posées sur une jambe. Quand il me vit apparaître, il applaudit à son tour.

— Bravo! chère! Bon travail! Vous vous êtes bien débrouillée. J'ai donc maintenu ma décision – comme vous avez dû le lire sur la une – de vous assigner à cette enquête jusqu'à la résolution du meurtre. Attention, ne soyez pas trop confiante en tenant pour acquis que les tendances beauté sont loin derrière vous. Bon, allez, on perd du temps à jaser ainsi. Le temps, c'est de l'argent!

J'eus à peine le temps de le remercier qu'il était déjà parti avec un bras dans les airs pour me signifier au revoir.

Avec empressement, je démarrai mon ordinateur tout en défaisant mon sac de travail. Je me rendis sur le site Web du NYPD, section médias. Aucun nouveau communiqué de presse. Il n'y en avait qu'un seul résumant la scène de crime, datant de la veille. Comme j'avais déjà amplement fait le tour des circonstances et poussé l'analyse, je devais passer au mode enquête.

En ce sens, je mis mon plan de charme à exécution avec l'enquêteur du NYPD. Georges le connaissait bien. Ils maintenaient une excellente collaboration depuis longtemps. Il obtenait toujours de lui des informations privilégiées avant nos compétiteurs. Il avait réussi à gagner la confiance du policier et à la préserver. J'allais donc jouer la carte de l'amie de Georges, qui avait tant dit de bons mots à son égard. Je sortis mon bloc-notes où j'avais indiqué ses coordonnées. Je composai son numéro.

— Larry Robinson à l'écoute.

— Oui, bonjour Monsieur Robinson. Lily-Rose L'Espérance, journaliste au *New York Today Journal*. C'est moi qui suis chargée de couvrir le crime de Central Park. D'ailleurs, j'étais sur les lieux hier. J'aimerais savoir s'il y a eu des développements. Quelqu'un a-t-il réclamé le corps? débutai-je.

— Avez-vous lu un nouveau communiqué de presse sur l'affaire en ligne? Non. Est-ce qu'on a invité les journalistes à un point de presse? Non plus. Donc, rien de neuf à vous dire, me répondit-il sèchement.

— Écoutez Monsieur Robinson, je sais que vous ne me connaissez pas. Je comprends donc que vous soyez sur vos gardes. Mais vous savez, moi, je vous connais plus que vous ne l'imaginez. J'ai régulièrement entendu parler de vous en bien par l'un de mes amis et collègue, Georges. En fait, c'est lui qui aurait dû être sur l'affaire. Il lui est arrivé un pépin. Il m'a donc demandé si je pouvais me rendre sur les lieux du crime à sa place. C'est moi qui serai donc sur le coup jusqu'à la résolution de l'enquête. Bref, Georges m'a dit que je pouvais me fier à vous, puisque vous êtes l'un des meilleurs enquêteurs du NYPD.

Le policier me coupa sans me laisser poursuivre mon numéro. J'espérais ne pas devoir accuser un refus total de collaboration de sa part. Sinon, j'allais devoir me contenter de peu, comme cette journaliste de CNN qui interviewait des gens dans la rue.

— Ça va, avec votre bla-bla! J'en ai vu d'autres avant vous. Ceci étant dit, je vous avertis: j'accepte de collaborer avec vous, mais si une fois, une seule fois, j'ai un doute sur votre honnêteté ou si vous mettez ma confiance en doute, c'en est fini entre nous deux! Vous devrez faire la file derrière vos compétiteurs pour avoir des informations. Et il en va de même pour notre ami Georges. Vous osez vous servir de lui pour me soutirer des renseignements, alors maintenant sa tête est à prix. Ce marché vous convient ? Et estimez-vous chanceuse que votre ami ait une excellente réputation comme collaborateur, sinon il en serait autrement !

— Ça va, j'ai compris ! Vous n'aurez pas de soucis à vous faire avec moi. Aucune crainte à y avoir. Je vous assure. Maintenant que les choses sont clarifiées entre nous, dites-moi, a-t-on réclamé le corps ? Avez-vous une information susceptible de m'intéresser ? Je vous promets l'embargo jusqu'à ce que vous me donniez le OK. Au moins, je pourrai faire progresser mon travail.

— Bon, OK ! L'autopsie n'est pas terminée. Aucun délai n'a été donné pour l'émission des résultats. L'équipe de la police scientifique qui a enquêté sur la scène en a au minimum pour une semaine avant d'être en mesure de dévoiler quoi que ce soit. Et pour répondre à votre question, on a réclamé le corps. L'époux de la victime s'inquiétait. Elle n'est jamais rentrée du travail le jour de sa mort. Je me suis rendu à la résidence du couple pour discuter avec le gars. La victime était guide au Musée d'histoire naturelle. Son horaire était identique jour après jour. Ses va-et-vient aussi. Habituellement, elle rentrait à la maison vers 17 h 30, à moins qu'elle ait des courses à faire ou des activités avec les enfants. Ils en ont sept, rien de moins ! Exceptionnel à notre époque. D'autant plus que le couple ne roulait pas sur l'or. La petite famille réside dans le Bronx. Lui travaille comme mécanicien dans un garage depuis belle lurette. Et ni lui ni elle n'ont de dossier criminel. De bonnes personnes, semble-t-il. Sans histoire, selon les voisins et les proches. Ils tentaient de mener une bonne vie et d'élever leurs enfants correctement, résuma le policier. L'époux n'est pas le meurtrier, je pense bien. Il a un alibi, même des tonnes d'alibis ! Il travaillait et a ensuite assisté à une partie de basket-ball de l'un de ses adolescents. Quand il a vu les nouvelles à la télévision, il nous a contactés. Bon, il pourrait aussi bien être complice ! C'est ce qu'on verra plus tard. Nous avons pris sa déposition et ses empreintes. Mais il avait l'air sincèrement désemparé, le pauvre, à en faire pitié. Lui et sa femme se sont battus toute leur vie afin d'être en mesure de garder la tête hors de l'eau. Et vlan, cette tragédie ! conclut Larry Robinson sur un ton calme et posé.

Il y eut un silence au bout de l'appareil. Comme on dit que les silences parlent d'eux-mêmes, je me tus un instant. Je sentais que le policier avait encore un morceau du casse-tête intéressant à me dévoiler, mais qu'il était réticent. Il me fallait une identité, un nom, le nom de l'époux ou encore l'adresse du couple, afin que je puisse au moins tenter de poser quelques questions. Je rompis le silence.

— Est-ce que ça va, Monsieur Robinson ? Auriez-vous quelque chose à ajouter ?

— Je reprenais simplement mon souffle. Vous êtes nouvelle dans le milieu. Vous verrez qu'on ne s'habitue jamais à ce genre d'atrocité. Jamais ! C'est toujours l'horreur ! D'autant plus qu'en ce moment, je dois gérer un autre dossier tout aussi épouvantable : un violeur qui traque de très jeunes et innocentes victimes sur Facebook ! Vous comprenez, vous devez être au courant puisque l'un de vos collègues est sur cette affaire. Et, je vous en supplie, appelez-moi donc Larry !

— Désolée ! Je sais, oui ! C'est désespérant ! répondis-je simplement.

Second silence. Encore une fois, je laissai le temps au policier de reprendre ses esprits, sans ajouter un mot de plus.

— Bon, alors pour revenir sur ce qui vous intéresse, la

victime se nomme Tamara De Los Angeles. Cette jeune mère de famille allait célébrer son 38ᵉ anniversaire le 16 décembre. C'est d'une tristesse ! Je ne peux vous en apprendre davantage. L'époux, Loïc De Los Angeles, était trop bouleversé. Il a refusé de poursuivre l'interrogatoire. Je reviendrai donc à la charge plus tard. OK, je vous en ai déjà dit plus qu'assez. Je suis certain que vous vous débrouillerez seule pour trouver leurs coordonnées, avant que vous ne demandiez. À vous de faire votre travail à présent.

— Merci pour tout, Monsieur Robinson, euh, je veux dire Larry ! Je vous en suis très reconnaissante. On se reparle bientôt.

— C'est ça, à bientôt, Lily-Rose L'Espérance !

Je n'avais qu'une idée en tête : rendre visite à ce Loïc De Los Angeles. Peut-être serait-il plus enclin à discuter avec une journaliste plutôt qu'avec deux policiers. Afin d'obtenir ses coordonnées, j'optai pour le plus simple : l'annuaire téléphonique en ligne. Il n'y avait que huit personnes portant le même nom, dont une seule qui demeurait dans le Bronx. Quelle chance ! Je pris ses coordonnées en note. Mais, je décidai de ne pas lui téléphoner au cas où il refuserait de me rencontrer. J'allais lui rendre visite. Il devait bien avoir pris congé pour quelques jours afin de reprendre le dessus et de s'occuper des enfants.

Chapitre 5

L'heure des confidences

Quelques minutes plus tard, j'étais assise dans le taxi de Bob Miller en direction du Bronx. Cet arrondissement avait été longtemps considéré comme un endroit dangereux, où les plus démunis et les ghettos régnaient. Au début des années 1960, le taux de criminalité avait grimpé en flèche pour atteindre un record en Amérique du Nord vers la fin de 1980. Mais le vent avait changé de côté avec la mise en place d'une politique de rénovation et de tolérance zéro en matière de criminalité. Le Bronx demeurait le quartier chaud de New York, mais nous étions loin de celui d'autrefois. Même les touristes le mettaient dans leur itinéraire pour visiter le Fulton Fish Market, l'un des principaux marchés de produits maritimes de la côte Est, ou encore pour assister à une partie des Yankees. Alors aucune crainte à y errer pour mon enquête, essayai-je de me convaincre. Après tout, il y avait un « Bronx » dans toutes les grandes villes du monde entier.

Mon chauffeur de taxi cherchait l'adresse que je lui avais écrite sur un bout de papier. Il passa tout droit, puis fit demi-tour. Nous y étions. Je lui demandai de garer le taxi quelques maisons plus loin, afin de ne pas trop alarmer l'époux de la victime avec ma venue. Le coin semblait assez tranquille. Les maisonnettes se ressemblaient les unes les autres. Ce n'était pas un quartier de classe aisée ni moyenne, mais le coin me paraissait propre et entretenu. Certaines maisonnettes étaient même accueillantes ; celle de la famille De Los Angeles en faisait partie.

Je demandai à Bob Miller de m'attendre le temps qu'il faudrait. Il avait déjà prévu le coup. J'étais à peine sortie du taxi qu'il avait pris un roman, posé ses lunettes de lecture sur le bout de son nez et s'était enfoncé dans son siège.

Pour ma part, je marchai d'un pas lent en direction de la demeure des De Los Angeles. Je sentais une certaine nervosité m'envahir. Et si je n'étais pas à la hauteur ? Pire, si je me plantais ? Arrivée à quelques pas de la porte d'entrée principale, je me précipitai vers celle-ci afin d'éviter l'hésitation. Je cognai. Aucune réponse. Je laissai passer quelques secondes. Puis, je cognai une seconde fois. J'entendis enfin quelqu'un qui se dirigeait vers la porte.

— Ouais. Qui êtes-vous ? Pas encore un de ces policiers du NYPD ! J'ai déjà eu droit à tout un interrogatoire hier durant de longues heures. J'ai besoin de vivre mon deuil en paix ! Vous comprenez ? hurlait un homme noir tout en ouvrant la porte.

Il avait vraiment mauvaise mine. Ses yeux noirs étaient si creux et bouffis et ses cheveux courts présentaient un aspect négligé. Sans compter que son pantalon de sport et son vieux t-shirt blanc troué lui donnaient un air délabré. Il allait fermer la porte lorsque je me surpris à la bloquer avec mon pied.

— Attendez Monsieur De Los Angeles. Vous faites erreur. Je ne suis pas policière, mais bien journaliste. Et pas l'un de ces prétentieux journalistes ! Je ne suis pas là pour essayer de faire la une du journal avec un article sensationnaliste sur un époux attristé et ses enfants anéantis. Je suis là dans l'espoir que vous puissiez me donner des détails qui pourraient nous aider à arrêter ce déséquilibré. Celui qui a brisé votre famille à jamais. On a des raisons de croire qu'il pourrait recommencer. Il faut l'en empêcher. On a besoin de vous et vous avez besoin de moi. Tenez, je vous ai apporté le *New York Today Journal* d'aujourd'hui afin que vous puissiez jeter un œil sur ce que j'ai écrit, lui suggérai-je en lui tendant. Je me disais que vous n'aviez sûrement pas suivi l'affaire dans les médias. C'est important pour moi que vous puissiez comprendre que je suis de votre côté.

Loïc De Los Angeles me fixait, incertain, sans dire un mot. Après une certaine hésitation, il accepta de me laisser entrer.

— Eh merde ! Allez, c'est bon, dit-il, tout en m'arrachant le journal des mains ! Je ne sais pas pourquoi je devrais avoir confiance en vous. Mais votre regard est honnête. Entrez. Non, attendez ! me stoppa-t-il. Êtes-vous seule ? Personne d'autre qui surveille les horizons, un photographe ou un enquêteur du NYPD ?

Je lui répondis d'un signe de tête par la négative, tout en lui signalant que mon chauffeur de taxi m'attendait non loin pour le retour. Il me laissa ainsi entrer. Les lieux étaient accueillants. L'ameublement et la décoration se faisaient par contre vieillots. Des jouets, des vêtements et souliers de petites tailles, un bureau couvert de livres, de crayons et d'un ordinateur de l'âge de pierre, plusieurs films étalés sur la table du salon ; on pouvait facilement deviner que des enfants y habitaient. Or, un silence inquiétant régnait. À première vue, les sept enfants étaient absents. On aurait pu entendre une mouche voler. La télévision était fermée. Les rideaux aussi. Sur le divan se trouvaient une couverture et un oreiller. Sur le côté de celui-ci, quelques bouteilles de bière vides traînaient sur le sol. L'ambiance était si déprimante !

Je suivis l'homme jusqu'à la table de la cuisine. Il tira le rideau de la fenêtre qui était à proximité. Un rayon de soleil pénétra l'endroit violemment, ce qui nous fit cligner des yeux. Je m'assis et sortis un carnet de notes, pendant qu'il nous servait un verre d'eau. Il s'assit à son tour.

— Vous pouvez m'appeler Loïc. Entre nous, je n'ai que 38 ans, ça va, surtout venant d'une personne de votre âge. Vous avez combien, 25 ans ?

— Vous savez marquer des points avec les femmes, Loïc ! Trente-cinq ans. J'ai 35 ans depuis en fait le 15 octobre. Et j'avoue que j'ai eu un choc cette année, alors 25, ça me convient parfaitement !

Il accrocha un léger sourire aux coins de ses lèvres. Probablement l'un des rares depuis qu'il avait appris le décès de sa femme.

— Vous avez des enfants, un époux, un conjoint ? Je devine que vous ne pouvez imaginer ce que c'est d'affronter une mort si inattendue, inhabituelle.

— Écoutez, je ne sais pas pourquoi je vous confie cela, mais je sais exactement ce que cela représente de faire face à la mort atroce d'un proche. Pour être sincère avec vous, il est faux de prétendre que le temps arrange les choses. On n'oublie jamais. Mais toute cette torture, on finit bel et bien par l'apprivoiser. Je vous le promets. Vous avez sept merveilleux enfants. Vous êtes donc manifestement comblé d'amour. Vous pouvez être fier de ce que vous avez accompli ! lui exprimai-je.

Loïc De Los Angeles m'écoutait attentivement, la tête baissée vers le sol, les bras appuyés sur ses jambes. Une larme s'échappa de son œil droit. Il se dépêcha de l'essuyer du revers de la main d'un geste brusque. Je sentais que la confiance s'installait tranquillement. Mais je n'avais pas joué à la confidente dans l'objectif de manipuler ma source. J'étais sincèrement désolée pour sa famille et lui. Et décidée, coûte que coûte, à soutenir cet homme désemparé.

— C'est gentil. Je vous remercie pour votre empathie. Toutefois, ne le prenez pas mal, mais je préférerais qu'on aille maintenant droit au but. Je veux profiter du fait que ma mère garde les enfants jusqu'à demain pour me reposer. Alors, qu'avez-vous besoin de savoir pour trouver ce salaud ?

— D'abord, j'aimerais savoir si vous avez des raisons de croire qu'une personne, plus précisément un homme, aurait des raisons d'en vouloir à votre femme. Est-ce qu'il vous est arrivé une aventure malencontreuse au cours des derniers mois ? Quelqu'un vous en voulait ? Avez-vous senti de la jalousie ou de l'envie autour de vous ? Votre femme faisait-elle partie d'un cercle fermé, d'une organisation ? Aurait-elle découvert des événements mettant en péril la carrière d'une personne ? Serait-elle victime de harcèlement ? Enfin, je sais, je parle beaucoup trop ! Désolée, je suis malhabile, je l'admets. Ce que je veux savoir, c'est si vous avez remarqué des faits irréguliers qui pourraient être liés à la mort de votre épouse.

Monsieur De Los Angeles prit quelques secondes de réflexion qui me parurent une éternité. Il réfléchissait tout en se balançant la tête pour signifier qu'il ne voyait pas trop.

— Tamara était une excellente mère et une très bonne épouse. Ses proches et collègues l'aimaient beaucoup aussi. Elle n'a jamais été mêlée à une histoire particulière. À moins qu'elle ne m'ait rien dit. On se parlait beaucoup. La communication faisait partie de notre quotidien. Non, je ne vois vraiment pas quoi vous dire. Sinon que Tamara était une jolie femme très sexy. Ça oui ! Elle plaisait. Elle m'a même raconté des anecdotes concernant son travail. Elle recevait parfois des avances. Mais à mon souvenir, aucun homme ne l'a agressée. Elle prenait plutôt ça en riant. Vous pouvez vous rendre sur place pour vérifier ce qui en était. Elle travaillait au Musée d'histoire naturelle. Elle coordonnait les services de l'accueil. Après tout, on l'a retrouvée morte non loin du musée ! Peut-être qu'elle n'a pas pris au sérieux certaines avances. Je n'en sais rien !

— En ce qui concerne sa vie personnelle, et votre vie familiale, ou de couple, y a-t-il eu des changements, de nouveaux événements, des obstacles à surmonter dernièrement ? poursuivis-je.

— En quoi ça peut vous aider à faire votre enquête ? Vous me soupçonnez ?

— Encore une fois, désolée pour ma maladresse ! Je cherche seulement un élément déclencheur chez le meurtrier. Un motif. J'essaie juste de pousser plus loin.

— Comme vous le savez, elle était enceinte. Sinon, on menait une belle vie, même si elle était assez routinière et que nous ne sommes pas trop fortunés. Avec sept enfants et nous deux qui travaillions, la vie filait à 100 milles à l'heure. On n'avait pas le temps de s'attarder sur les pépins de la vie quotidienne ni de temps à consacrer à des activités personnelles. Tout tournait autour des enfants. Tout !

— Vous m'avez dit que des policiers étaient venus vous rencontrer hier après que vous ayez contacté le NYPD concernant la disparition de votre femme. Vous ont-ils informé sur les circonstances du crime et sur des éléments de l'enquête ?

— Ils m'ont décrit la scène. Mais je suis certain que vous en savez plus long que moi à ce propos. Disons qu'ils ont essayé de m'épargner. Bien sûr, j'ai dû me rendre à la morgue pour l'identification du corps. J'ai eu un tel choc en voyant ma Tamara ainsi ! J'ai vomi, plié en deux sur le sol, et j'ai pleuré comme un enfant ! J'ai crié ma haine de toutes mes forces. Les policiers m'ont offert de rencontrer un psy. Mais je veux vivre ma peine tout seul.

Il prit une pause et but en entier son verre d'eau sans s'arrêter. Puis, il se tourna vers la fenêtre. Son regard se perdait dans les rayons du soleil. Quand il fut prêt, il se retourna vers moi et continua à se confier.

— Pour l'instant, mes parents gardent les enfants pour me donner un peu de répit. Mais dès demain, je compte les ramener à la maison et leur expliquer les faits avant qu'ils n'apprennent la vérité dans les médias. J'ai interdit à mes parents de leur donner accès à la télé, à Internet et aux journaux. Les enfants savent qu'elle est décédée, mais sans plus. Bref, pour terminer sur ce que m'ont dit les policiers, il serait trop tôt pour être sur une piste. Voilà ! La seule info supplémentaire que je peux vous donner, c'est quand aura lieu le dévoilement de l'identité de ma femme. J'ai demandé que ça soit fait seulement lundi. Une conférence de presse se déroulera à 9 h. Mais j'ai refusé d'y participer. Écoutez, je suis un peu fatigué, là ! Je ne m'attendais pas à votre visite. Vous savez ce qu'on va faire : donnez-moi vos coordonnées. Si des faits intéressants me reviennent, je vous téléphonerai, OK ? se renfrogna Loïc De Los Angeles.

— Je comprends très bien ! Avant de partir, j'aimerais tout de même vous offrir mes sympathies les plus sincères. Je suis désolée pour vous et votre famille.

Sur ces derniers mots, je me levai et repoussai ma chaise sous la table. Je remerciai l'homme et quittai sa demeure sans m'y attarder. Cette entrevue ne m'avait pas beaucoup avancée. J'en étais finalement au même point. Rien, pas le moindre indice. Mais au moins, je possédais un contact de confiance, un avantage pour la suite de mon enquête.

Tout en marchant en direction du taxi, je m'encourageai en me disant qu'après tout, je pourrais dévoiler l'identité de la victime avant mes compétiteurs. Mon article serait en ligne à 9 h pile, dès que la conférence débuterait. Pourvu que mon acolyte du NYPD n'ait pas mis d'autres journalistes sur le coup, pensai-je.

Je jetai un coup d'œil à ma montre. Déjà 11 h 37. Je n'aurais manifestement aucun succès en me rendant au musée sur l'heure du dîner. Les travailleurs permanents de longue date devaient avoir un horaire habituel leur permettant de prendre leur pause de lunch autour de midi. Je demandai donc à mon chauffeur de me déposer à Central Park non loin du musée. C'était une journée assez chaude et ensoleillée pour une fin d'automne. J'en profiterais pour me ramasser un hot-dog dans une cantine mobile et me promener sur les lieux du crime afin de faire travailler mes neurones. Il me vint alors à l'idée que cela pourrait m'être bénéfique de joindre l'utile à l'agréable. Ainsi, je téléphonai aussitôt à Georges afin de savoir si son emploi du temps lui permettait de prendre une pause.

— Georges, c'est Lily ! Je suis dans Central Park face au Musée d'histoire naturelle. Merde ! Aïe, aïe, aïe !

— Mais qu'est-ce que tu fais encore ? Lily, t'es toujours là ?

— Aïe ! J'essayais de m'asseoir sur un muret de ciment. J'ai glissé et je me suis cognée. Je pense que j'ai réussi à briser mon manteau, et je te gage un hot-dog que j'ai une bosse bleue qui fera irruption sur mon coude. Je m'excuse pour le vacarme ! J'ai échappé mon cellulaire par terre.

— Non vraiment ! Comme ça me surprend, Madame La Gaffe ! dit-il en éclatant de rire. Allez, ne m'en veux pas, je me moque pas de toi ! Enfin, juste un p'tit peu. Pour me faire pardonner, je te rejoins à l'instant. OK ! Comme c'est toi qui payes le hot-dog en plus… Mais il m'en faudra plus d'un pour me rassasier. Sinon, je vais mourir de faim d'ici notre sortie au Pop Burger. Tu viens ce soir ?

— Ah non ! Ma semaine aura finalement été assez mouvementée et inhabituelle. Puis mon enquête n'avance pas trop, t'sais ! Je pense que je vais plutôt ruminer tout ça dans le confort de mon salon ce soir au cas où quelque chose m'aurait échappé. Au fait, t'es au journal là ? Quoi de neuf sur cette histoire ?

— Oui j'y suis, et non, je n'ai rien vu passer. Que du réchauffé tant sur le Web qu'à la télé. C'est toi qui as sorti l'info la plus pertinente jusqu'à maintenant ! Il y en a quelques-uns qui se sont mis sur le coup de l'avortement pour te suivre. Mais personne ne t'a détrônée. Ne t'inquiète pas ! Pour ce soir, tu fais comme bon te semble. Pas de trouble, je comprends ! Alors, tout en parlant, je suis déjà rendu sur la rue à héler un taxi. À bientôt, mon amie !

En attendant Georges, j'essayai de relaxer en prenant de grandes respirations. J'avais mal à la tête depuis ma sortie de la résidence des De Los Angeles. L'inquiétude de n'avoir aucun développement sur le crime me hantait. Je me doutais que si le NYPD ne tenait pas de conférence de presse en ce vendredi, je n'aurais rien à sortir pour l'édition du samedi. Mais mon enquête, elle, devait au moins progresser.

Chose certaine : ce week-end, j'écrirais mon article sur l'identité de la victime. Et lundi matin, j'apprendrais peut-être de nouveaux éléments, mais en même temps qu'une cinquantaine d'autres journalistes. Je n'impressionnerais personne avec le contenu livré par le NYPD. Surtout pas mes patrons.

Je possédais cette manie indomptable de me torturer l'esprit. Pour me libérer, je me concentrai sur les passants. Une grande majorité d'entre eux marchaient d'un pas rapide, tête droite, vêtus de façon élégante, un cellulaire à l'oreille pour plusieurs. D'autres se pavanaient avec un appareil-photo autour du cou, un livre servant de guide sous les yeux, un sac bien rempli ou encore avec des achats sous les bras. Quelques groupes d'étudiants étaient également réunis devant le musée avec leurs professeurs qui tentaient de garder le contrôle.

J'avais beau essayer de faire le vide dans ma tête, mais à chaque visage que je croisais, je ne pouvais m'empêcher de me questionner à savoir à quoi pouvait ressembler le tueur. Venait-il de passer tranquillement sous mes yeux ? Avait-il un visage mélancolique ou satanique ? Se fondait-il dans la foule ou le remarquait-on sur son passage ?

— Booouhhh ! cria Georges à mes oreilles.

Je sursautai. Et je faillis tomber du muret de ciment pour une seconde fois. Ce qui le fit ricaner. Furieuse, je me replaçai et me tournai vers lui. Ce n'était pas le temps de jouer avec mes nerfs.

— Ça ne va pas la tête, Georges ! J'ai les nerfs à fleur de peau !

— Bon, OK, désolé !

— Ouain, au moins, tu m'as sortie de mes pensées sinistres. J'étais en train de me demander à quoi pouvait ressembler L'Avorteur. Tu vois le genre. Je suis complètement obnubilée par cette affaire. J'ai pas dormi de la nuit. La tête va m'éclater.

— T'en fais pas, tu t'en sortiras ! Allez hop ! Allons nous régaler ! me calma mon ami.

Il m'aida à débarquer de mon emplacement, me prit par le bras et me traîna littéralement en gambadant. Toujours le mot ou le geste pour me faire rire. Mission accomplie : en l'espace d'une heure, j'avais oublié toute cette histoire de meurtre sordide.

Georges me parla brièvement du gang de rue juvénile sur lequel il écrivait une histoire, en mettant à l'avant-plan les malheurs qu'avaient vécus ces jeunes. Des malheurs qui s'étaient enchaînés les uns après les autres et qui les avaient poussés à prendre part à des activités criminelles, dont ils étaient maîtres aujourd'hui. Le reste de notre temps, nous le consacrâmes à parler de nos petites misères personnelles et à nous raconter quelques anecdotes sur nos collègues de travail. De quoi rire un peu.

Le temps passa rapidement, et Georges dut me quitter pour retourner au bureau. Il me donna une bise sur chaque joue avant de partir. Même si j'approuvais notre décision de proscrire le sexe entre nous deux, je ressentais quelques frissons qui me transperçaient le corps lorsqu'il était aussi près de moi. J'eus l'impression que lui aussi avait ressenti une montée de phéromones. Je le voyais dans son expression faciale changeante. Je le regardai partir en souriant. Puis, je m'éloignai en direction du musée.

Le musée était situé à quelques pas de mon immeuble dans l'Upper West Side. Il était gigantesque. Son architecture me rappelait celle du Panthéon, à Rome. Il était bondé de monde à toute heure de la journée. Lorsque l'on faisait irruption dans l'entrée principale, un gigantesque dinosaure nous surprenait et nous dévisageait. Ce musée était sans nul doute l'un des plus impressionnants de la planète. Il présentait une collection de plus de 30 millions d'objets et d'espèces fossiles, mammifères, d'insectes et autres spécimens vivants répartis dans une cinquantaine de salles. Plus de 200 scientifiques et une cinquantaine de conservateurs s'y affairaient à l'année, sans compter les centaines d'employés. J'y fis mon entrée en faisant presque une prière pour trouver un indice me mettant sur une piste intéressante.

J'étais plantée dans le hall et je regardais en direction de l'accueil. Qui de la dizaine d'employés fraternisait avec Tamara ? Je m'approchai d'un comptoir et demandai à parler au coordonnateur de l'accueil par intérim. Une dame aux traits asiatiques me demanda de l'attendre. Je me rangeai sur le côté pour éviter de bloquer la file d'attente. Quelques minutes plus tard, une jeune femme noire se présenta à moi. Je lus sur son épinglette le nom Edwine Toussaint.

— Bonjour. Que puis-je faire pour vous ? me demanda-t-elle.

— Lily-Rose L'Espérance, du *New York Today Journal*. Je viens tout juste de terminer une discussion avec monsieur De Los Angeles, l'époux de Tamara, qui était coordonnatrice de l'accueil. C'est lui qui m'a informée qu'elle travaillait ici. Avez-vous quelques minutes à me consacrer ?

Elle acquiesça d'un signe de tête en m'indiquant de la suivre. Nous parlerions tout en marchant afin d'éviter d'attirer l'attention des employés sur notre conversation. Edwine connaissait Tamara, mais depuis peu, puisqu'elle travaillait au musée depuis seulement cinq mois. Elle dînait de temps à autre avec elle, échangeait des propos intéressants, mais plutôt axés sur le travail.

Elle n'avait rien remarqué d'anormal chez elle au cours des derniers jours. Ni personne qui lui tournait autour ou qui l'avait agressée. Elle me proposa de m'entretenir avec James Gardner, un bon ami de Tamara De Los Angeles, qui travaillait à l'accueil avec elle depuis des années. Ils avaient même grandi ensemble dans le Bronx. Elle le contacta avec un *walkie-talkie*. Il répondit rapidement. Elle lui demanda de nous joindre dans le Hall des océans.

Une gigantesque baleine bleue y était suspendue au plafond. En attendant l'homme, j'eus droit à un cours d'histoire 101 sur les mammifères marins. James Gardner arriva une dizaine de minutes plus tard. Il s'excusa de s'être fait attendre. Il était pris par un professeur de sciences humaines. Cet Hispanique devait avoir environ le même âge que Tamara. Physiquement, il n'avait pas été gâté par la nature, mais il semblait sympathique et charmant. Je détectai dans ses yeux de la tristesse. Sans aucun doute qu'Edwine Toussaint lui avait donné le motif de ma venue.

— Vous avez connu Tamara ? me questionna-t-il.

— Malheureusement non. Si je suis ici pour discuter d'elle, c'est en tant que journaliste. C'est son époux qui m'a conseillée de venir ici au cas où l'un de ses collègues serait en mesure de me fournir des infos pertinentes nous aidant à retrouver le tueur. Me permettez-vous donc de vous demander si vous avez remarqué des événements anormaux concernant Tamara, ou encore des changements dans sa vie, dans sa façon d'être ?

— Tout le monde l'aimait. Comment ne pas aimer une fille si souriante, généreuse et gentille ? Et intelligente en plus de ça ! Elle en connaissait long sur l'histoire, même si elle n'avait pas fait d'études postsecondaires. Non, tout roulait normalement ici ! Aucun visiteur suspect qui lui aurait manqué de respect non plus. Désolé ! Je ne peux pas vous en dire plus.

— Madame Toussaint me disait que vous étiez plus qu'un collègue pour Tamara. Vous étiez son ami depuis la p'tite école. Elle devait avoir confiance en vous. Comme vous passiez beaucoup de temps ensemble, elle vous confiait peut-être ses secrets, ses malheurs et ses grands bonheurs ? Rien d'anormal de ce côté-là non plus ? S'il y avait le moindre infime détail que vous pouviez me donner, ça me serait utile.

— Bah, c'était la routine de son côté. Comme dans tout couple, elle et Loïc vivaient des hauts et des bas. Ce n'est pas toujours facile de garder la flamme allumée avec sept enfants. Loïc est un bon gars. Je l'ai connu dès le début de leur relation. D'ailleurs, ma famille et moi sommes des amis des De Los Angeles. Mais c'est vrai qu'en ce moment, je dirais que le couple se trouvait plutôt dans une mauvaise passe. Tamara paraissait triste ces temps-ci. Elle se disputait fréquemment avec Loïc. Vous savez, pour toute cette histoire de grossesse. Mais tel que je les connais, ils auraient repris le dessus.

« Vous savez, pour toute cette histoire de grossesse », que voulait-il dire par là ? Elle avait eu sept autres grossesses, pourquoi la huitième aurait-elle amené du remue-ménage dans le couple ? James Gardner semblait penser que je devais être au courant puisque je sortais tout juste de la résidence des De Los Angeles.

Je réfléchis à grande vitesse. Devais-je jouer le jeu en lui faisant croire que je savais afin de lui soutirer des informations ? S'il s'en rendait compte, je briserais notre lien de confiance et il faudrait que j'oublie sa collaboration pour la suite des événements. Et si je lui admettais que je ne savais pas ? Je penchai finalement pour jouer la comédie en espérant qu'il ne se rendrait compte de rien. Je me sentis coupable, mais je devais foncer.

— Vous avez probablement raison. Ce n'est facile pour personne de prendre une telle décision. Surtout quand on a eu sept enfants, j'imagine ! Ça doit compliquer tout.

— À qui le dites-vous ! Je n'imagine pas comment ma femme et moi réagirions face à un tel défi. L'avortement représente une décision de taille pour un parent. Mais voilà, il arrive qu'il n'y ait pas d'autres options envisageables. Dans ce cas, vaut mieux penser au bien-être et à la santé de la famille avant tout, se confia mon interlocuteur.

— Je vous appuie bien entendu. Sauf que pour être honnête avec vous, je n'ai pas osé questionner Loïc sur les motifs de leur décision. Je ne voulais pas paraître trop perspicace par respect. Le drame qu'il vit est déjà bien assez lourd. Si vous pouviez m'en dire un peu plus sur cette situation, cela pourrait m'aider dans mon enquête.

— Bien, Tamara avait eu son dernier enfant à l'âge de 32 ans. Lorsqu'une femme enceinte approche de la quarantaine, vous savez que les médecins recommandent souvent de passer un Combitest ou une amniocentèse afin de détecter des anomalies ou désordres. C'est ce qui s'est passé pour Tamara. Malheureusement, les résultats se sont avérés positifs. Leur fille aurait été trisomique. Vous imaginez le dilemme qui est survenu dans le couple. Avec sept enfants, peu de moyens financiers, face à une déficience complexe et permanente, mes amis ont opté pour l'avortement. Ils ne se sentaient pas capables de répondre à ses éventuels besoins. Ils avaient peur que vivre dans une société qui ne pardonne pas soit trop difficile pour cet être fragile. Ils ne pouvaient pas accepter qu'elle ne profite pas au maximum de la vie, qu'elle soit privée d'expériences inoubliables et de trucs simples que la vie nous réserve. Ils ne souhaitaient pas non plus la mettre en centre spécialisé. Ça paraissait trop cruel, me renseigna l'homme. Pour eux, comme pour bien des gens, un embryon demeure un embryon. Tamara allait donc se faire avorter dans quelques jours. Elle approchait de la limite prescrite pour une interruption de grossesse. Elle et Loïc ont hésité à prendre cette décision jusqu'à la toute fin. Finalement, toute cette histoire s'est terminée de façon tragique. C'est tellement incompréhensible !

— Pardonnez-moi une telle question, mais est-ce que vous croyez que Loïc aurait pu commettre un acte fatal durant une période de dépression, de noirceur ?

— Je ne crois pas. Mais bon, je ne suis pas psychologue et je n'étudie pas les comportements humains. Disons que je préfère ne pas penser à ça. Loïc est mon ami et un père modèle.

— James, je vous remercie d'avoir accepté de discuter avec moi. Sincèrement. Je suis désolée que vous ayez perdu votre amie. Je ne vous retiens pas plus longtemps. Mais je vous laisse ma carte. Si jamais vous découvrez de nouveaux faits, n'hésitez pas.

Nous nous saluâmes et nous retournâmes chacun à nos occupations. Après mon entretien avec lui, je décidai de ne pas m'attarder plus longtemps au musée. Je ne voyais pas ce que je pouvais y apprendre de plus. James Gardner m'avait fourni une information importante que ni le NYPD ni Loïc ne m'avaient dévoilée. Et encore, je me demandais si le NYPD était au courant.

14 h 45. La journée avançait trop rapidement. Je marchais vers la station de métro la plus proche. Je ressentais le besoin d'être seule dans un milieu public fréquenté afin d'analyser encore une fois les expressions faciales, gestuelles et interactions des gens. C'était pour moi un excellent exercice pour mieux comprendre le comportement humain. Pour mieux l'apprivoiser.

15 h 15. Arrivée au journal. C'était l'heure de présenter mon compte rendu au chef de pupitre. J'avais également l'intention d'écrire mon article sur l'identité de Tamara De Los Angeles pendant que les informations étaient fraîches dans ma tête. Mais il n'était pas question de parler de l'avortement prévu. Son époux ne sachant pas que j'étais au courant et James Gardner pensant que Loïc De Los Angeles s'était confié sur ce point, je ferais une belle gaffe.

Si le NYPD mettait cet aspect à l'ordre du jour de la conférence de presse du lundi, il ne serait pas trop tard pour ajouter des éléments sur le sujet dans mon article. Je pensai même préparer un second article en suspens réservé à cet effet. Avant publication, je contacterais Loïc De Los Angeles pour l'informer des confidences de James Gardner afin d'éviter de perdre sa confiance.

Je me dirigeai vers mon bureau pour y déposer mes trucs. Quelques minutes plus tard, j'étais sur le seuil de la porte du bureau de John. Il était occupé avec un journaliste. Comme si de rien n'était, je pointai mon minois devant la fenêtre de sa porte couverte d'un store mi-fermé afin qu'il remarque ma venue. Je le vis lever les yeux distraitement. Le journaliste s'en aperçut. Il se tourna ainsi la tête pour voir ce qui se passait. Je me retirai aussitôt et m'appuyai sur le mur. Quelques secondes plus tard, j'entendis la porte ouvrir. Le journaliste sortit.

— C'est à votre tour gente dame ! me lança le jeune

homme, tout en me tenant la porte ouverte. Paraît que c'est urgent votre affaire.

— Merci ! Je ne voulais pas vous brusquer.

— Pas de problème !

Je rentrai aussitôt sans attendre.

— Mad'moiselle Hope. Je t'attendais. T'as pu avancer sur le crime de Central Park ? Allez, raconte-moi ton nouveau ! Je suis tout à toi. Je veux dire ma tête, pas mon corps ! corrigea-t-il en me faisant un clin d'œil et en souriant.

— J'avais compris, John ! Eh Hope, hein ? C'est la première fois que tu prononces mon nom de famille en anglais ! Ouais, je déteste pas du tout ! Hope, ouais ! m'exclamai-je.

John aimait s'amuser au travail, contrairement à mon rédacteur en chef, qui était si autoritaire. Il était toujours de bonne humeur. Chaque vendredi soir au Pop Burger, il divertissait la galerie. C'était un gentilhomme. Malgré son front dégarni, il paraissait plus jeune que ses 53 ans grâce à son style branché et coloré. Je lui décrivis ma journée en n'oubliant aucun détail et lui fis part de ma planification. Il me donna le OK pour la suite des choses et me suggéra de jeter un coup d'œil sur le portail du NYPD. La convocation pour lundi matin était affichée. John avait déjà confirmé ma présence.

La rencontre fut brève. Il trouvait que j'avais fait du bon travail. Il m'avait ainsi donné carte blanche pour les textes à venir. Pourvu que rien ne paraisse en ligne ou sur papier sans son approbation. J'étais heureuse de ce vote de confiance.

Je me rendis donc à mon bureau afin d'écrire mon article sur l'identité de Tamara. J'avais tout mon temps devant moi, comme je n'avais pas l'intention de passer la soirée au Pop Burger. J'allais plutôt me rendre à la cafétéria pour un lunch rapide.

Une fois mon texte terminé, je pourrais profiter du confort de mon appartement pour me détendre durant tout le week-end. La semaine qui allait suivre risquait d'être surchargée. Je devrais reprendre quelques affectations aux tendances mode et beauté, en plus d'enquêter sur L'Avorteur, en attendant qu'il y ait des développements. Ce qui me rappela que j'étais encore loin d'avoir gagné ma place aux crimes et enquêtes. Après tout, cela ne faisait que deux jours que je faisais partie de l'équipe.

Quelque temps après m'être mise à l'écriture, la salle de rédaction se vida. On était vendredi soir. Qui avait envie de faire des heures supplémentaires à part ceux qui, tout comme moi, devaient faire leurs preuves ? Je n'avais pas eu à passer par là. Et j'étais consciente de ma chance. Certains demeuraient des années à essayer de percer. Il y avait malheureusement peu d'élus dans la cour des grands. La plupart finissaient par abandonner et se diriger vers les communications, la politique ou un autre domaine.

Il était à peine 18 h 50 quand je finis mon article. Ce qui me réjouit. Je l'envoyai à John pour corrections. Comme rien ne pressait, je ne m'attendais pas à ce qu'il me revienne sous peu.

C'était maintenant le temps de partir du journal. J'avais besoin de me retrouver seule pour cogiter. Je hélai un taxi. J'avais averti Bob Miller que je finirais tard et que je m'arrangerais sans lui. Il avait une famille, une vie.

Arrivée sur le seuil de ma porte, je fis demi-tour. Je passai au club vidéo du coin pour y louer *Les Marches du pouvoir* avec Ryan Gosling, l'un de mes acteurs préférés. La soirée fut assez tranquille : bain, soirée cinéma, *pop corn* et dodo. Le reste du week-end se déroula à l'image de mon vendredi soir.

Repos total. J'avais pointé mon nez à l'extérieur pour aller faire quelques emplettes le samedi matin, afin de remplir le réfrigérateur et le garde-manger. Et j'avais fait un détour sur Broadway pour y faire un peu de lèche-vitrine. Entraînement avec ma console Kinect, séances musicales, coconnage et détente devant la télévision avaient aussi fait partie de la programmation. Puis, j'avais eu des conversations avec ma mère, mon frère et Georges, qui m'avaient téléphoné afin d'avoir des nouvelles.

Lundi 26 novembre. 6 h. J'étais au sommet de ma forme. Le week-end avait été considérablement bénéfique. J'avais réussi à dormir et à oublier L'Avorteur. Je me préparais pour me rendre au quartier général du NYPD quand mon cellulaire sonna. John. Il voulait m'informer que mon article serait en ligne sur le portail du journal à 9 h tapantes et me rappeler de me remuer les fesses s'il y avait de nouveaux éléments à y ajouter au cours de la conférence de presse. Il serait aux aguets. Je n'avais qu'à taper les informations sur mon cellulaire durant les allocutions. John les ajouterait lui-même à mon article de base. Je pourrais ensuite développer les nouveaux éléments une fois revenue au bureau.

Bob Miller passa me chercher vers 7 h comme la plupart du temps. Je me sentais nerveuse. Une vingtaine de minutes plus tard, nous arrivâmes sur les lieux. La place était bondée de médias locaux, régionaux et nationaux. CNN, ABC, CBC, le *New York Times*, le *New York Daily News* ainsi qu'une multitude de médias radiophoniques s'étaient installés à l'extérieur en attendant l'événement de presse. Les photographes étaient innombrables. Il y avait beaucoup plus de médias que le jour du meurtre. La nouvelle était depuis devenue un sujet chaud. Ce qui me rappela que le sensationnalisme était toujours au cœur de l'information.

Quelques minutes après mon arrivée, le NYPD nous invita à entrer. La conférence débuta sans attente. J'étais calée dans ma chaise au premier rang et prête à faire suivre toute information pertinente à mon chef de pupitre. Larry Robinson parla en premier. Il souligna d'abord la mise en contexte en rappelant les faits effroyables du meurtre de Tamara De Los Angeles. Cela me dégoûtait encore, même après avoir entendu à répétition cette histoire. J'étais songeuse. Je revoyais toutes ces images morbides d'elle étendue sur le sol, découpée, glacée. La description me paraissait interminable. Mais je comprenais qu'il devait procéder ainsi pour les journalistes qui n'avaient pas participé au premier point de presse. Tout en rappelant les règles de diffusion de l'information.

Je sortis de la lune vivement en sentant des vibrations dans ma main droite. Je tenais mon cellulaire. Un appel entrait. Qui d'assez stupide pouvait oser me déranger ? Mes collègues, mes amis, tous étaient au courant que je me trouvais actuellement dans le feu de l'action. Cela devait être une erreur de communication. Ma curiosité m'amena tout de même à jeter un œil sur l'afficheur.

Il y était affiché : Loïc De Los Angeles. Je faillis avoir une attaque tellement j'étais paniquée. Qu'est-ce qu'il pouvait vouloir me dire qui urgeait au point de me téléphoner en plein milieu d'une conférence de presse du NYPD sur le meurtre de sa femme ?

Je remarquai mes voisins qui me dévisageaient. Je les distrayais avec mon cellulaire. Je décidai de prendre le risque d'être remarquée encore plus en levant mes fesses de ma chaise pour me rendre dans le corridor. Mais j'y laissai mon sac à main dans l'objectif de marquer mon territoire.

Je longeai le mur en essayant de me faire discrète. Enfin, j'arrivai à la sortie. Un policier y était fermement installé, bras croisés. Il me lança un regard qui voulait, de toute évidence, me signaler que je dérangeais l'assistance. Je me contentai de lui sourire en lui signifiant du bout des lèvres que j'étais désolée.

J'avais à peine franchi la porte que je pris l'appel.

— Loïc, est-ce que tout va bien ? répondis-je. Écoutez, je ne peux vous parler très longtemps, je suis à la conférence de presse du NYPD. Vous savez, c'est vous qui m'en avez infor…

Il ne me laissa pas terminer ma dernière phrase. Et commença à parler par-dessus moi. Il semblait pris au dépourvu.

— Je suis désolé. J'aurais dû vous faire confiance. J'ai lu tout ce que vous avez écrit sur la mort de ma Tamara. Je vois bien que vous êtes une bonne personne. Je sais que vous contribuerez à trouver le meurtrier. Je ferai tout ce que je peux dorénavant pour vous appuyer. Tout ! J'ai besoin de soutien. Je dois m'entourer de professionnels à qui je peux me fier. Alors voilà où je veux en venir. J'ai omis quelques détails sur notre couple. Il était compromis sérieusement pour une première fois. Je regrette tellement ! Tellement ! Si nous avions pris une autre décision ? Je n'arrête pas de penser à ça. Tamara serait sûrement encore en vie. Tout est de ma faute ! Je suis un con et un égoïste !

Le moment était venu pour Loïc de passer à la confesse. Je savais très bien ce qu'il allait me raconter. Ce fut exactement ce qu'il me confia. Ce qui me permit d'éliminer en grande partie les soupçons que j'avais à l'effet qu'il pouvait être lié au meurtre de sa femme.

Il me décrivit la controverse autour de l'éventuel avortement de sa femme. Il pleurait en silence. J'entendais sa voix qui tressaillait. Ce qui me fit ressentir de l'empathie pour lui. Mes sentiments prenaient le dessus. Le pire des obstacles pour un journaliste. Je devais me reprendre. Je pris une grande respiration, sans faire de bruit afin de ne pas alerter mon interlocuteur, tout en fermant les yeux une fraction de seconde.

— Loïc, je suis là pour vous. Je ferai tout ce que je peux pour contribuer à l'arrestation de ce monstre. Vous me donnez l'autorisation d'informer le public sur vos propos, sachant que ça pourrait nous mettre sur une piste ? Est-ce que vous en avez informé quelqu'un d'autre ?

— En fait, j'ai informé mes enfants hier. Je considérais que je leur devais la vérité. Je sais que James, l'ami de ma femme, était au courant. Il est aussi mon ami. Sa famille est très proche de la mienne. Sinon, personne d'autre n'est au courant. Même pas le NYPD. Je vous laisse donc dévoiler la primeur. Bon, je vous laisse retourner à la conférence de presse. Tenez-moi au courant s'il vous plaît !

— C'est promis, Loïc ! Promis ! Merci !

Dès que j'eus raccroché, je me précipitai à l'intérieur de la salle sous les regards curieux de mes concurrents. Ils semblaient se questionner à savoir si je venais d'en apprendre davantage sur la nouvelle du jour. Qui aurait pris cinq longues minutes pour s'absenter d'un événement d'une telle ampleur si ce n'était pour en tirer avantage ?

Mon sac à main n'avait pas bougé de mon siège. Je le tassai et m'assis. Je constatai que la première partie des allocutions avait été longue. J'espérais n'avoir rien manqué de primordial, comme des informations sur les résultats de l'autopsie, de l'examen de la scène de crime et des analyses des objets trouvés sur place. Mais quelque chose me disait qu'on était encore loin d'en apprendre davantage. Le NYPD avait parlé d'au moins une semaine. Toutefois, nous savions tous pertinemment qu'il fallait beaucoup plus de temps aux criminalistes pour analyser les indices d'un crime.

Après une courte pose, le policier Robinson se replaça maladroitement devant le microphone sous les *flashes* des photographes. Il ne semblait pas très à l'aise. Il tenait même des feuilles dans ses mains pour le guider sur les points à partager. Il dévoila l'identité de la victime. Rien de très passionnant en ce qui me concernait. Mais je n'étais sûrement pas la seule à savoir. Il ne fallait pas avoir la grosse tête.

Quelle ne fut pas ma surprise en observant les journalistes affairés à leurs crayons, et à vérifier que leurs cellulaires et caméras enregistraient correctement. Se pouvait-il que je sois finalement l'unique journaliste sur le coup ? Je regardai l'heure sur mon cellulaire. 9 h 33. Cela faisait plus d'une demi-heure que mon texte devait faire la une du portail du *New York Today Journal*. Du moins, je l'espérais. J'aurais aimé vérifier le tout en me branchant sur le Net à l'aide de mon cellulaire. Mais il y avait plus pressant ; j'étais peut-être la seule détenant la primeur concernant l'avortement de Tamara.

Après mûre réflexion, j'avais plutôt intérêt à informer John de mon article en suspens. Celui-ci était enregistré sur mon cellulaire. Je sélectionnai le document, le joignis à un courriel adressé à john.carter@nytodayjournal.com et cliquai sur *envoyer*, avec la remarque *priorité*, une demande d'accusé de lecture et la mention d'urgence en objet. Quelques secondes plus tard, je recevais la note « *Votre courriel a été lu par John Carter* ».

Je soupirai de soulagement à l'étonnement de mon voisin de droite, qui plissait les yeux en me dévisageant de haut en bas. Il sentait que je venais de le devancer. Je repris mes esprits lorsque je me rendis compte que je perdais le cours de la conférence de presse.

— Cela met fin à cette conférence de presse, termina Larry Robinson, alors que je n'avais finalement rien appris de nouveau. Nous allons maintenant procéder à la période des questions. Chrystine Johnson sera votre hôte. Nous vous consacrons un maximum de 10 minutes pour ce faire. Nous vous demandons de vous lever pour poser votre question, de nous dire à qui elle s'adresse et de vous nommer en précisant quel média vous représentez. Il n'y aura aucune entrevue possible après. Pour la suite des choses, vous serez informés directement sur le portail du NYPD. En ce sens, nous vous prions d'éviter de nous téléphoner pour en apprendre plus sur le meurtre, souligna-t-il en me jetant un œil. Aucune information ne sera divulguée. Sur ce, je vous remercie.

Le policier quitta le podium pour faire place à sa collègue. Je me levai d'un bond sans réfléchir pour poser une question. À ma grande surprise, mon bras gauche était levé droit dans les airs. Lorsque je me rendis compte de mon acte, il était trop tard. Il s'agissait d'une réaction spontanée due à mon énervement. Je n'avais pas de questions à poser. Quelle gaffe !

— Nous commencerons par vous, Mademoiselle, ici à l'avant. Pour poursuivre par vous juste à l'arrière d'elle. Et ensuite vous de ce côté, pointa-t-elle. Et vous. Vous. Et vous. Pour continuer avec Madame, tout au fond. Monsieur au centre juste là, vous clôturerez la séance des questions. Oui, je parle bien de vous avec le chapeau noir, identifia-t-elle. Allons-y, débutons.

Je devais prendre la parole. Je ressentis soudain un vertige.

— Ma question s'adresse à vous tous, pas précisément à l'un de vous. Pouvez-vous nous parler de l'autopsie, où en êtes-vous ? Le NYPD parlait d'une semaine pour en arriver à ses fins. Est-ce réaliste ? osai-je.

— Si c'est ce que nous vous avons dit, alors c'est ce que nous ferons, Mademoiselle, laissa-t-elle tomber avec un léger ricanement et l'arcade sourcilière qui se dressa en coin. On vous mettra au courant en temps et lieu. En temps et lieu, répéta-t-elle, comme si j'étais sourde. Vous êtes nouvelle ? Je ne me rappelle pas vous avoir déjà vue. Et comme vous avez omis de vous nommer…

— Lily-Rose L'Espérance du *New York Today Journal*, répondis-je sans préciser si j'étais nouvelle ou non, afin de répondre à son air arrogant.

Je me rassis rapidement. Elle laissa tomber pour poursuivre avec une autre question. Puis une autre. Et une autre. Des questions qui ne nous menaient manifestement à rien grâce aux réponses inefficaces de cette policière qui aimait montrer qu'elle avait un certain pouvoir. Sa façon d'agir m'agaçait. Elle aimait irriter les journalistes avec ses réponses inutiles. Cela m'impatientait, me fatiguait. J'avais bien hâte que cette conférence de presse se termine.

— Voilà qui met fin à la période des questions. Je crois que tout a déjà été dit sur la procédure à suivre pour la suite des événements. Alors, inutile de nous répéter et de perdre notre temps. Merci, termina abruptement la porte-parole du NYPD.

Enfin ! Je saisis mes affaires et me précipitai vers la sortie. C'était le désordre total, une course folle entre journalistes. Pour ma part, j'étais de plus en plus nerveuse à savoir si mon texte sur l'avortement se trouvait à la une du portail du journal. Aussi, je devais m'empresser de courir au bureau discuter avec Georges et John pour obtenir leurs précieux conseils pour la suite de mon investigation.

Chapitre 6

Le FBI s'en mêle

Arrivée à l'extérieur, je m'empressai de me connecter à Internet avec mon cellulaire. Je me rangeai sur le coin du bâtiment et tapai l'adresse Web du journal. La connexion me paraissait si lente. Ça y était. Mon histoire se positionnait en une. Par contre, la dernière mise à jour avait été effectuée à 8 h 57. 8 h 57 ! Ce n'était pas possible ! John n'avait-il pas mis en ligne mon texte sur l'avortement ? Je m'agenouillai, découragée et je lus ce qui était disponible pour l'instant. Une brève ayant comme surtitre et titre « L'Avorteur de Central Park – L'identité de la victime dévoilée ».

Fin. Plus rien. Je me levai brusquement dans le but de me diriger à la station de métro la plus près afin de me rendre au journal. Une marche au grand air me ferait le plus grand bien en me permettant de respirer par le nez, essayai-je de me convaincre. Je me retenais vraiment pour ne pas exploser ! Une trentaine de minutes plus tard, j'étais postée devant la porte de mon chef de pupitre. Je cognai et rentrai sans attendre de réponse.

— John, t'as reçu mon texte sur la tourmente du couple De Los Angeles quant à l'éventuel avortement de Tamara ?

— Oui et alors, Hope ? me répondit-il d'un calme déconcertant en se balançant sur sa chaise d'avant en arrière.

— Alors ? Alors pourquoi ne l'as-tu pas mis en ligne ? J'avais prévu le coup ce week-end afin qu'on soit les premiers à dévoiler la primeur, merde ! Ouppps, désolée pour ce dernier mot !

— Relaxe Hope, relaxe, me signala-t-il tout en se levant de sa chaise pour s'asseoir sur le coin de son bureau. Du recul, tu connais ? T'aurais dû prendre du temps après la conférence de presse pour réfléchir à savoir si c'était une bonne affaire ou non de diffuser cette info, comme tu semblais être la seule sur le coup, me dicta mon chef de pupitre. D'abord, le fait que tu n'en aies pas parlé aux policiers va-t-il nuire à l'enquête ? Et là, je ne te parle pas de celle du NYPD. Rien à faire d'eux s'ils ne sont pas capables d'exécuter leur travail ! Je parle de notre enquête. Celle du journal. Ton enquête, Hope. Si je publie ton texte immédiatement sur le portail et demain dans l'édition papier, tu sais ce qui arrivera ? Larry n'aura plus aucune confiance en toi, en nous. Il t'accusera d'avoir omis de transmettre des renseignements d'une telle importance au point de nuire à l'enquête du NYPD. Donc, oublie toute collaboration policière par la suite ! Ni pour cette histoire ni pour aucune autre. Tu seras brûlée pour un méchant bout ! Ça ne sera pas bon pour le journal, ni pour toi. Tu retourneras aussitôt te prélasser aux tendances mode et beauté. Et encore ! Et nous perdrons notre collaborateur de toujours !

— Qu'est-ce que tu fais de la confiance qu'ont en moi l'époux de Tamara et son ami James, dis-moi ? rouspétai-je.

— Tu es prête à courir le risque ? Pas moi. Alors si tu veux que je publie ton truc, fais ton travail proprement. Téléphone à Larry ou à qui tu veux du NYPD et partage ton info. Pour ce James et ce Loïc, à toi de voir comment leur faire comprendre que tu dois parler aux policiers. Ça devient ton problème, ma belle ! Allez, je crois que tu as du pain sur la planche, termina-t-il, tout en retournant s'écraser sur sa chaise.

— Ouais, tu parles ! Je te tiens au courant dès que c'est fait ! Merci pour tes précieux conseils, John !

En sortant du bureau de mon chef de pupitre, je me rendis à celui de Georges en espérant qu'il y serait. Je me disais qu'il pourrait sûrement m'être de bon conseil face à cette situation. Par chance, il s'y trouvait. Je lui racontai les derniers développements de mon dossier et lui fis part de mon désaccord avec John. Georges m'écoutait attentivement avec un air songeur.

— Monnaye. C'est ça la solution ! Tu pourras ainsi expliquer à Loïc que tu dois tout avouer aux policiers contre une monnaie d'échange. Voilà ! Ça fonctionnera, tu verras.

— Monnayer quoi au juste ? C'est moi qui ne suis pas allumée aujourd'hui ou quoi ?

— Tu appelles Larry et tu lui indiques que t'as un filon pour lui, mais en échange d'une info pertinente qui n'a pas été dévoilée en conférence de presse. Les policiers ont toujours des révélations intéressantes si t'as quelque chose à leur mettre sous la dent. Crois-moi. Qu'est-ce que tu pensais ? Qu'ils se comportaient comme des livres ouverts avec les journalistes ? Arrête un peu de rêver, Lily !

— Ça va ! Je n'y avais pas pensé. Je n'ai pas ton expérience dans ce genre de dossier. Le stress doit me rendre aveugle. Je ne sais pas trop. Des enquêtes, j'en ai effectué des tonnes. Mais pas comme maintenant. Alors, lâche-moi un peu, tu veux ! évoquai-je avec des fusils à la place des yeux.

— Allez mon amie, tu n'exagères pas un peu ? me calma Georges, en posant une main sur mon épaule. Débarque de tes grands chevaux et fonce !

— Désolée Georges, dis-je en baissant les yeux. T'as raison. C'est une question d'orgueil, là ! Merci ! Et je te tiendrai au courant.

— OK ! Eh, au fait, on ne s'est pas beaucoup vus ces derniers jours. Que dirais-tu que je te prépare de bons mets thaïs ce soir ? 19 h au plus tard chez moi, ça te va ?

— J'accepte ton offre avec plaisir ! Ça me fera sûrement du bien de sortir de ma solitude. Ça m'évitera de penser à ce « maudit » crime sans arrêt ! Du moins, pour une soirée. Alors, à bientôt, mon ami !

— « Maudit », hein ? Drôle d'expression ! Bref, à plus, jeune fille !

Je me retournai et quittai son bureau. Georges me tira par le bras. Tellement rapidement que je faillis trébucher et tomber.

— Eh, je n'ai pas le droit à une p'tite bise pour mes conseils ? Tu me quittes comme ça, là ?

Georges avait le don de dédramatiser une situation ou me faire sourire dans un moment ennuyeux. Je lui fis la bise sur chaque joue en lui souriant bêtement. Et je me retournai une seconde fois en levant le bras dans les airs pour le saluer.

Je devais passer aux choses sérieuses. Téléphoner à Larry Robinson. Assise à mon bureau, je composai son numéro au travail. Aucune réponse. Ça débutait mal. Je recomposai le numéro du NYPD et demandai à la standardiste qui me répondit si elle pouvait me transférer sur son cellulaire. Numéro que je n'avais pas encore obtenu. Il répondit enfin après plusieurs sonneries.

— Larry Robinson.

— Lily-Rose L'Espérance du *New York*...

— ... *Today Journal*. La protégée de Georges. Oui, je me

rappelle qui vous êtes. Votre nom est facile à retenir. Vous avez été dans mes jambes plus que tout autre journaliste au cours des derniers jours. Alors, évitons les présentations. Qu'est-ce qui urge au point que l'on vous ait transférée sur mon cellulaire, mad'moiselle ?

Avant de poursuivre, je m'assurai qu'il avait du temps pour m'écouter. Une fois qu'il eut confirmé, je poursuivis en lui proposant de faire du troc. Mon interlocuteur me signifia sa réticence en me lançant quelques platitudes du genre : « Vous pensez qu'une p'tite nouvelle peut en apprendre à un policier d'expérience, que je n'en sais pas plus que vous sur l'affaire ? » Mais il n'était pas question que je lâche prise.

— Allez, Monsieur Robinson, arrêtez un peu ! Ça ne fonctionne pas avec moi ! Je sortirai donc en ligne l'info que je souhaitais partager avec vous. Je vous laisse mon numéro de cellulaire au cas où vous changeriez d'idée.

Je sentis ma figure bouillir et rougir de colère. Les malheurs s'enchaînaient. J'allais devoir m'organiser autrement, bien malgré moi. Je m'apprêtais donc à lui énumérer les chiffres de mon numéro avant de raccrocher.

— Attendez, Lily-Rose ! Je peux vous appeler par votre prénom ? Et je vous ai déjà dit de m'appeler Larry, bien qu'on ne se connaisse pas beaucoup, je déteste me faire appeler « monsieur » ! Rendez-vous dans 15 minutes tapantes, pas une seconde de plus, à l'entrée du zoo de Central Park. Je n'aime pas trop discuter d'affaires compromettantes au téléphone. Saisissez votre chance, car je ne vous en offrirai pas une seconde, si vous voyez ce que je veux dire.

Je voyais parfaitement ce qu'il voulait dire. Mais ça m'allait, j'étais partante. Or, l'entrée du zoo de Central Park me semblait un drôle d'endroit pour ce rendez-vous. J'imaginai qu'il souhaitait qu'on passe incognito dans la foule, comme dans les films de suspense. Ce qui me fit sourire.

— OK, merci, j'y serai ! Et on essaie de s'appeler par notre prénom alors ! Ça me va ! À bientôt ! acceptai-je.

Je raccrochai aussitôt, sans même attendre d'avoir entendu son au revoir. Qu'allait m'apprendre Larry Robinson ? J'étais énervée juste à l'idée d'y réfléchir. Ça y était, l'adrénaline montait dans mes veines à nouveau. Je refoulai mes ardeurs le temps d'avertir mon chef de pupitre de mon bon coup pour qu'il se tienne prêt à agir si je pouvais sortir une primeur. Je ramassai ensuite mon sac et courus vers la sortie du journal pour héler un taxi. Je n'avais guère le temps de joindre Bob Miller. Si j'arrivais en retard à ce rendez-vous, les chances étaient fortes pour que mon nouveau collaborateur ait quitté les lieux, et pour qu'il ne veuille jamais remettre ça.

Quelque temps plus tard, je me retrouvai à l'entrée du zoo. Pas de Larry Robinson. Je regardai ma montre. 11 h 40. Cela faisait une vingtaine de minutes que je lui avais parlé. Je m'accotai sur le grand mur de briques arqué de l'entrée. Le vent était frisquet, le sol gelé et recouvert d'une fine couche de neige accumulée durant la nuit. Mais les rayons du soleil étaient perçants, ce qui rendait l'air agréable. Je fermai les yeux afin de profiter de ce moment de tranquillité.

— Mad'moiselle L'Espérance, je peux m'en retourner si vous vous endormez à ce point ! Mad'moiselle L'Espérance ! cria brusquement un homme.

Je sursautai et ouvris aussitôt les yeux. J'eus le réflexe de regarder ma montre à nouveau. Il s'était écoulé 12 minutes.

Incroyable, j'avais réussi à m'assoupir. J'étais complètement épuisée. Je me redressai et m'excusai auprès du policier du NYPD qui se trouvait à mes côtés. Et je lui fis remarquer gentiment que j'étais plantée là à l'attendre depuis 11 h 40.

Soudain, mon attention se dirigea vers un homme qui se tenait derrière lui, tapotant sur son cellulaire. Il était très grand avec une carrure des plus appréciables. Il présentait un style qui me faisait penser à celui de Georges : cheveux en bataille, manteau de cuir usé, gilet de coton, jeans, bottines et lunettes fumées. Il me paraissait mystérieux. Et il ne semblait pas du tout attentif à notre conversation. Mais j'avais cette certitude qu'il accompagnait bel et bien Larry Robinson, vu sa proximité.

— Vous êtes venu seul ou accompagné, je ne suis pas trop certaine là ? demandai-je de façon sarcastique avec un regard interrogateur.

L'homme leva alors les yeux de son écran pour regarder dans ma direction. Quelques secondes passèrent avant qu'il ne réagisse. Au bout d'un moment, il redescendit de sa planète. Il enleva ses lunettes et m'adressa la parole.

— Ouais, pardon, je suis fort occupé par une affaire de corruption publique sur laquelle nous travaillons depuis quelques mois. Ça m'a distrait. Je m'appelle Ryan Beckham, se présenta-t-il sans me serrer la main, tout en continuant de manière impolie à pitonner.

Je le regardai de façon à lui démontrer que j'attendais la suite. Mais il n'en tint pas compte. Il rangea simplement son cellulaire dans une des poches de son manteau et sourit bêtement. En réponse à son silence, l'enquêteur en chef Robinson décida de poursuivre.

— Ryan est tellement occupé qu'il trouve le temps de

nous importuner ! Il est du FBI. Le FBI enquête lorsqu'il y a suspicion de récidives, de meurtres multiples ou lorsque la vie du peuple américain est en danger. Vous voyez ! Ainsi, Ryan flaire toujours la bonne affaire pour gagner du mérite ! Hein, bonifia-t-il en lui donnant un coup de coude pour l'énerver un peu.

— Eh, oui, c'est ça, comme Larry vient de le dire, je suis du FBI. Je suis enquêteur spécial à la section des crimes contre la personne et l'humanité. Et même si je suis très occupé dit-il en mettant l'accent sur le mot occupé, je prends toujours le temps de m'investir dans un cas mettant en danger la population.

Ah bon ! Mais quels étaient réellement ses objectifs, sa mission, ne pouvais-je me retenir de me questionner.

— Bon, ça va ! Je détecte votre air interrogateur, Mademoiselle, poursuivit l'agent Beckham sur la défensive en me fixant. Dans notre section, si un tueur en série fait rage ou si nous soupçonnons qu'il pourrait se produire d'autres meurtres relativement à un homicide quelconque, nous devons enquêter. Alors, je collabore régulièrement avec Larry sur différents crimes horribles. Et il est habituellement très coopératif, le nargua-t-il en haussant le ton.

— Alors, enchantée de faire votre connaissance, Monsieur Beckham ! Je suis certaine que nous ferons un excellent travail d'équipe, laissai-je tomber un peu maladroitement.

Le policier me fusilla du regard comme si j'avais proféré une imbécillité. Notre acolyte, qui constata sa réaction, leva les yeux en l'air.

— Je ne travaille en équipe avec aucun journaliste. C'est chacun pour soi. Je profiterai de ta collaboration, comme tu profiteras de la mienne ! Tu comprends ? Et je suis certain que c'est la même chose pour Larry ! En ce temps de coupes budgétaires, on saisit tous les moyens et toutes les occasions s'offrant à nous, dont des journalistes qui nous collent aux fesses ! grogna le jeune policier. Ah, et je m'appelle Ryan ! Monsieur Beckham, c'est mon père ! On a à peu près le même âge, alors ça va !

— Ça me va ! répondis-je calmement. Ça me va ! Maintenant que tout est clarifié, commençons ! Je suis certaine que vous avez bien d'autres dossiers à régler !

— Avant, j'aimerais ajouter que cette collaboration entre le NYPD, le FBI et le journal remonte à des lustres, renchérit l'enquêteur du FBI. Votre journal est l'un des rares permettant à ses journalistes d'enquêter en profondeur sur ce type de crime. Tu as la chance de faire partie de la meilleure équipe journalistique dans ce domaine. Et de remplacer Georges, le meilleur journaliste aux crimes et enquêtes que notre génération ait jamais connu, selon moi. C'est donc aussi pour ces raisons que nous collaborerons avec toi.

— Bon, mettons-nous au travail les enfants ! Ben quoi ! coupa le policier du NYPD, en remarquant que son collègue semblait offusqué. Vous êtes des enfants pour moi ! Vous avez tous les deux dans la trentaine et je suis un vieux gaillard dans la cinquantaine !

L'agent Beckham sembla pardonner la mauvaise blague de notre collaborateur et s'efforça de sourire. J'acquiesçai d'une mimique laissant deviner mon contentement. L'échange d'informations pouvait enfin s'amorcer. Larry Robinson poursuivit.

— D'abord, l'une de mes primeurs, vous l'aurez deviné, c'est Ryan. Il est sur le coup depuis quelques jours en tant que criminologue, comme il vous l'a mentionné. S'il est sur l'affaire, je peux vous garantir que les risques de récidive de notre meurtrier sont réels. Madame Lewis a raison. Et même si cela me dérange de l'admettre, Ryan ne se trompe jamais. Quand il croit flairer une piste, elle est la plupart du temps bonne. Eh, pourquoi ça ne serait pas vous qui commenceriez à nous livrer la marchandise, Lily-Rose ? Je ne sais pas moi, peut-être que vous n'avez rien d'intéressant à échanger !

— Et qui me dit que je ne me ferai pas avoir ? C'est facile, je vous « livre la marchandise », comme vous dites, et vous me laissez languir ici sans rien partager avec moi ! me méfiai-je.

— Nous sommes des hommes de confiance, promit le policier Beckham. Nous avons tout à gagner et tout à perdre nous aussi dans cette affaire. Larry et moi collaborerons avec professionnalisme, tout comme notre meilleur médecin-légiste du FBI et Julia, qui sera responsable du profilage dans cette affaire. Elle est une référence dans le milieu. On se la partagera, comme vous avez déjà empiété sur nos plates-bandes ! En passant, notre médecin-légiste se nomme Hannah Polanski. C'est une sacrée femme d'expérience ! Elle a 71 ans et ça fait une cinquantaine d'années qu'elle travaille au FBI. Elle et Julia font du temps partagé entre le FBI et le NYPD. J'ai déjà pu travailler en étroite collaboration avec elles depuis le meurtre. Ah, et sache que tu dois passer par Larry ou moi pour accéder aux analyses d'Hannah.

— Ça va, ça va alors ! interrompis-je. On a assez perdu de temps, j'ouvre le bal !

Ainsi, je décrivis aux deux hommes mon enquête au Musée d'histoire naturelle. Plus précisément, les dénouements de mon échange avec l'ami de Tamara De Los Angeles, James Gardner. Je leur fis part de mes doutes concernant l'innocence de Loïc De Los Angeles, l'époux de Tamara. Je continuai en leur révélant l'appel-surprise reçu de ce dernier durant la conférence de presse. Ce qui avait éliminé mes doutes. Et je terminai en mettant l'hypothèse sur la table que le meurtrier avait pu être en désaccord avec cet avortement et qu'il aurait pu vouloir punir la victime en l'avortant lui-même. Punir de quoi et pourquoi ? Par contre, là, je n'avais aucune suggestion ! Je continuai en leur rappelant l'analyse de Julia Lewis sur le tueur ainsi que mon article sur l'histoire et le contexte de l'avortement au sujet de certains groupes extrémistes, afin de renchérir sur mon hypothèse.

— Eh, mon Larry, tu ne m'avais pas dit ça ! Ce qui veut dire que : soit tu n'as pas enquêté au musée, soit tu n'es pas trop vite sur la gâchette pour me donner des infos, mon ami !

Larry, concentré à prendre des notes, se leva la tête brusquement.

— Tu sauras que je suis allé flairer sur le terrain. Mais il faut croire que je n'ai pas trop été populaire auprès de la p'tite dame de l'accueil qui remplace Tamara. Je l'ai questionnée une bonne demi-heure, mais sans trop en tirer quelque chose d'intéressant. Elle m'a même indiqué ne pas savoir qui étaient les collègues proches de Tamara. J'ai tenté d'en soutirer un peu plus aux agents de l'accueil. Rien ! Je suppose que personne n'avait quelque chose à cacher, puisque Lily-Rose a été mise au courant. L'approche est simplement plus facile pour une jolie jeune femme. Il faut bien se l'avouer ! Pour ce qui est de l'époux, j'ai senti qu'il y avait de la friction depuis un certain temps dans son couple, mais il a hésité à lâcher le morceau lorsque je l'ai interrogé.

— Une jolie jeune femme ? Tu trouves mad'moiselle de ton goût, mon Larry, taquina le jeune enquêteur du FBI.

Allez, c'est une plaisanterie ! continua-t-il en voyant que ce dernier ne semblait pas apprécier son commentaire.

Je me contentai de me taire. Larry Robinson reprit le contrôle de notre échange.

— Est-ce que ça t'intéresse de savoir si j'ai des infos à vous livrer à mon tour, oui ou non ? demanda-t-il. Si oui, alors boucle-la un peu ! Je me demande bien qui de nous deux est le plus grand séducteur auprès des dames !

Ryan Beckham sourit en faisant signe de la main de poursuivre.

— Donc, votre dossier progresse à ce que je constate, Lily-Rose. C'est un bon début dans les crimes et enquêtes ! me félicita l'enquêteur en chef du NYPD. Mais je n'ai pas dit mon dernier mot. Il y a des paroles qui me travaillent l'esprit. Des mots éloquents prononcés par des voisins de la famille De Los Angeles. À les entendre, je ne suis plus si certain que l'on doive écarter monsieur comme suspect hors de tout doute raisonnable. Vous avez peut-être tort sur ce point. Croyez-en mon expérience ! Il ne faut jamais éliminer quelqu'un trop facilement.

Le policier prit une pause pour nous laisser réfléchir à ses dernières paroles. Ce qui tracassait visiblement son collègue, qui se vira les yeux à l'envers et lui fit signe de continuer son discours. Larry Robinson lui répondit avec de gros yeux en haussant les sourcils.

— Bon, OK, j'imagine que vous souhaitez connaître la suite. J'ai questionné un couple d'aînés, un jeune couple dans la vingtaine qui a deux enfants ainsi qu'un autre dans la cinquantaine avancée qui a quatre adolescents. Ce sont eux qui ont suscité des interrogations en moi. Ils ont dit être de bons voisins depuis sept ans, mais sans plus. Les enfants s'amuseraient parfois ensemble. À ce sujet, ils m'ont informé n'avoir rien remarqué d'anormal concernant les jeunes De Los Angeles, ni entendu de commentaires négatifs de leur part. Par contre, ils ont mentionné que la relation entre Loïc et Tamara semblait agitée depuis environ un an. La situation se serait détériorée depuis les derniers mois, et davantage au cours des dernières semaines. Elle aurait même dégénéré durant les derniers jours, au point où le couple ne lavait plus seulement son linge sale en criant du haut de leur balcon. Non! Paraîtrait qu'ils se criaient des noms et s'envoyaient promener carrément à tue-tête! Au point que leurs enfants seraient intervenus à quelques reprises pour modérer leurs chicanes sous les regards curieux des passants et voisins, relata le policier du NYPD.

L'agent du FBI lui demanda si les commentaires des autres voisins semblaient correspondre. Il lui répondit qu'ils étaient trop discrets pour en juger. Il avait remarqué chez le couple d'aînés une certaine incertitude dans leur visage. Mais il précisa qu'il n'avait pas osé pousser à l'extrême son interrogatoire afin de les épargner.

En l'écoutant attentivement, j'en vins à la conclusion que Larry Robinson avait raison. J'avais manqué de jugement en faisant trop confiance à Loïc De Los Angeles alors que je le connaissais à peine. Je me trouvai d'autant plus stupide du fait que je n'avais pas eu l'idée de sonner à la porte des voisins des De Los Angeles. Or, je me rassurai malgré tout en me convainquant qu'il n'avait pour sa part trouvé aucun indice au musée.

L'enquêteur Robinson n'avait plus rien à nous dire pour le moment. Hormis le fait que dès le lendemain, il devait rencontrer le premier témoin arrivé sur les lieux du crime, et quelques autres personnes ayant contacté le NYPD. Il y avait eu plus de 300 appels, mais une dizaine seulement méritaient d'être approfondis.

C'était donc au tour de Ryan Beckham de nous faire des confidences. Il nous avertit qu'il nous parlerait principalement des informations transmises par la médecin-légiste. Cela serait nouveau pour moi de traiter ce type de données. J'avais effectué la couverture de nombreux conflits et crimes odieux, d'histoires sociopolitiques inacceptables. Or, je n'avais jamais enquêté sur un meurtre directement. Mon rôle de journaliste était de dénoncer des situations intolérables au Québec, au Canada et ailleurs dans le monde. Alors que là, je devais faire progresser une enquête criminelle afin de protéger la population d'un dangereux tueur en liberté.

Le jeune policier sortit un carnet de l'une des poches intérieures de son manteau en cuir. Mon regard fut attiré, bien malgré moi, par son t-shirt blanc moulant parfaitement son torse. Il passa une main dans sa chevelure. Ce qui ne m'aidait pas du tout. Je le trouvais très séduisant. Je ressentais une attirance physique encore plus forte pour lui que pour Georges. Or, il était clair qu'il me repoussait psychologiquement à 100 milles à l'heure. Mais après tout, le fait que je puisse me rincer l'œil représentait une récompense face à ses idioties.

Je repris le contrôle de mes émotions sous le regard interrogateur de notre acolyte et le sourire en coin de l'agent Beckham. J'avais l'impression qu'ils lisaient tous deux dans mes pensées. Je rougis. Mais, je réussis tout de même à me concentrer sur le sujet qui nous intéressait : L'Avorteur.

— Alors, alors, alors, qu'est-ce que j'ai à vous mettre sous la dent, hein ? nous titilla Ryan Beckham, tout en feuilletant son carnet. Ah, voilà, c'est ce que je cherchais !

Il sortit quelques feuilles blanches froissées qu'il nous remit, en nous demandant de ne pas les lire immédiatement. Il s'agissait de photos, de détails techniques et de renseignements importants concernant ce qu'il avait appris. Pour le moment, il souhaitait que nous nous concentrions attentivement sur ses propos. C'était à notre tour de prendre de minutieuses notes tout en écoutant notre interlocuteur.

— Notre médecin-légiste a fait un excellent travail ! Naturellement, on supposait que le crime n'avait pas eu lieu là où se trouvait le corps. Elle a confirmé cette supposition. Julia avait d'ailleurs approfondi cette question dans ton article, Lily-Rose. En ce sens, on avait aussi émis l'hypothèse que la jeune femme avait probablement été droguée, étant donné qu'il n'y avait pas de traces de violence démontrant qu'elle aurait résisté. Alors, selon les résultats de l'autopsie disponibles à ce jour, nous pouvons confirmer que le meurtrier a effectivement drogué sa victime à l'aide d'un sédatif puissant de la classe des benzodiazépines. Il paraît qu'on peut s'en procurer assez facilement auprès de plusieurs revendeurs ou sous forme d'ordonnance. Hannah m'a précisé qu'il s'agirait des sédatifs les plus prescrits par les médecins comme antidépresseurs et somnifères. Bien que moins violent qu'un barbiturique, administré à fortes doses, un sédatif de ce genre peut entraîner la mort. Dans ce cas-ci, notre meurtrier se serait plutôt assuré de faire sombrer sa victime dans une semi-inconscience. Juste la dose nécessaire pour qu'elle ne puisse plus bouger, mais ait encore assez d'énergie pour lutter mentalement et assister consciemment à sa propre mort, sa propre boucherie.

— Quelle torture ! C'est insensé cette histoire, interrompis-je avec un air de dégoût. Ça confirme donc bel et bien mes présomptions et celles de Julia suggérant que le tueur ait voulu avorter sa victime tout en passant un message. Mais quoi et pourquoi ?

Les deux hommes me firent un signe de tête en guise d'appui. Ryan Beckham continua sur sa lancée.

— Ouais, c'est ce que je pense aussi. J'ai effectué de longues heures de recherche et j'ai mis en perspective de nombreux meurtriers et personnes recherchées pour meurtre dans nos bases de données du FBI. Aucun résultat concluant. Aucun ! Personne ne correspond, ne serait-ce qu'une infime parcelle, au profil du tueur que nous recherchons. Aucun meurtre du genre n'aurait été commis. Il y a bien eu des femmes enceintes assassinées par un conjoint ou un père violent. Mais sans plus.

Sur ses dernières paroles, je lui indiquai que j'avais fouillé les archives électroniques du journal et que je n'avais pu associer aucun meurtrier avec notre cas présent moi non plus.

— Par ailleurs, on n'a trouvé aucun ADN qui aurait pu appartenir à ce malade, enchaîna mon collaborateur du FBI. En fait, si, on a trouvé de l'ADN : des empreintes d'un médecin-légiste qui a malencontreusement laissé sa trace lors de ses recherches. Et il y avait celles de notre joggeur. Je sais que vous l'avez interrogé longuement au NYPD, Larry. Et qu'il n'y aurait pas d'accusations portées contre lui à ce jour, mais ne fermez pas la porte trop vite. Il pourrait être impliqué, avoir même un complice dans cette affaire. Qui a prouvé qu'il n'y avait qu'un seul individu en cause dans ce crime, jusqu'à aujourd'hui ? Hein, qui ?

L'agent Robinson pesta et lui répondit qu'il n'avait pas besoin qu'un jeune policier, ayant la moitié de son expérience, lui dicte son travail. Il lui répéta que, comme déjà mentionné, c'était à l'ordre du jour du lendemain d'obtenir une seconde rencontre avec le joggeur. Notre jeune collaborateur acquiesça d'un signe de tête et poursuivit.

— Parlons bistouri à présent, nous surprit-il. La jeune femme a été découpée avec cet instrument. Pas un scalpel que l'on peut trouver ici et là. Non, un vrai bistouri chirurgical, répéta-t-il afin de s'assurer que nous étions concentrés de nouveau. Il s'agirait d'un type dont on se sert régulièrement en chirurgie gynécologique et obstétrique. Hannah pense qu'il est très difficile de se procurer un tel instrument sur le marché noir. La vente d'instruments chirurgicaux serait trop sécurisée et réglementée. De plus, peu de trafiquants se risqueraient à en vendre librement. Ils ont accès à un nombre incroyable d'armes blanches beaucoup plus intéressantes. Sur Internet, il y a plusieurs compagnies qui étalent leurs services de vente d'instruments chirurgicaux. Or, aucune vente en ligne ne serait permise selon la loi. Les achats se feraient directement avec les hôpitaux et cliniques. Question de sécurité et de réglementation encore une fois. Mais bon, rien n'est impossible ! Par contre, on serait en mesure de se procurer un scalpel plus facilement sur le Net ou sur le marché noir. Notre tueur a-t-il un accès ou un lien privilégié avec le milieu médical ? Reste à savoir. Ne se procure pas qui veut un instrument chirurgical, avec toutes ces mesures sécuritaires. Surtout dans un État tel que New York. On n'est pas au Québec, hein, mad'moiselle L'Espérance ? Larry m'a appris ta provenance. Mais de toute façon, ton petit accent te trahit.

Il ne lâchait jamais le morceau ! Comment allais-je pouvoir endurer son sale caractère ? Je ne répliquai pas à son commentaire. Je me contentai plutôt de plisser les yeux en croisant les bras. Il se mit à rire en me soulignant que je n'avais pas l'air d'avoir un sens de l'humour très développé.

— Je crois que je devrais continuer. Comme vous l'avez constaté par vous-mêmes, il s'agissait d'une incision abdominale à ventre ouvert. Notre tueur a fait un assez bon travail, mais ça ne serait pas un professionnel. Donc, on élimine tout médecin. En fait, il aurait pratiqué son incision en deux mouvements. Il a commencé, s'est arrêté, puis a repris. Probablement dû à une incertitude liée à l'emplacement de l'utérus. À moins que notre homme ait eu des regrets en cours de route, ce dont je doute. De plus, Hannah a précisé qu'une incision doit se faire sans effort, délicatement. Les incisions laissaient plutôt croire qu'il avait poussé beaucoup trop fort, ce qui a créé des déchirures sur la peau. Et, désolé pour ce dernier commentaire, mais Hannah croit qu'il aurait probablement altéré le fœtus tellement il a été brutal.

Nous prîmes tous une pause afin d'effacer quelques images de notre tête. L'enquêteur en chef du NYPD sortit un paquet de gommes à mâcher de sa poche et nous en offrit un morceau. Je pensais que c'en était terminé, mais le plus extraordinaire était à venir. L'agent Beckham nous laissait seulement le temps de reprendre nos esprits.

— Prêts pour la suite ? Il me reste des cartes dans ma poche. Donc, un technicien en scène de crime du NYPD a recueilli deux éléments intéressants sur le terrain. Comme vous vous en doutez, je veux parler du chapelet et du crucifix. Ni le technicien ni moi n'avons relevé d'empreintes ou d'ADN autres que ceux de Tamara. Les deux objets avaient été soigneusement nettoyés et frottés à l'aide d'un détergent blanchissant et d'un autre de la catégorie des savons à vaisselle. Notre meurtrier n'a pas lésiné sur le nettoyage, je peux vous le garantir ! Malgré les odeurs de pestilence de la mort, une odeur assez forte de détergents était toujours perceptible.

Ryan sortit des feuilles blanches pliées. Il les parcourut en nous mentionnant qu'il s'agissait des copies de celles qu'il nous avait remises plus tôt.

— Ah, voilà ce que je cherchais à la page 9 : la description de notre chapelet ! Dans le cou, la victime portait un chapelet des morts. Qu'est-ce qu'un chapelet des morts ? C'est un évêque de Nîmes qui serait derrière son origine. Créé en 1873, il favoriserait les âmes du purgatoire. Bon, c'est certain qu'on pourrait favoriser les âmes du purgatoire en récitant un chapelet traditionnel, j'imagine ! Mais notre maniaque a choisi méticuleusement ce type de chapelet. Il s'agit d'une belle pièce authentique, selon notre technicien judiciaire. Il se compose de quatre dizaines, c'est-à-dire de 40 petits grains représentant les 40 heures qui ont précédé la Résurrection de Jésus-Christ et un rappel des quatre fins des Évangiles. Il possède une médaille de l'Archiconfrérie Notre-Dame-du-Suffrage. Entre la croix et le cœur, un gros grain. Et pour séparer les dizaines, trois autres gros grains. De ce que j'ai compris, c'est sa médaille et son composite qui le distingue. Le modèle daterait d'une cinquantaine d'années. La question est : comment se fait-il que notre meurtrier était en possession d'un tel chapelet et pourquoi ? On peut se questionner longuement sur le sujet. C'est un hasard ; il l'a acheté à bas prix dans une vente ou dans une boutique de trucs usagés. Il l'a trouvé. C'est un souvenir. Il l'a commandé sur le Net, car il est très croyant. Il l'a reçu en cadeau d'un proche. Il en a hérité. Et je pourrais continuer ainsi longtemps. C'est étrange, tout ce scénario ! Mais attendez, vous n'avez pas encore entendu le clou de mon histoire.

Le policier du FBI fit une courte pause. Il tourna la page

qu'il lisait pour prendre connaissance de la suivante. Il nous observa un instant, puis enchaîna.

— Le crucifix que tenait Tamara, quant à lui, n'a absolument rien d'exceptionnel. Il s'agit d'une pièce en plastique récente qu'on peut acheter pour quelques dollars dans tout magasin de babioles bon marché. Par contre, imaginez-vous donc qu'il contenait un message. Je vous explique. Notre technicien a remarqué que l'extrémité du pied était marquée d'une ligne et de fines coulisses de colle. Ça aurait bien pu être un défaut de fabrication, mais il s'est attardé davantage à ce détail. Avec un outil pointu, il a fait craqueler la colle. Le pied s'est carrément ouvert. Ouvert! Et à l'intérieur, il a trouvé une feuille roulée sur laquelle était inscrit un message. Un message, à première vue! Mais après investigation, j'ai découvert qu'il s'agissait en fait de passages de la Bible. Et vous n'en croirez pas vos oreilles! Ce gars a visionné beaucoup trop de *thrillers* à mon avis. Les extraits étaient écrits à l'aide de lettres découpées dans des magazines et journaux. Il y avait plusieurs fautes d'orthographe en plus. Ça nous indique qu'il n'est pas trop instruit. Ce qui corrobore le fait qu'il ne fait pas partie du corps médical comme nous l'avons supposé. Et avant que l'un de vous ne pose la question, aucun ADN n'a été trouvé sur le message. Il était imbibé des produits utilisés pour nettoyer le chapelet et le crucifix. Pas instruit, mais intelligent, ce con! Je terminerais en présumant qu'il est, certes, catholique et extrémiste.

Je m'empressai de couper l'enthousiasme de mon collaborateur afin de le questionner à savoir quels étaient ces fameux passages de la Bible. Il me fit un sourire et décida de se taire en nous invitant à en prendre connaissance par nous-mêmes en page 10 du document qu'il nous avait remis.

Ils étaient difficiles à lire, étant donné que les produits nettoyants et la colle avaient brouillé les lettres, et que le papier était décoloré. Or, mon acolyte les avait retranscrits sans les fautes d'orthographe et à côté de chacun, il avait indiqué le verset auquel il correspondait. À la lecture du message, j'eus le souffle coupé. Il y avait cinq phrases :

« Vous servirez l'Éternel, votre Dieu, et il bénira votre pain et vos eaux, et j'éloignerai la maladie du milieu de toi. Il n'y aura dans ton pays ni femme qui avorte, ni femme stérile. » (Exode 23 : 25-26)

« Tu ne tueras point ; celui qui tuera mérite d'être puni par les juges. » (Matthieu 5 : 21)

« Si quelqu'un verse le sang de l'homme, par l'homme son sang sera versé, car Dieu a fait l'homme à son image. » (Genèse 9 : 6)

« Le fruit de tes entrailles sera béni. »
(Deutéronome 28 : 4)

« Ainsi parle l'Éternel qui t'a fait, qui t'a formé dès ta naissance. » (Esaïe 44 : 2)

— Oh mon Dieu ! m'écriai-je devant les regards curieux des passants. Ryan, tu as l'habitude de ce genre de truc ? Je veux dire Monsieur Beckham ! Eh non, c'est vrai, on se nomme par notre prénom… Donc, Ryan, s'agit-il d'un débile qui se prend pour Dieu, croyant détenir le pouvoir de changer le monde ? D'un militant contre l'avortement ? Tout ce scénario est-il seulement une façon de brouiller les pistes, ou est-ce une véritable signature ? interrogeai-je. Le motif est la naissance, ça, il n'y a pas de doute là-dessus ! Et qu'est-ce…

Ryan Beckham me coupa aussitôt, avant même que je ne termine mon dernier questionnement.

— Wow ! Bravo ! mon cher Watson ! Tu me prends pour Sherlock Holmes ou quoi avec tes multiples questions ? Qu'est-ce que j'en sais ? Rien, pour l'instant. C'est ce que nous tenterons de découvrir ! Donc, c'est tout pour moi pour le moment. OK !

— Très, très drôle ! Donc, je crois qu'on a tous les trois déballé notre sac, conclus-je rapidement, tant j'étais décontenancée. Alors, je vais tenter de répondre à mes multiples questions moi-même, mon cher Sherlock Holmes ! osai-je. Larry, merci pour votre collaboration et remerciez Ryan de ma part, laissai-je tomber de façon ironique en ne regardant pas vers notre acolyte.

Je rangeai précieusement mes notes ainsi que le document reçu. Nous nous saluâmes et je m'empressai ensuite de quitter les lieux tout en réfléchissant. J'avais reçu l'autorisation de publier de mes collaborateurs. Mais devais-je pondre un article au plus vite sur le Web ou attendre de sortir une primeur dans l'édition papier du lendemain ou encore mettre sur le carreau ces nouveaux détails ? me demandai-je. Je n'eus pas le temps de me décider. Quelqu'un frappa sur mon épaule. Je me retournai. Ryan Beckham. Que pouvait-il bien me vouloir alors que ça devait faire à peine deux minutes que nous nous étions quittés ?

— Eh oh, on fait comment pour se joindre en tout temps ? dit-il en remarquant mon visage arborant un point d'interrogation. Ton numéro de cellulaire ma jolie, et le mien, on se les échange ? J'aurais demandé à Larry, mais il a filé trop vite, j'ai donc opté pour te courir après.

— D'abord, je ne suis ni ta chérie ni ta jolie. Et sache que ça ne me flatte pas du tout, ce genre de commentaires. Je trouve ça plutôt déplacé. Par ailleurs, je dois admettre que tu as marqué un bon coup en courant jusqu'à moi, poursuivis-je tout en sortant mon cellulaire pour y entrer son numéro.

Ryan fit de même. Et nous échangeâmes nos numéros. Je le saluai ensuite en lui souhaitant de passer une excellente journée. Puis, j'accélérai le pas pour éviter qu'il ne me retarde. Mais il ne put s'empêcher de dire le mot de la fin.

— Eh, Lily-Rose, accepterais-tu une invitation à prendre un verre en ma compagnie ce soir ? lança-t-il sans gêne.

— Tu peux toujours rêver ! Je comprends que les femmes puissent tomber sous tes charmes, mais je ne fais pas partie de ces affamées de sexe. Bonne journée, Ryan ! Ah, et je tiens à te rappeler que tu m'as toi-même dicté plus tôt que notre lien devait demeurer strictement professionnel, dans le but que nous profitions tous de sources de renseignements bénéfiques.

— Je t'ai bien eue ! me nargua-t-il nerveusement. Tu croyais vraiment que j'aurais pris un verre avec toi ! Tu me sembles beaucoup trop désagréable ! Jolie, mais désagréable ! Je voulais seulement te faire réagir et savoir si je te plaisais. À voir comment tu me scrutais tantôt, ça en disait long, rétorqua mon collaborateur tout en marchant à contresens. Bonne journée, Lily-Rose !

Je levai la main en guise de salutation et quittai finalement les lieux sous le sourire effronté de Ryan Beckham, qui me salua à nouveau. Je n'en revenais pas de cette conversation si familière ! Il était un vrai séducteur de première, aucun doute à ce sujet !

Bref, je pouvais enfin poursuivre ma réflexion. Je décidai de marcher jusqu'au journal même si je me trouvais à une bonne distance de l'endroit. Cela me permettrait de faire fonctionner mes méninges en toute tranquillité.

Arrivée sur place, je me rendis au bureau de Georges dans le but de lui raconter la suite de cette sordide histoire pour qu'il me donne à nouveau son avis. Je constatai, hélas, que son emplacement était vide. Il devait sûrement être parti sur un gros coup. Je n'allais donc sûrement pas le déranger. De toute façon, j'allais le voir le soir venu comme nous avions prévu dîner chez lui.

Quelle décision devais-je prendre ? La question était de savoir si j'allais me faire devancer par un autre journaliste que mes collaborateurs auraient pu mettre sur l'affaire dans mon dos. Je ne pouvais remettre ma confiance entre les mains de ces deux policiers en fermant les yeux. Je devais demeurer sur mes gardes. Or, si je sortais une primeur sur notre portail, il était clair que tous les médias nationaux suivraient ma trace et seraient aux trousses de l'époux de la victime, des voisins du couple et du NYPD. Ainsi, un journaliste risquerait de flairer une piste qui m'était inconnue pour me voler la une du lendemain dans l'édition papier.

Chapitre 7

L'Avorteur, un jeu dangereux

J'eus soudain les idées claires. J'allais dresser un portrait de la situation pour l'édition du lendemain en misant légèrement sur le sensationnalisme afin d'occuper la une. Avant de faire approuver ma stratégie par mon chef de pupitre, je pris la sage décision de téléphoner à Loïc De Los Angeles pour l'informer de mes éventuels écrits concernant les commentaires négatifs des voisins. Je ne pouvais passer sous silence ces renseignements par sympathie pour lui. Même si je le croyais innocent, je devais remplir mon devoir avec rigueur. Si cela pouvait faire en sorte d'identifier le tueur, il fallait miser le tout pour le tout. Par contre, il était une source précieuse à mes yeux. Il méritait mon respect, le bénéfice du doute.

Je saisis le téléphone et composai son numéro, puis raccrochai aussitôt. Je devais plutôt lui faire face; cela me semblait plus professionnel. Avant de quitter le journal, je pris quelques minutes pour faire un détour par le bureau de mon chef de pupitre. Il valait mieux que je me rapporte de temps à autre. D'autant plus qu'il avait prévu que je bouche les trous à la section des tendances beauté durant mes temps morts. Je ne voulais donc pas qu'il croie à tort que je fuyais mes responsabilités.

Je n'eus pas le temps de me rendre. Je le croisai dans le couloir. Il me saisit par une épaule de façon surprenante. Ce qui me porta à croire qu'il trouvait que j'avais tardé à lui faire part de mes actions et décisions. Je soulageai son inquiétude 'en lui décrivant ma rencontre avec les enquêteurs Robinson et Beckham, les informations que nous avions partagées et le pacte de collaboration que nous nous étions promis. Il me lança un regard surpris, mais satisfait à la fois. Et il me confirma, à ma grande satisfaction, que je pouvais aller de l'avant durant les jours à venir.

Il était alors temps de poursuivre ma stratégie d'enquête en me rendant chez la famille De Los Angeles. Mais avant, je regardai ma montre, affamée. 14 h 45. Chaque jour que j'enquêtais sur ce drame, le temps filait à vive allure. À voir l'heure, il était normal d'avoir si faim. Ainsi, je pris la sage décision de faire demi-tour dans l'Upper West Side, afin de casser la croûte dans mon refuge. Quelques tranches de piments forts, de tomates et de fromage réchauffées au four à micro-ondes me réconforteraient amplement. Après cette remise en forme, je serais fin prête à passer à l'attaque.

Je cognai à la porte des De Los Angeles, une, deux et puis trois fois. Aucune réponse. Je m'approchai de la fenêtre et jetai un coup d'œil à l'intérieur. Je n'y décelai aucune action. Le rideau de dentelle qui s'y trouvait brouillait mon champ de vision. J'attendis quelques minutes au cas où. Sans succès. Je fis donc le tour de la résidence en me dirigeant dans la cour arrière. Je montai sur le balcon qui s'y trouvait et m'approchai de la porte. Je cognai à nouveau. Rien. Je ne pouvais voir ce qui se passait à l'intérieur puisqu'un rideau camouflait ma vue là aussi.

Je pris alors conscience de mon intrusion. Je me questionnai à savoir si je pouvais envahir l'endroit comme je me le permettais. Cela ne m'empêcha tout de même pas de poursuivre ma tournée. Je ne savais pour quelle raison, mais j'avais la ferme impression que le jeune veuf se trouvait à l'intérieur soûl mort sur le divan ou englouti sous la douche en pleine crise de larmes. D'autant plus que ses enfants devaient être assis sur les bancs d'école. Je ressentis une certaine obligation. Un devoir de m'assurer qu'il se portait bien. Tant que j'en oubliai le but premier de ma venue.

Alors que je réfléchissais sur le balcon, mon regard fut attiré par une lueur qui jaillissait d'une grande fenêtre située à l'arrière de la maison. Je me dirigeai vers celle-ci. Quand je vis qu'elle était entrouverte, je me mis à crier.

— Y a quelqu'un, eh, oh, Monsieur De Los Angeles, c'est moi, Lily-Rose L'Espérance, du *New York Today Journal* ! Vous vous souvenez ? Eh, ooohhh !

Aucune réponse. Mon instinct m'amena à retourner sur le balcon afin de saisir l'une des chaises en plastique qui s'y trouvaient. Je l'amenai sous la fenêtre qui m'était inaccessible. Après un brin d'hésitation, mon insouciance me poussa à monter dessus et à jeter un œil par la fenêtre, comme une voyeuse. J'accotai mes mains sur la vitre et y appuyai la tête afin de me permettre d'avoir une meilleure vision.

Je voyais enfin à l'intérieur. Il s'agissait d'une pièce de débarras où étaient empilés des tas de vêtements devant une laveuse et une sécheuse. La porte de la pièce était entrouverte. Je distinguais une ombre qui semblait bouger. Mais il m'était impossible de savoir si c'était Loïc De Los Angeles, l'un de ses enfants ou tout simplement un objet. Je criai à nouveau en me disant que ça ferait réagir la personne qui se trouvait de l'autre côté de la porte. Mais, le rythme de va-et-vient de l'ombre ne changea point.

Alors que j'observais à l'intérieur, une énorme rafale surgie de nulle part me fit basculer. Je m'agrippai à la fenêtre pour éviter de tomber tout en replaçant la chaise sous mes pieds. Je jetai un second coup d'œil à l'intérieur. Le vent avait poussé la porte de la pièce. Elle s'était ouverte. Ce qui me permit enfin de percevoir clairement l'action qui s'y déroulait.

Soudainement, je ressentis une peur indescriptible. Des frissons me parcoururent le corps. Mon sang se glaça dans mes veines. Des étourdissements suivirent. Mon cœur se mit à battre la chamade et une vague de chaleur m'envahit. Je perdis alors pied et m'effondrai au sol.

Je ne tentai pas de me relever. Je me concentrai plutôt sur ma respiration. J'essayais de me calmer. Toutes ces sensations extrêmes me rappelaient ce que j'avais vécu lorsque j'avais aperçu le corps ensanglanté et mutilé de Tamara De Los Angeles. Elles me ramenaient aussi au dur souvenir de mon défunt conjoint Émile. Des images effroyables de l'identification des restes de son corps défilaient dans ma tête. Je fermai les yeux un instant.

Je venais de voir la mort de proche pour une seconde fois au cours des derniers jours. Cette fois-ci, elle était fort différente de la mort précédente. La première était macabre et démoniaque. Celle-ci était mystérieuse et désespérée.

Je venais d'apercevoir la silhouette de Loïc De Los Angeles qui se balançait au bout d'une corde attachée à une poutre du plafond. Il était vêtu d'un jeans et d'un t-shirt blanc. Son corps était inerte et raide. J'avais également entrevu son visage qui semblait déformé. Sa peau était à la fois bleuâtre et rougeâtre. Elle était toute plissée vers le haut de la tête sous la tension de la corde. Sa langue pourpre gonflée sortait de sa bouche aussi enflée. Elle pendait sur ce qui restait de son menton écrasé.

Il s'était suicidé. Il avait succombé au malheur qui s'abattait sur sa famille.

Je n'eus pas envie de me demander pourquoi il avait commis ce geste fatal ni d'émettre des suppositions. Je savais que je n'aurais jamais de réponses. Il ne fallait pas essayer de démystifier le suicide. Il fallait comprendre que certaines personnes puissent être désemparées devant les épreuves que nous réservait la vie. Comprendre qu'elles n'aient pas eu la force de les affronter. La mort représentait pour elles un nouveau départ. Il ne fallait pas voir dans ce geste de l'égoïsme. Ni croire qu'il s'agissait d'une malédiction. Mais plutôt tenter de respecter le choix d'une personne de mettre fin à sa vie. C'était sa décision.

Mais comment de jeunes enfants pourraient-ils comprendre ce geste ? me torturai-je l'esprit subitement. Cela m'avait pris tellement de temps à m'y faire concernant le suicide de mon conjoint. Encore aujourd'hui, je vivais mal avec ce geste. Comment les sept enfants des De Los Angeles allaient-ils suivre leur destinée en toute tranquillité ? Leur mère venait d'être sauvagement assassinée. Leur père s'était suicidé. Ils se retrouvaient seuls.

Ces dernières pensées m'aidèrent à me relever du sol. Je replaçai mes vêtements et secouai les saletés qui s'y collaient. J'enlevai rapidement la chaise sous la fenêtre et la replaçai sur le balcon défraîchi. Il valait mieux éviter d'être surprise par un enfant de la famille qui entrait à la maison. Il pourrait avoir la fâcheuse idée de monter sur la chaise afin de vérifier ce que j'observais.

Je jetai un regard au voisinage. Personne à l'horizon ne semblait avoir remarqué la scène. Je fis le tour de la maison. Puis, je m'arrêtai devant la porte avant. Je voulais m'assurer de contrôler l'éventuelle arrivée des enfants De Los Angeles. En tremblant, je sortis mon cellulaire et je composai le numéro des urgences. Une standardiste répondit. Je lui racontai toute cette histoire. Elle me questionna à savoir si j'étais convaincue du décès. Elle voulait que je lui confirme ma certitude. Elle me demanda si j'avais fracassé une fenêtre pour tenter de le sauver. Je me sentis alors coupable de ne pas avoir porté secours à ce pauvre désespéré. Mais je me ravisai rapidement en me rappelant l'état du corps et de son visage. Ce que j'expliquai à la dame pour ma défense. Elle m'informa alors qu'une ambulance et le NYPD seraient sur les lieux dans moins de 10 minutes.

J'attendais impatiemment. J'entendis des sirènes et j'aperçus peu de temps après une ambulance se pointer au coin de la rue. Une fois le véhicule garé en face de l'entrée, deux ambulanciers en sortirent. Ils se dirigèrent rapidement vers le perron et s'empressèrent de fracasser la porte. Ils pénétrèrent à l'intérieur sans même me poser quelque question que ce soit. Il y avait plus urgent.

Je ne rentrai pas. Le courage me manquait. Je me contentai de m'appuyer sur la façade de la maison en surveillant l'arrivée des policiers, qui ne tarda pas.

Une voiture du NYPD déferla dans la rue quelques minutes après l'ambulance. Quelle ne fut pas ma surprise lorsque je vis Larry Robinson descendre du véhicule. Lorsqu'il me vit, il afficha un air furieux. Il avança à grandes enjambées vers moi. Il s'arrêta à mes côtés et posa brutalement ses mains sur ses hanches. Je sentis que j'allais me faire sermonner. Mais après ce que je venais de vivre, je n'avais aucunement besoin qu'un policier me dise quoi faire !

— Vous pouvez m'expliquer ce que vous faites ici ? cria

l'enquêteur en chef du NYPD. Ça ne fait que quelques heures que nous nous sommes quittés et vous semblez déjà nous créer des ennuis ! Je comprends que c'est votre devoir de journaliste d'investiguer en profondeur, mais il est question d'une affaire de meurtre ici, jeune fille ! Vous étiez déjà venue poser vos questions à ce Loïc. J'ai aussi partagé avec vous les détails croustillants que j'ai recueillis. Alors, vous n'aviez pas à revenir ici. C'est au NYPD de faire son travail ! Au NYPD ! Notre collaboration démarre bien mal ! Que croyez-vous que vos lecteurs penseront lorsqu'ils apprendront des autres médias que vous avez fait intrusion chez les De Los Angeles sans y être invitée ? Hein ? Et qu'est-ce que votre patron en pensera ? Vous êtes dans la merde jusqu'au cou ! Vous m'entendez, Lily-Rose ?

Un silence se glissa entre nous deux. J'avais le visage du policier planté dans ma bulle. Je ne supportais pas qu'un inconnu pénètre ainsi dans mon espace vital. J'étais figée, saisie. Je savais que les conséquences de mes actes pourraient être graves. Très graves. Mais n'avais-je pas le droit à une petite chance ?

Je semblais peut-être saisie, mais sûrement pas terrorisée. Je devais me montrer confiante ! Au moment même où j'avais cette pensée positive, il laissa tomber et se tourna afin de pénétrer dans la résidence.

— Larry, attendez ! Attendez, ne partez pas, le suppliai-je en le retenant par l'épaule.

Il s'arrêta puis se retourna vers moi en se croisant les bras. Je le regardai avec mes yeux des plus piteux comme si j'allais me mettre à pleurer. Mais jamais il ne verrait la moindre de mes larmes couler sur mon visage. Mon orgueil était à toute épreuve.

Comme les mots ne sortaient pas, mon collaborateur laissa tomber ses bras sur le côté de son corps par pitié. Il se balança la tête de gauche à droite en guise de découragement. Puis, il lança une remarque qui me rendit toute ma lucidité.

— Vous n'avez pas un travail à faire, Lily-Rose ? Un article à écrire sur les circonstances et les faits entourant cette mort ? Allez, reprenez-vous ! Sinon, vous vous ferez dévorer vivante par vos collègues ! Je suis certain qu'ils n'attendent que ça. Une erreur de votre part et puis vlan, c'en est terminé pour vous ! Bon, OK, je me suis un peu emporté, je l'admets. Maintenant, mettons-nous au travail. On se reparle plus tard, conclut-il devant ma mine défaite.

Comment avais-je pu oublier d'écrire un article ? Je détenais une belle primeur entre les mains et j'avais failli la laisser filer à mes compétiteurs. Toute cette gamme d'émotions avait pris le dessus sur moi au détriment de mon devoir de journaliste. Je remerciai Larry Robinson en lui disant qu'il avait raison. Il se contenta de me faire un signe de tête suivi d'un sourire. Il entra ensuite dans la résidence.

Je m'assis sur le coin du perron. Et je sortis mon cellulaire de mon sac à main. Je téléphonai au webmestre, puis au chef de pupitre afin qu'ils se tiennent prêts à réagir le plus rapidement possible à la réception de mon article. Le ton de John était contradictoire. Je sentis son mécontentement face à la situation dans laquelle je m'étais mise, et à la fois son envie de me féliciter d'avoir pris les devants dans l'enquête. Il me souligna qu'il attendait une brève de ma part immédiatement. Et que j'avais tout intérêt à dissimuler ma présence sur les lieux du drame. Tout intérêt !

Je me mis à paniquer en pensant que les journalistes

questionneraient les policiers à savoir comment le corps avait été découvert. La meute devait déjà être en route vers la résidence des De Los Angeles. En ce sens, je devais essayer de négocier rapidement avec le policier du NYPD pour éviter que mon nom ne sorte dans les médias. Je pris donc mon courage à deux mains et pénétrai sur le bord du portique en ne regardant pas à l'intérieur. Je criai le nom de Larry Robinson à quelques reprises jusqu'à ce qu'il se pointe derrière mon dos et mette sa main sur mon épaule.

— Quoi encore ? C'est la dernière fois que vous me dérangez ! Est-ce clair mad'moiselle ? Dépêchez-vous de parler ! clama mon interlocuteur.

— Ça va, ça va ! Je vais droit au but. Les médias ne vont pas tarder à se pointer le bout du nez. Vous serez tous bombardés de questions. Ils voudront savoir qui a découvert le corps. Si mon nom sort, toute l'attention sera tournée vers moi. Une journaliste qui fait irruption chez un présumé coupable de meurtre, ça, c'est une belle histoire, vous aviez raison, je l'admets ! Je serai suspendue jusqu'à ce que je sois innocentée et que mon intrusion soit justifiée. Peut-on arranger ça ? Ce n'est pas que j'essaie de d'obtenir une faveur. N'en rajoutons pas. Mais, vous comprenez ?

— Ouais, et j'obtiens quoi, moi, en échange ? questionna de façon légitime le policier.

— La promesse que je vous aiderai, vous et Ryan, à trouver le meurtrier. Je collaborerai avec vous jusqu'à la fin de l'enquête en vous donnant tous les filons possibles. Et je vous laisserai tout le mérite quand nous arrêterons ce monstre !

— Je croyais que vous m'aviez déjà fait cette promesse tout à l'heure ?

Sur les derniers propos de l'enquêteur, Ryan Beckham

fit soudainement son apparition. Il écouta, puis donna son avis. Pour une première fois, il me parut sympathique à mon endroit.

— Larry, allez, arrête d'ennuyer Lily-Rose en essayant de la mettre à tes pieds. Ne t'inquiète pas, nous allons tout arranger avec l'escouade à l'intérieur. Tu nous prends pour des cons ou quoi ? Nous n'en sommes pas à notre première enquête criminelle ! Mais toi, si ! Nous avons la ferme intention de profiter de tes compétences pour notre bénéfice. Larry prendra les rênes lors du point de presse. Il indiquera que c'est lui qui a découvert le corps lors d'une visite dédiée à l'enquête. N'est-ce pas, Larry ! Eh, à voir ta mine qui prend des couleurs, on dirait que ça va mieux ! À moins que ce beau rouge qui se dessine sur tes joues ne soit en l'honneur de ma présence ! taquina le criminologue du FBI.

— Merci ! Merci ! Je vous remercie sincèrement tous les deux ! Par contre, je ne commenterai pas tes derniers mots. Ce n'est ni l'endroit ni le moment, m'exclamai-je.

— Je suis d'accord avec Ryan, reprit Larry. Mais essayez de ne pas vous mettre dans le trouble pour le reste de l'enquête. Ça serait plutôt pratique. Allez donc écrire votre article à présent ! On a du pain sur la planche de notre côté, hein, mon Ryan ? Allez ! le guida-t-il d'une main.

Je n'eus pas le temps de répliquer qu'ils avaient déjà quitté le perron. 16 h : je m'assis sur le coin des escaliers et je me dépêchai d'écrire une brève. Une dizaine de minutes plus tard, après avoir adressé mon message à john.carter@nytodayjournal.com, je cliquai sur *envoyer*. En moins de quelques minutes, je reçus l'accusé de réception suivant : «OK ; en ligne dès que tu me confirmes que la famille a été mise au courant... Bravo ! J'attendrai ta version longue des faits... »

Je demeurai dans les escaliers. J'attendis mes deux collaborateurs dans le but de les questionner pour savoir si la famille avait été prévenue. Quelques minutes plus tard, ils firent leur apparition près de moi. Du même coup, j'aperçus au loin la caravane de CBS, suivie de près par celle de NBC, puis d'ABC. Je me retournai vers les deux hommes observant le spectacle. Pendant que les caravanes se garaient devant la résidence et que chacune des équipes sortait en trombe pour passer à l'action, d'autres véhicules médiatiques déferlaient dans la rue. Je distinguai les écritures sur les véhicules annonçant qu'ils représentaient, entre autres, les journaux *New York Times*, *Daily News* et *New York Post*, les radios WNYC et WABC. Il y avait aussi des noms qui m'étaient inconnus.

Je me levai brusquement, attrapai le bras de l'enquêteur Robinson et lui demandai de m'assurer que la famille avait été officiellement avertie du drame.

— Me donnez-vous le OK pour publier, Larry ? Je veux la certitude que les enfants De Los Angeles et les parents de leur père ont été mis au courant. Et dites-moi, ont-ils été pris en charge ? Sinon, pas question de divulguer quoi que ce soit sur l'identité de Loïc.

— OK, je vous donne ma bénédiction. Nous n'avions pas l'intention d'émettre un avis d'interdiction de publier. Nous avons déjà envoyé une patrouille chercher les enfants à leur école respective. La direction de chacune d'elles a été informée. La mère de Loïc aussi. C'est elle qui s'occupera des enfants jusqu'à ce qu'une décision de la cour soit rendue concernant leur garde définitive. Un assistant social et un psychologue ont été désignés pour eux pour au moins le prochain mois. Et le NYPD s'occupera de la sécurité des enfants jusqu'à nouvel ordre.

— Eh, vous êtes efficaces ! Tout ça en une seule heure !
Alors je me lance. Mais avant le point de presse, pourriez-
vous me dire pourquoi vous parlez de sécurité ? Il ne s'agirait
pas d'un suicide ?

— Nous sommes organisés, me reprit le policier du
NYPD. Nous avons l'habitude de ce genre de situation. Nous
sommes à New York. Et pour répondre à votre question, les
preuves recueillies semblent démontrer hors de tout doute
qu'il s'agit bel et bien d'un suicide. Ceci étant dit, tant que
l'autopsie ne confirme pas cette thèse, que nos enquêteurs ne
livrent pas leur rapport d'analyse approfondi, la procédure
nous oblige à considérer cette mort comme suspecte. Ainsi,
nous devons faire preuve de prudence.

— Je comprends. Merci pour les infos. Je vous suis redevable sur toute la ligne, terminai-je, tout en ramassant mes
effets pour redescendre du perron.

Je rejoignis ensuite les autres journalistes réunis sur le terrain. Mon collaborateur annonça que le point de presse débuterait dans une dizaine de minutes. Juste avant, je m'empressai
d'envoyer un courriel à mon chef de pupitre avec une mention d'urgence ayant pour objet : On publie ; famille informée !
Dans ma brève, je m'en tins strictement au suicide. Je ne fis
aucunement part de cette étrange découverte dont j'avais été
informée plus tôt concernant les objets religieux retrouvés sur
la victime et les messages bibliques qui les accompagnaient.

Après réflexion, j'avais convenu avec mon chef de pupitre
que nous garderions ces éléments secrets pour l'instant, du
moins jusqu'à ce que les autres journalistes risquent d'en
être informés par le NYPD. Nous souhaitions ainsi écarter
tout doute sur la collaboration privilégiée entre le journal
et le NYPD. Cela nous permettait d'acheter du temps pour

pousser l'enquête plus loin. J'allais m'informer auprès de mes deux collaborateurs afin qu'ils me disent quand ils comptaient sortir publiquement ces infos. Je sentais que le NYPD allait bientôt agir. La soupe était trop chaude avec cette histoire de suicide. Les policiers ne courraient pas le risque qu'on leur reproche de ne pas avoir transmis des détails qui auraient pu aider la population à identifier de potentiels suspects.

Pendant ces réflexions, quelques minutes s'écoulèrent. Les journalistes semblaient agités, en alerte. L'enquêteur en chef du NYPD tardait à livrer son discours. Je saisis donc mon cellulaire. Ma brève faisait déjà la une aux côtés des dernières nouvelles sur la fusillade qui était survenue entre deux gangs de rue dans Manhattan la veille. Tout en me relisant, je culpabilisai en pensant aux enfants De Los Angeles. N'était-ce pas horrible pour eux que je publie ainsi une telle nouvelle ? C'était mon devoir. Mon devoir, me répétai-je.

Le point de presse commença enfin. Le vacarme émis par les journalistes s'arrêta pour laisser place au bla-bla habituel du policier lors de ce type de points de presse. Celui auquel j'avais été très attentive au cours des derniers jours, mais auquel je ne portais plus attention à présent, comme plusieurs journalistes de toute évidence, remarquai-je.

Il poursuivit en expliquant les circonstances de la découverte de la dépouille. À chacun de ses mots, mon cœur frappait dans ma poitrine. Mes nouveaux collaborateurs allaient-ils me trahir ? me demandai-je. Les caméramans et photographes modifieraient-ils leur champ de tir vers moi ?

Il n'en fut rien. Larry Robinson débita exactement ce qui était prévu. D'un geste naturel, je pris une grande respiration, je me retournai vers Ryan Beckham qui était toujours sur le perron et je lui souris.

L'enquêteur du NYPD continua son allocution en décrivant ce que je savais déjà : l'heure de la découverte, l'arrivée de l'équipe du NYPD, la présomption selon laquelle la mort semblait être un suicide, mais qui serait confirmée plus tard, la prise en charge des enfants, la surveillance et les services d'assistance psychologique que le NYPD leur offrait.

Je quittai avant le début de la période de questions des journalistes dans le but de réaliser quelques clichés à l'aide de mon appareil-photo. Je pris des photographies de la cour arrière, de la devanture de la résidence, de la porte entrouverte, de la scène du point de presse, de la rue, des résidences voisines et du policier Beckham planté sur le perron.

Alors que je prenais ce dernier cliché, qui vraisemblablement lui déplaisait, j'entendis des voix provenant de l'intérieur de la résidence qui se dirigeaient vers la porte avant. Soudainement, je vis deux ambulanciers qui sortaient de la maison, traînant une civière sur laquelle était déposée la dépouille du suicidé enveloppée d'une housse noire. Ils étaient escortés par cinq policiers et ce qui me semblait être un médecin-légiste. Ils envahirent le perron en moins de deux. Une scène tristement macabre. Je pris tout de même une série de photos plus spectaculaires les unes que les autres. Le bruit attira l'attention des journalistes, caméramans et photographes. Ils se détournèrent ainsi du point de presse vers la résidence.

Sans attendre, ils accoururent tout en se bousculant. C'était la guerre ! Qui capterait les meilleures images ? Je pris encore quelques photos lorsqu'on embarqua la civière dans l'ambulance. Et je saisis le départ de celle-ci.

Je me dépêchai d'envoyer des photos supplémentaires pour accompagner la brève que je venais de faire parvenir au journal. Avant de quitter les lieux à mon tour, je questionnai mes deux acolytes concernant la divulgation des éléments d'enquête que j'étais la seule journaliste à détenir. Bien que rien n'ait été confirmé, ils m'apprirent qu'un second point de presse avait de fortes chances de se tenir dans les jours à venir. Tout dépendrait des disponibilités du médecin-légiste et du technicien judiciaire responsable des analyses. Ils me tiendraient au courant.

Je devrais donc être parée à toute éventualité. J'avais espéré être en mesure de sortir plus d'éléments dès le lendemain dans l'édition papier, mais je venais d'obtenir la certitude qu'il n'en serait rien. Comment allais-je donc attirer l'attention d'ici le grand dévoilement ? Une galerie de photos sur l'événement du jour se révélerait certainement comme un attrait irrésistible pour le lectorat en attente d'informations croustillantes, me dis-je.

Chapitre 8

Ressourcement

Pour le retour, j'appelai Bob Miller. Je ressentais le besoin de lui confier ma dure journée, sans trop tomber dans des détails compromettants. Comme à l'habitude, il avait été des plus réconfortants devant mes confidences.

16 h 50. Arrivée chez moi. Le temps avait filé. L'envie me manquait de me rendre chez Georges pour un bon repas, comme nous avions convenu. Et si j'annulais afin de me concentrer sur mon article du lendemain ? me questionnai-je. Cette prise de décision me parut difficile en cette journée hors de l'ordinaire. Mais j'optai finalement pour un moment de divertissement. Je considérai qu'il me restait suffisamment de temps pour préparer une galerie de photos et un article supplémentaire. Tout en me rafraîchissant, je travaillerais sur mon dossier pour l'édition du lendemain et je l'enverrais au chef de pupitre pour approbation avant 19 h. Je me rendrais donc chez Georges une fois ce devoir accompli. Tout au plus, j'accuserais un retard d'une demi-heure.

Malgré la température froide de l'hiver naissant, je m'y rendrais à vélo pour le plus grand bien de ma santé mentale et physique. Il demeurait dans Brooklyn, ce qui me donnerait le temps de me remettre les idées en place. À la fin de la soirée, je pourrais toujours embarquer mon vélo à bord du métro.

Je me précipitai vers mon portable. Je le démarrai et je déposai mes notes et mon appareil-photo. Je tirai avec force le tiroir de mon secrétaire ancien, qui était toujours coincé, pour en sortir mon fil de transfert pour les photos et ma boîte de sauvegarde pour mon portable. Je sauvegardais tout depuis la fois où mon portable m'avait lâchée alors que je travaillais au Québec. J'avais perdu tout mon travail lié à une enquête sur un organisme d'aide humanitaire frauduleux pour laquelle je m'étais investie corps et âme. Il m'avait fallu tout reprendre avec le peu de matériel qui se trouvait sur mon ordinateur au bureau et les photos qui étaient toujours dans mon appareil. Cela avait représenté deux jours de dur labeur pour reconstituer les pièces manquantes non publiées. Depuis, j'en avais tiré une leçon.

Tout était prêt. Je courus me faire couler un bain. Étant donné la lenteur du jet d'eau du robinet, j'estimai que je pouvais choisir ma tenue pour la soirée en attendant. Tout en me déshabillant, je marchai en direction de ma chambre. Je devais opter pour des vêtements confortables qui me permettraient d'être à l'aise sur mon vélo, mais d'être jolie à la fois. Pantalon cargo, t-shirt et coton molletonné feraient l'affaire. Je compléterais le tout d'une parka militaire, d'un bonnet, d'un foulard, de mitaines et d'une paire d'espadrilles. Un rouge à lèvres flamboyant et de petites perles aux oreilles mettraient la touche finale pour me donner un peu d'éclat. Mon subconscient m'amenait à vouloir plaire à Georges malgré notre entente qu'il ne soit plus question de sexe entre nous. Je me tapai sur une main pour me punir de mes vilaines pensées, tout en me dirigeant vers la baignoire.

Je finis ma toilette rapidement. Il était temps de me concentrer, le nez rivé sur mon portable, pour une petite heure avant de partir. Je traitai mes photos prises à la résidence des De Los Angeles et les envoyai au webmestre afin qu'il les ajoute à celles déjà sur le portail. J'y joignis ensuite une version allongée de ma brève sur la mort de Loïc De Los Angeles pour l'édition papier du lendemain.

Finalement, je m'acharnai sur mon article mettant à l'avant-plan l'avortement prévu de son épouse assassinée, les motifs qui en découlaient, les querelles incessantes du couple, l'état dépressif de Loïc ainsi que sur le fait que ce dernier demeurait suspect même si le NYPD et le FBI ne croyaient pas qu'il soit impliqué dans le meurtre de sa femme. Je terminai mon texte en mentionnant les nombreux appels logés au 911 liés à L'Avorteur et la conférence de presse qui devait se tenir dans les jours à venir sur la suite de l'enquête.

Soudainement, je reçus un message texte de Larry me confirmant que je pourrais jouer la carte de L'Avorteur, extrémiste religieux, dès le lendemain. Finalement, le NYPD tiendrait déjà une conférence de presse sur les derniers éléments de l'enquête. En revenant de chez Georges, je me promis ainsi d'écrire mon article lié aux chapelet et crucifix trouvés sur le corps.

18 h 20. Je serais assurément en retard puisqu'il fallait compter une bonne heure pour me rendre à vélo chez Georges. Mais je devais lire mon texte une dernière fois.

Une fois ma lecture complétée, je le fis suivre dans un courriel au chef de pupitre du soir, en copie conforme à John, pour l'édition papier du lendemain. Je dressai aussi un court bilan de ma journée et de ma stratégie à suivre dans ce même courriel. Puis, je cliquai sur *envoyer* avec soulagement. J'avais pondu un article assez long, en livrant au lectorat des détails piquants à se mettre sous la dent.

Je m'apprêtai à partir. Ni John ni le webmestre ne m'avaient répondu à la suite de l'envoi de mon texte. Je m'inquiétai. C'était plus fort que moi, je décidai de jeter un œil sur le portail du journal. Je fus rapidement rassurée à la vue de la une, même si la majeure partie de l'espace était consacrée à prédire que ce lundi 26 novembre s'annonçait pour être la première journée de l'histoire sans meurtre à New York, selon le NYPD. Non seulement mon dernier article y était, mais mon reportage en entier réunissant mes photos et textes. Je me réjouis en criant haut et fort mon contentement. Puis je mis ma veste et agrippai mon sac à dos dans lequel j'avais glissé une bouteille de vin rouge. Je claquai ensuite la porte et me rendis dans le vestibule de l'entrée de l'immeuble afin de prendre ma bicyclette rangée à un endroit prévu à cet effet. Je sortis aussi mon baladeur et j'installai mes écouteurs.

Je roulais sur la musique de Metric à toute allure. La température me saisissait, mais je m'en moquais. J'avais besoin de cette dose d'adrénaline. Je longeai la rivière Hudson durant la majeure partie de mon trajet. Puis, j'empruntai la promenade du pont de Brooklyn. Ce parcours offrait à mes yeux un magnifique spectacle, avec la ville qui m'éblouissait de ses millions de rayons de lumière qui se reflétaient sur l'eau. Il ne manquait que les étoiles. Avec une telle intensité lumineuse, impossible de profiter de la Voie lactée, ce qui me rappelait que mon nid douillet en milieu rural me manquait parfois.

Environ une heure plus tard, j'arrivai chez Georges dans Brooklyn, le quartier le plus résidentiel et peuplé de la Grosse Pomme. Plus de deux millions d'habitants occupaient l'endroit. Il demeurait plus précisément dans le très chic, huppé et historique Brooklyn Heights, non loin de la promenade du même nom, qui était célèbre en raison de ses apparitions cinématographiques. Un endroit romantique d'où on admirait un panorama unique de la statue de la Liberté, de Manhattan et du majestueux pont de Brooklyn.

Comparativement à Manhattan, on pouvait dénicher à Brooklyn Heights une résidence plus spacieuse à bien meilleur prix. Sans compter qu'on pouvait espérer détenir son propre espace vert. L'endroit était privilégié des familles richissimes.

Georges vivait dans une charmante maison en rangée de style « brownstone ». Je supposais qu'il avait arrêté son choix sur cette demeure en espérant pouvoir un jour la partager avec sa petite famille. À mon arrivée, je déposai mon vélo contre la clôture qui bordait le petit terrain de sa résidence et je l'attachai solidement. Je grimpai l'escalier agrémenté de fines gardes en fer forgé et je frappai à la porte à l'aide de l'anneau de fonte en forme de tête de lion. Quelle ne fut pas ma surprise lorsque l'on m'ouvrit. Je tombai nez à nez avec une jolie femme aux yeux verts, le teint basané et une longue chevelure brune. Elle était très sexy, juchée sur ses talons aiguilles et moulée dans son pantalon et son chandail décolleté. Je crus un instant m'être trompée de porte. Mais cette femme me rappela à l'ordre.

— Bonjour ! Moi, c'est Josie ! Josie Black ! T'es Lily-Rose L'Espérance, c'est ça ? se présenta-t-elle.

J'eus à peine le temps d'acquiescer qu'elle me pointa l'intérieur en continuant de parler.

Désolée, Georges est sous la douche. Ça ne devrait pas être très long. Voyant que tu n'arrivais pas, il s'est dit qu'il avait un peu de temps pour se mettre beau. Tu veux quelque chose à boire, une bière, un verre de vin ? Pour ma part, je bois du vin rouge, si ça te dit de m'accompagner. Georges a acheté deux bouteilles de Barefoot. T'en veux ? continua-t-elle pendant que je la suivais vers la cuisine sans trop réfléchir.

La cuisine de Georges était magnifique avec ses comptoirs en pin naturel et son îlot couvert de céramiques. La jeune femme s'approcha de l'îlot et saisit une bouteille de vin et un verre. Elle remplit ma coupe en me souriant, mal à l'aise, tout en rehaussant les sourcils. Je me rendis compte que je ne lui avais pas du tout adressé la parole. Sa présence m'avait carrément dérangée. J'espérais qu'elle m'annoncerait sous peu qu'elle était la cousine ou la belle-sœur de Georges.

— Désolée Josie pour mon silence, enchaînai-je. Alors, vous êtes… ?

— … la petite amie de Georges, s'exclama-t-elle. Nouvelle petite amie. En fait, depuis seulement une toute petite semaine. Mais nous nous connaissons depuis la petite école. On s'était perdus de vue après le secondaire. Puis voilà que je suis tombée sur lui vendredi soir dernier au Pop Burger. Depuis, nous sommes inséparables ! Vous savez la meilleure dans tout ça ? Je demeure non loin d'ici.

Je m'étais absentée un seul soir de notre tournée hebdomadaire et Georges avait réussi à trouver la femme de sa vie. Sans compter qu'il ne m'en avait rien dit. Comment avait-il pu m'inviter à souper avec eux sans me prévenir ? Je me sentirais comme un chaperon toute la soirée. Bravo ! Je devrais par-dessus tout mettre les confidences de côté concernant mon enquête.

— Georges ne m'a pas prévenue. C'est ce qui explique ma surprise. Désolée ! Vraiment ! Mais je suis très heureuse pour vous deux. Mais j'espère que je ne dérange pas vos plans pour ce soir. Je peux prendre un verre et partir. Aucun problème, ça me fera plaisir de vous laisser en amoureux ! proposai-je gaiement de façon hypocrite.

— Allez, Lily-Rose, c'est voulu tout ça ! Je suis ta surprise de la soirée. Georges mourait d'envie de nous présenter. Il a donc saisi l'occasion, et puis voilà ! On s'assoit au salon en attendant notre Don Juan ?

« Don Juan »… ? « Ta surprise »… ? Je me retins de tout commentaire. Je sortis ma bouteille de vin de mon sac et la posai sur l'îlot avant de la suivre au salon.

Les 10 minutes passées avec Josie au salon me parurent une éternité. Elle me raconta qu'elle était ballerine et parcourait les quatre coins de la planète avec le Cirque du Soleil.

— Eh ! Eh ! Salut Lily ! Tu te portes bien ? À voir ta tenue, je te gage que t'es arrivée à vélo ? Alors, je vois que t'as eu le temps de faire la connaissance de Josie et de te servir un petit verre de vin pour faire évacuer le stress ! Bon bien, je vais aller me chercher un verre moi aussi ! Mais je t'embrasse avant, bien sûr ! débita Georges nerveusement en scrutant sa nouvelle conquête.

Il laissa tomber deux baisers secs et froids sur chacune de mes joues comme si j'étais une inconnue. Je ne pus me retenir face à sa réaction. J'éclatai de rire ! Josie aussi. Puis Georges à son tour. Ce qui détendit l'atmosphère.

— Bon, quel con ! Je pense que je me suis fait prendre dans mon malaise là ! Pardonnez-moi les filles ! C'est pas trop dans mes habitudes de présenter mon amie à ma nouvelle petite amie, disons !

— Ça va Georges, allez, va donc dans la cuisine te servir, lança Josie, en même temps que je lui faisais signe pour appuyer cette dernière.

Alors que j'avais craint que mon souper chez Georges ne tourne au vinaigre, la soirée s'était déroulée en toute quiétude dans une ambiance des plus sympathiques. Josie semblait être une fille tout indiquée pour Georges. Et sa grande gentillesse faisait en sorte qu'il était impossible de lui en vouloir. Ainsi, je quittai la maison de Georges vers 2 h du matin dans un état d'ivresse avancée. Par chance, pour le retour, il m'appela un taxi. Il me rapporterait mon vélo le lendemain, comme il m'avait interdit de prendre le métro si tard dans un tel état.

Arrivée à mon studio, je m'étendis sur le divan, encore habillée. En moins de cinq minutes, je plongeai dans un sommeil profond. Un sommeil qui ne dura malheureusement que quelques heures.

Chapitre 9

Action, réaction

Mardi 27 novembre, 6 h du matin. J'ouvris les yeux. Un mal de tête énorme me rappela que j'avais pris un verre de vin ou deux de trop la veille chez Georges. J'avais peine à me souvenir de mon retour. Je m'assis tranquillement afin d'éviter de brusquer mon corps. Je me dirigeai ensuite vers la salle de bain. J'attrapai deux comprimés d'ibuprofène dans la pharmacie et je les avalai à l'aide de quelques gorgées d'eau qui me tombèrent sur le cœur. Puis, je m'approchai du lavabo et me jetai de l'eau froide en pleine figure. Je regardai mon visage dans la glace. Horrifiant! Je pris les grands moyens: douche froide, petits pots de crème, suivis d'un café corsé et d'un copieux petit-déjeuner allaient me faire visiblement le plus grand bien. J'avais du pain sur la planche avec mon article sur les circonstances entourant le meurtre et les objets trouvés sur le corps de la victime révélant le côté extrémiste de L'Avorteur.

Après mon rituel de remise en forme, je décidai de travailler de la maison. Le télétravail était permis au journal. Mais je n'en avais pas beaucoup profité jusqu'à ce jour. J'en avisai aussitôt mon chef de pupitre qui me répondit que c'était OK pour lui.

Je mis donc un pyjama confortable et je passai à l'action. Je sortis mes notes pour m'aider à tramer une histoire pertinente, surprenante. Je débutai avec un élément croustillant en expliquant que l'autopsie avait révélé que le meurtrier avait habilement drogué sa victime à l'aide d'un puissant sédatif l'ayant laissée semi-inconsciente. J'ajoutai tous les détails horribles liés à ces circonstances.

Je continuai en décrivant les déchirures causées par le bistouri, en précisant que le tueur s'était fort probablement approvisionné dans une clinique ou un hôpital. Je décrivis les motifs de cette supposition. J'insistai aussi sur le fait qu'aucun ADN n'avait été retrouvé sur le corps de Tamara De Los Angeles.

Je poursuivis en parlant du chapelet et du crucifix trouvés sur la victime. Et je soulignai que ces deux objets avaient été soigneusement nettoyés à l'aide de détergents ayant effacé toute trace d'empreintes et d'indices. Ce qui me semblait encore invraisemblable en y repensant.

Je mentionnai aussi toute cette histoire de chapelet des morts qui favorisait les âmes du purgatoire. J'expliquai qu'il s'agissait d'un modèle datant de la fin du XIXe siècle ou du début du XXe siècle. Je laissai planer l'énigme sur la provenance de ce chapelet. J'introduisis par la suite que le fameux crucifix sans valeur contenait un message biblique démoniaque sur la procréation et l'interdiction sévèrement punitive de procéder à une interruption de grossesse. Un message présenté à l'aide de découpures de lettres provenant de journaux et magazines.

Sur cette réflexion, je me ressaisis en dirigeant mon regard vers l'extérieur pour admirer le paysage citadin new-yorkais merveilleux qui s'offrait à moi. Je respirai profondément, encore et encore.

Je repris ensuite la lecture de mon article afin de m'y replonger. Je ressentais un dégoût effroyable face à mon enquête, mais tout en percevant une certaine excitation.

Je me situais dans un état intérieur contradictoire. J'avais un peu honte.

Je fixai l'heure. 10 h 45. Je me dirigeai vers la cuisine et saisis la bouteille de vin rouge qui dormait sur le bloc de boucher depuis deux jours. Je me versai un verre sans aucune hésitation malgré l'heure. J'ouvris même le réfrigérateur, puis le garde-manger, afin de réunir ce qu'il me fallait pour me préparer une bonne grosse salade dans le but d'oublier un peu mon inquiétude. Tout en me régalant, je relis les notes écrites par Ryan. En tombant sur le message fanatique religieux, je fis une fixation en lisant à nouveau chacun des mots afin d'essayer de mettre en place une nouvelle pièce du puzzle :

« Vous servirez l'Éternel, votre Dieu, et il bénira votre pain et vos eaux, et j'éloignerai la maladie du milieu de toi. Il n'y aura dans ton pays ni femme qui avorte, ni femme stérile. » (Exode 23 : 25-26)

« Tu ne tueras point ; celui qui tuera mérite d'être puni par les juges. » (Matthieu 5 : 21)

« Si quelqu'un verse le sang de l'homme, par l'homme son sang sera versé, car Dieu a fait l'homme à son image. » (Genèse 9 : 6)

« Le fruit de tes entrailles sera béni. » (Deutéronome 28 : 4)

« Ainsi parle l'Éternel qui t'a fait, qui t'a formé dès ta naissance. » (Esaïe 44 : 2)

Tout d'un coup, j'arrêtai de lire en donnant un coup de poing ferme sur l'îlot où je me prélassais. Et je bus une grande gorgée de vin afin de me féliciter de mon illumination. Sans attendre, je me dirigeai vers mon cellulaire et composai le numéro de mon collaborateur du NYPD.

— Larry Robinson à votre écoute, répondit-il après seulement une sonnerie.

— Bonjour Larry ! J'imagine que je n'ai pas besoin de me nommer. Je suis certaine que vous vous souvenez de moi et que vous êtes ravi d'entendre ma voix. N'est-ce pas ?

— Bon, allez Lily-Rose, cessez votre comédie, j'ai du travail, je vous rappelle ! J'espère que c'est important, me répondit-il.

— D'abord, je n'ai pas eu de nouvelles de votre part. Ryan m'a indiqué hier que la prochaine conférence de presse se déroulerait ce matin. Ne restait plus que l'heure à déterminer. Il est près de midi. Que se passe-t-il alors ?

— Bon nous y voilà, vous ne nous faites pas confiance ! Écoutez Lily-Rose, il arrive que nous devions changer notre horaire. Puis, vous avez l'air d'oublier que nous n'enquêtons pas seulement sur l'affaire de L'Avorteur. Comme je vous ai au téléphone, je peux vous rassurer. Je m'étais fait un devoir de vous informer sous peu du changement de dernière heure. Donc, en début d'après-midi, le service des communications affichera une convocation sur notre portail et sur le fil de presse. Les médias seront conviés pour 18 h 30 ce soir au poste habituel. Autre question mad'moiselle ?

— Merci Larry ! Pourquoi 18 h 30 et ce changement de dernière minute ? Ce n'est pas une drôle d'heure pour tenir un événement de presse ?

— C'est une excellente stratégie pour limiter le nombre

de journalistes curieux, et pour retarder la diffusion des informations. À 18 h 30, il ne reste qu'un seul bulletin d'infos en soirée, tant à la radio qu'à la télé. Bon, il y a toujours les nouvelles en continu, mais on vient d'éviter les bulletins du matin, du midi et de la fin d'après-midi qui accusent d'énormes cotes d'écoute. De plus, ce sont les équipes du soir qui prennent la relève sur le terrain ; donc des journalistes moins expérimentés. Qui dit moins d'expérience dit plus de temps à assimiler la nouvelle et à la transmettre. On gagne, encore là, du temps. Avec un peu de chance, certains journalistes de la presse écrite n'auront même pas l'occasion de rédiger leur version longue de l'histoire pour l'édition papier du lendemain avant l'heure de tombée. Réfléchissez un peu Lily-Rose à ce que l'on s'apprête à dévoiler ! Ce n'est pas banal tout de même ! Il ne faut pas trop alarmer les gens. En agissant ainsi, on informe les médias et la population, mais on évite la panique générale. Les infos seront transmises au compte-gouttes, contrairement à si on avait tenu un point de presse le matin, par exemple, termina le policier.

— Ouain, encore chanceuse d'être avertie de votre stratégie pas banale du tout ! Donc, ça me confirme que je ne vous ai pas contacté inutilement. En fait, l'idée derrière cet appel était de vous proposer un marché, osai-je.

— Vous ne trouvez pas qu'on en a assez fait de marchés au cours des derniers jours ! Non ? Vous en redemandez ! Encore ! C'est trop de gourmandise ça, jeune fille. Vous croyez que le bon et vieux Larry acceptera de troquer de nouveau des infos ?

— Nom de Dieu, Larry ! Allez, on a accepté de collaborer jusqu'à l'élucidation de cette enquête, oui ou non ? Faites-moi un peu confiance ! Je vous explique. Je vous disais donc que j'ai eu une idée extraordinaire à l'instant. J'étais à rédiger mon texte sur les éléments que Ryan nous a confiés et que vous dévoilerez ce soir. En relisant à maintes reprises les mystérieux extraits de la Bible que contenait le message du crucifix, je me suis dit que je devrai faire une entrevue avec un prêtre, expliquai-je. Ensuite, j'ai pensé que tant qu'à approfondir mon enquête, je pourrais me rendre dans un hôpital pour discuter avec des gardes de sécurité et peut-être la direction de l'établissement. J'aimerais savoir s'il est facile de se procurer des instruments chirurgicaux dans un établissement de santé new-yorkais. En même temps, je veux apprendre comment on peut arriver à accéder à des infos sur les patients. Je me questionne. Le tueur savait-il pour l'éventuel avortement de la victime ? C'est tellement un drôle de hasard qu'il ait avorté cette femme de façon si cruelle alors qu'elle devait interrompre sa grossesse sous peu. C'est un élément à vérifier, non ? Ça pourrait nous mettre sur une piste ! Ah, et pour finir, je vais faire une autre entrevue avec Julia Lewis. Cette fois-ci sur le portrait du tueur, quelque chose du genre !

— Ce sont de très belles initiatives, ça ! Mais n'oubliez jamais que vous n'êtes pas policière, mais journaliste, me critiqua mon interlocuteur. Je suis d'accord que c'est intéressant de vérifier la sécurité du milieu médical. Mais chercher à savoir si un individu peut accéder à des banques de données facilement, c'est l'affaire des policiers. De toute façon, il vous faudrait un mandat pour fouiller ce côté administratif et confidentiel. Vous devez nous laisser le temps de faire notre travail, sans toujours vouloir nous devancer ! On doit travailler sur bien d'autres crimes en parallèle. De plus, depuis les coupures des dernières années, nous devons mettre les bouchées doubles, nous montrer plus que polyvalents. J'admets que je suis un peu perplexe face aux dossiers importants, tels que celui de L'Avorteur, sur lesquels nous devrions consacrer plus d'énergie. Et que le fait que vous soyez si impliquée dans cette affaire nous permettra peut-être de gagner du temps pour approfondir l'enquête. Mais ne poussez pas trop loin, Lily-Rose! Gardez une certaine distance! Bon, L'heure avance et je rencontre à nouveau notre joggeur bientôt. J'ai aussi un rendez-vous chez la mère de Loïc. Alors, avez-vous fini de monopoliser mon temps? émit Larry sur un ton sarcastique qui me laissa croire qu'il m'aimait bien.

— Mais Larry, vous oubliez que je n'ai pas encore fait ma demande. Je vous parlais d'un marché. Donc le marché : je m'absenterai de la conférence de presse afin de me consacrer aux éventuelles entrevues dont je viens de parler. Je publierai de grandes lignes et je vous ferai un compte rendu avant publication. Si vous me signalez que des éléments doivent demeurer dans le secret des dieux pour les bonnes fins de l'enquête, je respecterai cette décision. Or, si je suis absente, on pourrait avoir des soupçons dans l'assistance et deviner qu'on me livre des infos en bon procédé d'échange. Ce qui serait très mauvais pour ma réputation, la vôtre, et celle de nos organisations respectives, décrivis-je. Alors vous m'appuierez. Si on nous questionne, nous dirons que j'étais en mains libres à partir de votre cellulaire afin d'entendre la conférence. Si on nous demande pourquoi, nous n'aurons qu'à mentir en prétendant que j'étais clouée au lit par une grippe épouvantable. Étant en possession de votre numéro de cellulaire, j'ai tenté ma chance. Et vous m'avez prise en pitié. Et voilà le travail! Ne reste plus qu'à mettre Ryan dans le coup!

L'enquêteur Robinson soupira à quelques reprises avant de m'offrir sur un plateau d'argent son approbation. Nous raccrochâmes. Et je finis en vitesse mon assiette, j'effectuai un nettoyage rapide de la cuisine et j'empoignai ma bouteille de vin afin de la refermer. Je devais me concentrer pour la suite des événements.

Mais d'abord, je contactai mon chef de pupitre pour l'avertir de la situation. Ce qui lui fit grandement plaisir. Il me signala même que notre rédacteur en chef n'en reviendrait pas de mon efficacité et de ma rigueur. Ça commençait bien la journée !

Sur cette pensée, je fixai l'horloge ancienne munie d'un pendule sur le dessus de ma bibliothèque. 13 h 15. La journée était finalement plus qu'entamée. Je devais ainsi assurer mes arrières rapidement en fixant mes entrevues. Je ne ferais pas de visites surprises à l'église ou dans un hôpital. Cela me paraissait trop risqué d'être bêtement reçue à reculons. On me livrerait alors des renseignements limités, inintéressants. Quand il s'agissait d'un sujet sensible, il valait mieux démontrer une bonne collaboration avec ses sources, en optant pour le face-à-face afin de créer un lien de confiance. Je devais également prendre le temps de bien faire les choses. Il n'était pas question d'effectuer des reportages à l'église, à l'hôpital et ensuite avec Julia Lewis en une seule journée. De toute façon, je devais garder du jus pour les prochains jours afin d'alimenter mon lectorat. Je me laissai ainsi le reste de la semaine pour atteindre mon objectif.

En premier lieu, je me lançai à la recherche de coordonnées d'une église du coin sur le Net. Tout en cherchant, l'image de la cathédrale Saint-Patrick me vint soudain en tête. Située en plein cœur de Manhattan, à l'angle de la 5ᵉ Avenue et de la 51ᵉ Rue non loin du Rockefeller Center, elle était fort réputée. Il s'agissait de la plus grande cathédrale catholique néogothique en Amérique du Nord. Construit au milieu du XIXᵉ siècle, ce lieu de culte romain surprenait en raison de son architecture extravagante. De plus, il s'agissait de la plus ancienne église catholique de New York.

Tant qu'à miser sur le sensationnalisme, je me convainquis que j'allais le faire au maximum. Qui n'avait jamais entendu parler de cette mystérieuse cathédrale ? Comme il s'agissait d'un endroit fort connu, les religieux qui l'administraient étaient eux aussi connus, mais surtout reconnus dans leur milieu et leur entourage. Donc crédibles et intéressants à la fois. Après tout, cette cathédrale abritait le lieu de culte de l'archidiocèse de New York. Je ne pouvais demander mieux comme source religieuse pouvant m'éclairer sur L'Avorteur.

Sans attendre plus longtemps, je joignis le service des communications. Une voix féminine me répondit. La femme me mit en attente. Après 12 longues minutes, elle me répondit enfin. Je me montrai toutefois respectueuse et charmante, étant donné le but de mon appel.

Elle se présenta en tant que responsable des médias. Je lui expliquai brièvement ce que j'attendais d'elle : qu'elle me prévoie une entrevue au cours de l'après-midi pour que j'en apprenne davantage sur les forces extrémistes catholiques et le point de vue de l'Église sur le sujet de l'avortement.

Je compris vite que les mots « extrémiste » et « avortement » avaient rebuté cette dernière lorsqu'elle m'apprit que cela ne serait pas possible. Pour mettre rapidement fin à son appréhension, je lui mentionnai que cela profiterait à une humble cause et à la protection de la communauté.

La direction de l'archidiocèse de New York devait prendre en considération le fait que je veuille contribuer à l'arrestation d'un tueur dangereux. Cette fois, j'eus droit à un silence de quelques secondes. Puis la dame me demanda de patienter un instant. Elle me coupa sans même me laisser placer un mot de plus. Je pris une grande respiration, tout en me fermant les yeux pour me calmer.

Alors là, elle m'en voulait, me dis-je en voyant les aiguilles de mon horloge filer à vive allure. Je m'impatientais. Cela faisait à présent une vingtaine de minutes que j'attendais au téléphone. Je me rassurai en me convainquant qu'au moins, elle ne m'avait pas raccroché au nez. Je profitai de cette attente pour ressortir les photos de la découverte du corps de Tamara De Los Angeles afin d'y trier celles où l'on y apercevait le crucifix, le chapelet ainsi que les marques de déchirures laissées par le bistouri. Je sélectionnai quelques autres photos pertinentes n'ayant pas encore été publiées. L'ensemble agrémenterait mon article qui sortirait dans quelques heures. Sans images, malheureusement, le lectorat se faisait beaucoup moins curieux et fidèle.

Tout à coup, la musique d'ascenseur cessa dans mon oreille. La dame se trouvait à nouveau au téléphone. Elle m'annonça, à mon grand étonnement, qu'un prêtre avait accepté de me recevoir. Je me félicitai en silence, tout en sautillant sur place et en brandissant mon bras gauche dans les airs en signe de réussite.

Ce prêtre était un homme très respecté de ses pairs et de la communauté, me souligna la femme. Comme si elle m'avertissait que je devais bien me tenir et utiliser un langage et des manières appropriés à son égard. Il répondrait à mes questions avec le plus d'exactitude possible pour m'éclairer.

Or, il y avait un obstacle. Cela me paraissait trop beau. Il exigeait que son nom ne soit pas cité dans mes articles. Par contre, il me permettait de dévoiler qu'il était une source de l'archidiocèse de New York rencontrée à la cathédrale Saint-Patrick. J'acquiesçai aux demandes de la dame gentiment et la remerciai deux fois plutôt qu'une.

Elle me proposa de la rejoindre sur le palier de la cathédrale, de façon à me mêler dans la foule et à faire diversion. Elle me questionna sur mon physique et ma tenue. Je lui décrivis mon manteau rouge vif muni d'un énorme capuchon avec poils, mes bottes blanches de style astronaute, mon long foulard blanc, mon sac à main et mes cache-oreilles en fourrure brune. Je terminai en lui mentionnant que ma chevelure était très courte et blond platine. Ne restait plus qu'à confirmer la plage horaire de l'entrevue. Elle m'offrit 15 h 30. Le prêtre serait disposé à répondre à mes questions jusqu'à 17 h. C'était parfait pour moi.

Nous raccrochâmes. Alors que je m'apprêtais à reprendre mes recherches sur le Net pour trouver les coordonnées d'un hôpital de New York, je demeurai réticente à procéder aussi rapidement pour fixer une entrevue. Ne devrais-je pas attendre que la conférence de presse du soir soit passée, que mon article sur l'entrevue avec le prêtre soit terminé avant de me précipiter ? me questionnai-je. Et si des éléments imprévus se présentaient et m'obligeaient à changer mon fusil d'épaule ? Mon chef de pupitre pouvait faire des caprices et me demander de travailler sur un autre angle. Ou un journaliste pouvait surprendre la galerie avec une sortie méritant que l'on investigue plus en profondeur sur une voie particulière. Sans compter que la direction de l'hôpital que je contacterais pourrait flairer la bonne affaire et tenter de démontrer au public combien ses services étaient sécuritaires en remplaçant mon entrevue par une conférence de presse.

Je cessai mes réflexions et penchai finalement pour me concentrer uniquement sur l'entrevue avec le prêtre. Je remis donc à plus tard mon dossier sur la sécurité en milieu médical. Je ne fixerais pas non plus immédiatement l'entrevue que j'envisageais avec Julia Lewis. Cela attendrait aussi. Une chose à la fois. Et il ne me restait plus qu'une heure pour terminer mon article sur l'analyse judiciaire du bistouri, du chapelet et du crucifix.

Je me hâtai donc. J'ajoutai quelques citations de Larry Robinson, Ryan Beckham et puis d'Hannah Polanski. Au total, mon texte comptait plus de 3 000 caractères, ce qui en faisait un très long article, en plus de la vingtaine de photos l'appuyant. J'envoyai le tout par courriel à John. Une version courte paraîtrait sur le portail le soir même. La version intégrale serait dans l'édition papier du lendemain.

Mission accomplie, j'étais fin prête à me rendre à la cathédrale Saint-Patrick pour une mystérieuse rencontre avec le père Julius Cristiano. Je me sentais fébrile ! Très fébrile !

Chapitre 10

L'Église catholique visite l'avortement

14 h 50. Je me trouvais à quelques pas de la cathédrale Saint-Patrick. Même si je l'avais vue des dizaines de fois et visitée à deux reprises, elle m'impressionnait toujours étant donné son emplacement. Ce monument architectural d'époque détonnait considérablement des gratte-ciel qui l'entouraient. Le palier était bondé de monde. Ce qui ne me surprit guère puisqu'elle accueillait plus de trois millions de visiteurs par année. Je grimpai les quelques marches de la devanture pour atteindre les portes principales. Je me plantai devant, pile à l'heure.

Quelques minutes passèrent. Puis, j'entendis prononcer mon nom. Je me retournai. Une religieuse aux traits sévères, coiffée d'un voile et vêtue d'une veste ainsi que d'une longue jupe grisâtre se tenait à mes côtés. C'était donc une religieuse d'une soixantaine d'années qui m'avait répondu si froidement plus tôt au téléphone. Comment pouvait-on être aussi bête et servir Dieu ? ne pus-je m'empêcher de penser.

— Vous êtes à l'heure Madame L'Espérance. Pardonnez-moi ce léger retard. J'ai été retenue par un fidèle arrivé tout droit d'Afrique. Incroyable, tout de même ! Bon, revenons à nos moutons. Je crois que j'ai omis de me nommer lors de notre conversation téléphonique. Angélique Stewart. Enchantée de faire votre connaissance, me dit-elle avec un air pincé tout en me serrant la main fortement.

— Je constate que vous n'avez pas trop eu de misère à m'identifier avec la description que je vous avais donnée. Enchantée ! Et aucun problème pour le léger retard. Je comprends très bien. Merci de me recevoir, lui répondis-je.

— Ce n'est pas moi qui vous reçois. Sachez-le. Je n'aurais jamais accepté de vous donner une entrevue sur un sujet aussi délicat par respect pour notre Seigneur. Discuter d'extrémisme religieux et d'avortement dans notre Église me semble inopportun, voire irrespectueux. Mais vous avez un devoir, tout comme moi, de servir nos concitoyens, je suppose. Allez, suivez-moi maintenant que vous êtes là ! Autant m'accommoder de la décision de père Julius. Julius Cristiano. Il est Italien, si vous vous demandez quelle est l'origine de son nom. Il vit au sein de notre communauté depuis une bonne vingtaine d'années. Je crois que le motif de sa venue à New York était la famille, au cas où vous auriez une question aussi à ce sujet. Il est très respecté des siens et très près des fidèles également. Toujours en train d'écouter l'un et puis l'autre, ainsi qu'à offrir son aide pour de multiples causes. Les gens font la file devant la cathédrale lorsqu'il célèbre la messe. Il a l'une de ces façons modernes de livrer le message de Dieu avec un humour particulier. Pour ma part, je demeure conservatrice. Je préfère les célébrations traditionnelles. Mais bon, déclara-t-elle.

Pour qui se prenait-elle, cette servante de Dieu ? Si son père Cristiano était vénéré de tous, ça ne devait pas du tout être son cas, réfléchis-je tout en la suivant. Si elle prononçait un seul autre commentaire négatif, elle saurait comment je m'appelle ! Du moins, un peu… comme j'avais intérêt à ne pas me la mettre à dos. Moi aussi, je pouvais être bête ! Je levai les yeux en l'air. Je venais d'avoir de vilaines pensées dans la maison de Dieu. Je me sentis un peu coupable.

Pour le reste du trajet, je fis la sourde oreille afin d'éviter de m'emporter. Une gaffe qui aurait pu faire foirer mon plan. Je me contentai d'observer l'autel, la voûte immense, les vitraux, statues et autres ornements sur notre passage, tout en me faisant bousculer par les fidèles massés les uns contre les autres. Des odeurs d'encens imprégnaient l'air. L'atmosphère était pesante ; il faisait si chaud, humide et sombre à la fois. Cela m'étouffait. Je détachai mon foulard, enlevai mes cache-oreilles et baissai la fermeture éclair de mon manteau dans le but de respirer un peu mieux.

Nous arrivâmes enfin au fond de la cathédrale, où nous grimpâmes un imposant escalier de bois massif. Nous longeâmes un long couloir étroit qui en ajoutait à mon agoraphobie soudaine. Il faisait toujours aussi chaud et noir. L'horrible odeur d'encens persistait, ce qui me donnait des haut-le-cœur. Au moins, la foule s'était estompée pour faire place à quelques religieux vêtus de soutanes circulant tête baissée. Impossible de les saluer. Qu'avaient-ils tous à regarder par terre ainsi ? me demandai-je. Je détestais les regards fuyants.

— Vous m'entendez ? Vous êtes toujours parmi nous ? Ça va ? Eh, oh ? me cria presque la religieuse, qui s'était immobilisée devant une porte robuste en bois.

Je m'étais arrêtée moi aussi derrière elle. Mais étant si hypnotisée par le va-et-vient des religieux et l'atmosphère lugubre qui régnait, je ne m'étais pas rendu compte que nous étions arrivées à destination. Je sortis de ma contemplation, et m'aperçus que madame Stewart me parlait.

— Oui, oui, désolée, je suis toute à vous. Je vous écoute. Je réfléchissais. Pardonnez-moi. Alors vous disiez quoi ? m'exprimai-je abasourdie en jetant un œil distrait vers elle.

— Je vous disais que nous allions à présent pénétrer dans

le havre de paix, ou si vous préférez, le lieu de travail du père Cristiano. Je vous demandais donc si vous étiez prête, tout en vous rappelant que vous ne disposiez que d'une heure pour faire le tour de vos questions, précisa-t-elle en regardant nerveusement sa montre. Pas une minute de plus ! Père Cristiano célèbre la messe de 17 h. Il ne doit pas être en retard. Cela vous convient-il ? finit-elle.

— Oui, bien sûr Madame Stewart ! J'ai saisi. Je suis prête à rencontrer le père Cristiano. On peut procéder si vous me le permettez, puisqu'il me reste seulement cinquante-neuf minutes pour effectuer mon travail, lui renvoyai-je en pleine figure.

Elle leva le nez en l'air. Insultée, elle se vira face à la porte et cogna à trois reprises. La porte s'ouvrit sur une pièce fortement éclairée par un feu de foyer et une multitude de lampes dispersées ici et là. Un grand homme un peu dodu au crâne dégarni et vêtu d'une soutane blanche nous accueillit à bras ouverts. Il possédait un sourire surprenant. Son visage me paraissait triste et heureux à la fois, mais combien chaleureux et réconfortant. Cela me rassura en pensant aux airs froids de sœur Stewart. Celle-ci pénétra à l'intérieur avec moi et se planta sur le bord de la porte tout en croisant les bras en nous fixant.

— Bonjour, Mademoiselle Lily-Rose L'Espérance du *New York Today Journal*. Vous êtes la bienvenue dans mon humble demeure. C'est-à-dire, dans mon bureau. Bureau où je passe beaucoup plus de temps que dans ma réelle demeure qui se trouve à quelques coins de rues d'ici, exposa le religieux.

— Je suis enchantée, mon père ! Très heureuse que vous ayez accepté de me recevoir dans un si bref délai. Merci, lui renvoyai-je.

Je me rendis compte que son attention était concentrée sur madame Stewart postée sur le coin de la porte. Il la fixait avec un sourcil en coin qui en disait long. Il était clair qu'il s'attendait à ce qu'elle dispose. Je ne pouvais retenir mon contentement. Je souris à la religieuse bêtement.

— Bon, je crois que c'est le temps pour moi de voir à mes occupations. Il n'est pas trop tôt, avec tout le travail qui m'attend. Lily-Rose, j'imagine que vous me permettez de vous appeler par votre prénom. Pour toute question ou toute autre demande, je vous prie de me contacter directement en tant que responsable des communications, me dicta la sœur en me tendant sa carte professionnelle avant de quitter la pièce à la hâte.

— Alors, gente demoiselle, je vois que vous plaisez à Angélique ! lança le père Cristiano, en s'esclaffant. Elle ne vous a pas trop mené la vie dure, je l'espère ? Ah cette chère Angélique ! Admettez que c'est tout de même ironique de s'appeler Angélique ! Bon, j'use un peu de mon sens de l'humour, là. Mais blague à part, ne vous attardez pas trop à ses airs durs, elle n'a rien d'un cœur de pierre. Elle a simplement raté sa vocation, ai-je toujours pensé. Je crois qu'elle a toujours rêvé d'être journaliste, vous comprenez. Bien qu'elle contredise ce fait, je pense aussi qu'elle aurait été une excellente mère. Mais elle a choisi de s'en remettre à Dieu, je ne sais pour quelle raison. Assez discuté, le temps file pour vous comme pour moi, relata le religieux en m'invitant à m'asseoir à ses côtés près du feu.

Je comprenais mieux le comportement de sœur Stewart et je compatissais. Une fois assise, je sortis mon carnet de notes sur lequel j'avais inscrit soigneusement mes questions. Je me précipitai dans le vif du sujet : l'avortement et l'extrémisme religieux vus par l'Église.

17 h 10. Je courus sur le trottoir pour héler un taxi devant la cathédrale. Je fus recueillie en moins de deux. Nous partîmes en direction de chez moi. Tout en roulant, j'écoutai mes messages. Georges qui s'inquiétait à la suite de notre souper trop arrosé. John qui me confirmait que tout serait en ligne dans les temps pour la conférence de presse. Finalement, l'enquêteur Robinson qui voulait connaître les détails de mon entrevue. Il semblait convaincu que la voix du Seigneur allait éclairer notre chemin.

Je remis mes retours d'appels à plus tard. J'étais beaucoup trop préoccupée par les confessions du prêtre. Je ne pensais qu'à transcrire mon entrevue en espérant qu'on pourrait la publier le plus tôt possible.

Dans cette optique, je pris quelques secondes pour envoyer un message texte à mon chef de pupitre afin qu'il informe son remplaçant de soir de mes intentions. L'heure de tombée pour l'impression du journal étant 23 h, il ne fallait surtout pas perdre une minute. Je lui indiquai que j'allais lui faire parvenir mon texte en dehors de son quart de travail, car j'avais besoin de sa grande expertise pour le corriger. Pas question de laisser le tout entre les mains d'un chef de pupitre moins expérimenté. Même si j'étais moi-même une recrue au département des crimes et enquêtes… Ce qui me rappela à l'ordre. John me répondit presque instantanément. Je pourrais compter sur lui. Il s'occuperait de tout avec le chef de pupitre de soir, le webmestre et le service d'impression, s'il s'avérait que nous devions retarder l'impression papier pour en arriver à nos fins. Je me réjouis. John était toujours partant et disponible lorsque j'avais besoin de lui.

Le taxi me laissa devant mon immeuble. J'escaladai l'escalier vers mon studio, me déshabillai et me dirigeai vers la cuisine. Ma dernière montée d'adrénaline m'avait donné faim. Ma gourmandise insatiable serait contentée par un bol de croustilles à la crème sure, un bon gros morceau de mozzarella et un verre de vin rouge.

Je m'assis devant mon ordinateur et enregistrai un nouveau document Word au nom de Julius Cristiano. Je sortis ensuite mon cellulaire de mon sac à main afin d'écouter mon enregistrement et je me mis au travail en faisant le découpage de mon entrevue. J'en retirerais les meilleurs bouts et je transcrirais le tout sous forme de questions-réponses intégrales. Il me sembla que ça ajouterait une touche de dynamisme et de piquant à mon dossier d'enquête.

20 h 25. Enfin, j'étais venue à bout de poser le dernier point à mon texte. Après quelques corrections, j'envoyai mon travail avec une certaine réticence à John. Je craignais d'avoir poussé un peu trop la note. Et si certains lecteurs pratiquants étaient choqués ? Il fallait dire que les propos du prêtre étaient très étonnants, même avant-gardistes comparativement au discours habituel de l'Église catholique. Il me rappelait l'abbé Raymond Gravel, l'un des prêtres québécois les plus progressistes. Même si je trouvais ses convictions éthiquement correctes, mon manque de confiance en moi m'obligea à lire et relire mon entrevue. Et ce, même si mon chef de pupitre l'avait déjà sous les yeux et que je ne pouvais plus vraiment reculer.

L'AVORTEUR DE CENTRAL PARK
Révélations-chocs de l'Église catholique sur l'avortement

Par Lily-Rose L'Espérance

Manhattan, le 28 novembre 2012 – Pour faire suite aux révélations mystérieuses émises par le NYPD concernant le crime de L'Avorteur de Central Park (voir le reportage de la page précédente), le Journal vous présente en primeur une entrevue intégrale avec une sommité de l'archidiocèse de New York, qui s'est tenue à la cathédrale Saint-Patrick. À des fins de protection et de confidentialité, le Journal a accepté de taire le nom de sa source.

Q : Êtes-vous pour ou contre l'avortement ?
R : Il y a tout ce débat de société à savoir après combien de semaines nous pouvons considérer l'embryon comme étant un fœtus. Selon le pays en cause, il est question de 10 à 20 semaines. Ensuite, le fœtus serait considéré par la loi comme étant un être vivant à part entière. Un humain.

Certains croient qu'un fœtus est une personne au sens propre, mais qu'il a des droits seulement lors de son premier souffle. D'autres pensent dur comme fer que dès la conception de l'embryon, il y a là un homme, une femme, qui a des droits, dont celui de vivre. On a là deux extrêmes, selon moi. Peut-on opter pour un juste milieu en analysant les circonstances entourant une situation particulière liée à l'interruption d'une grossesse ? Voilà ma position.

Q : Selon l'Église et la Bible, à partir de quel moment de la grossesse considère-t-on qu'il y a présence d'un être humain qui a des droits ?
R : La Bible peut sembler en désaccord avec le fait qu'un embryon n'est pas un humain. On peut y lire dans certains passages, entre autres dans l'Ancien Testament, des versets qui indiquent que dès qu'il y a conception, il y a un homme connu de Dieu. Une identité. On peut même y lire qu'un

homme heurtant par accident une femme enceinte qui mène à un avortement commet un acte punissable.

Si l'on prend la Bible à la lettre, cela sous-entend qu'en statuant qu'un embryon ou un fœtus est une personne humaine, elle leur concède donc la protection légale du cinquième commandement : « Tu ne tueras point ; celui qui tue mérite d'être puni par les juges. » Si on considère cette affirmation, un avortement serait donc un meurtre. L'Avorteur de Central Park cite ce commandement ; il se prétend donc juge de Dieu.

Ceci étant dit, il ne faut pas prendre la Bible mot pour mot. Mais avec un grain de sel en considérant qu'il y a certaines nuances, métaphores, poésies. En fait, la Bible n'indique rien de clair sur l'avortement, selon mon interprétation. Oubliez l'avortement lié au cinquième commandement, comme prétendrait peut-être le tueur ! En supposant qu'il s'en est réellement pris à la victime parce qu'elle allait avorter. Surtout, n'oublions pas que ni l'Ancien Testament ni le Nouveau Testament n'ont été écrits en 2012.

On ne devrait pas comparer un avortement à un acte de Satan. Ou à un sacrifice humain. Ou encore à un meurtre. Si tel est le cas, en tant que porteur de la parole de Dieu, je pense qu'il s'agit d'extrémisme religieux. Et qui dit extrémisme dit danger. L'extrémisme peut faire place à d'immondes abominations.

Q : En ce sens, que pensez-vous des mouvements pro-choix ?

R : Les groupes extrémistes contre l'avortement oublient que le Christ a défendu les plus faibles, les malades, les opprimés, les indésirables. Cette femme démunie, désarmée et en péril qui choisira d'avorter, sera aussi aimée de Dieu. Jamais il ne l'abandonnera. Dieu sait comprendre. Il sait pardonner. Notre Seigneur se veut protecteur. Or, il n'est pas le maître de notre destinée en tout point. Nous sommes maîtres de nous-mêmes. Maîtres de notre corps. Maîtres de notre âme. De notre esprit. De notre intelligence. Et de notre personnalité. Ce n'est ni à un groupe pro-vie, ni pro-choix de décider comment doit répondre la société face au dilemme de l'avortement. Dieu nous a offert la liberté.

Q : Selon L'Église, est-ce acceptable d'opter pour l'avortement lorsqu'on apprend que l'enfant à naître sera atteint de trisomie 21 ? Je me reporte à la victime de L'Avorteur, Tamara De Los Angeles, qui avait fait ce choix.

R : Vous savez, les peuples primitifs sacrifiaient, tuaient des enfants déficients ou handicapés, des bébés parce qu'ils étaient de sexe féminin. Malheureusement, il existe encore de cruelles réalités en ce sens dans certaines civilisations sous-développées. Aux yeux de notre Seigneur, des malformations ne changent en rien la valeur d'une personne. Une personne demeure inestimable. Il aimera éternellement cet individu. Dans la Bible, il est clairement indiqué que la suppression des faibles est un acte mauvais. Comme je vous l'ai mentionné, le Christ aime et protège les plus faibles, dont les humains atteints de trisomie 21. Mais nous rentrons ici dans une question sociétale controversée qui va bien au-delà de l'idéalisme religieux. Et d'un idéalisme religieux dépassé par rapport à notre réalité.

N'est-il pas plus aimant d'empêcher un humain de naître dans un monde qui sera dur et sans merci ? Qui le fera souffrir de façon intolérable, impensable, sans pardon ? J'ai choisi ma vocation non pas pour juger, mais pour accepter, comprendre, à l'image de Dieu. Qui sommes-nous pour juger ? Qui ? Chacun est son propre juge. C'est à chacun de discerner les questionnements entourant la grossesse. D'envisager la meilleure solution. Celle qui fera le plus de bien possible dans les circonstances, qui ne sont pas à négliger.

Certains passages de la Bible, notamment dans l'Ancien Testament, nous donnent à penser qu'il vaudrait mieux ne pas naître que de vivre constamment dans l'oppression, le malheur, le chagrin, la malédiction. Notre Seigneur souhaite enseigner à son peuple qu'il faut aimer son prochain, le soutenir, peu importent les conditions. Toutefois, selon ce message, une mère persuadée que son enfant sera rejeté de la société, qu'il sera opprimé, a-t-elle le droit de lui éviter une telle souffrance afin d'avoir la conscience tranquille ? Je pose la question. A-t-elle le droit ? Oui ou non ?

L'Église catholique visite l'avortement

Q: Vous êtes ouvert à l'avortement. Alors que le message de l'Église semble plutôt nous indiquer qu'elle est contre et qu'elle a une position conservatrice sur ce point. Je ressens une certaine contradiction. Pouvez-vous m'éclaircir à ce sujet?

R: Dans de nombreux pays industrialisés et démocratiques, le gouvernement a décidé de légaliser l'avortement. La plupart du temps aux frais de l'État. Ces gouvernements ont mis des initiatives en place pour répondre à la pression sociale. Pour répondre aux femmes qui désiraient être libres de leurs décisions, de leurs corps. Est-ce qu'une religion, un mouvement religieux peut s'immiscer dans ces faits et aller à l'encontre de ce que la société juge bon pour elle? Oui, elle le peut. Mais est-ce sage? Est-ce la voix de Dieu qui parle? Permettez-moi d'en douter. Je peux sembler à l'encontre de ce que la religion catholique nous dicte. Mais c'est faux. Ce qui est vrai, c'est qu'au sein de l'Église, les idées sont partagées concernant l'avortement. Je trouve que c'est normal comme situation. Dans la société, les idées sont aussi partagées. Dans les gouvernements, au travail, à la maison, au quotidien, les idées sont encore une fois partagées. C'est ça, la liberté de penser!

Je ne suis pas du tout, non, loin de là, un prêtre moderne ayant des convictions farfelues. Plusieurs religieux croient, tout comme moi, qu'une femme a le droit d'interrompre une grossesse sans être jugée à tort. Beaucoup plus que vous ne pouvez l'imaginer. C'est ça la vérité. On appelle ce phénomène: l'évolution. L'Église doit évoluer elle aussi selon moi. Et elle doit démontrer qu'elle évolue.

D'autres religieux stagnent dans le passé. Ils sont conservateurs. C'est tout. Il ne faut pas leur en vouloir. Pour la plupart, ils ne représentent aucun danger. Bien au contraire, ils livrent un message sain. Mais certains de nos prêcheurs peuvent se montrer dangereux. Ils prêchent leurs convictions à tort et à travers, de façon extrémiste. Ils ne s'arrêtent jamais aux conséquences. Des conséquences qui sont la plupart du temps fâcheuses, graves. Pour les plus tenaces des extrémistes, ces conséquences peuvent être irréparables. Voire mortelles. Pensons à L'Avorteur de Central Park.

Q : Croyez-vous que L'Avorteur pourrait faire partie d'un mouvement religieux extrémiste ?

R : Oui, je crois que cet homme fait partie d'un mouvement extrémiste. Du moins, il en a fait partie ou a été en contact serré avec l'un d'eux. Et oui, je crois que faire partie d'un tel mouvement alimente les problèmes psychiatriques, la maladie mentale ou simplement le désespoir. Malheureusement, il s'agit de groupes très manipulateurs. Leurs disciples se nourrissent de leurs belles paroles comme s'il s'agissait d'une potion magique les convainquant que leurs mauvaises actions sont bénéfiques pour la société. Mais il n'en demeure pas moins qu'il n'est nullement de mon ressort de juger des états d'âme de L'Avorteur. Je suis prêtre et non psychiatre.

Permettez-moi tout de même de souligner que le tueur a intentionnellement déposé sur la victime un crucifix pour introduire un message satanique en se servant des paroles de Dieu ainsi qu'un chapelet des morts favorisant les âmes du purgatoire. Il a donc osé se débarrasser d'un objet précieux pour signer son nom, en accompagnant son message. Cela démontre quelle importance il accorde à son geste. Ce n'est pas la première fois qu'un extrémiste religieux utilise des objets sacrés pour faire passer un message à travers une manifestation, un rite spirituel ou autres avènements agressifs. Pour les extrémistes, c'est une manière de s'identifier à une grande force et de signer cette identité. C'est du déjà-vu. Ce qui m'amène à être encore plus persuadé de son lien avec un groupe extrémiste.

Q : Parlez-nous davantage des mouvements religieux extrémistes.

R : Il existe à New York des dizaines de mouvements et organismes religieux et probablement des centaines, voire des milliers de groupuscules religieux. Allez savoir combien ! Ils ne sont pas tous répertoriés. Il y a des organismes reconnus regroupant des milliers de membres qui offrent une éducation catholique spirituelle et historique pour aider les chrétiens à mieux comprendre, vivre et partager leur foi. Une foi qui se veut saine.

D'autres se consacrent davantage au soutien des fidèles qui ressentent le besoin de se tourner vers Dieu pour être en mesure de mieux affronter certains obstacles de la vie. Il y a les clubs de prière et de pastorale. Sans oublier tous les séminaires permettant aux fidèles d'enrichir leur foi tout en observant une réflexion profonde sur leur état, leur vie ou un événement de vie.

Q : Votre conclusion ? Naissance versus avortement ?

R : Je vous le dis, je vous assure, l'idée qu'une femme osant interrompre sa grossesse doive subir un châtiment et être punie ne trouve aucune source ni dans l'Ancien Testament ni dans le Nouveau Testament. Dieu veut notre liberté. Il a confiance que nous saurons trancher dans ce type de questions éthiques, tel l'avortement. Et que la décision que nous prendrons sera la bonne.

Celui qui prêche la punition a tout simplement une conception erronée de l'avortement selon le catholicisme. Probablement à cause de sa vision altérée par ses faiblesses mentales et psychologiques.

On dit que Dieu met sur notre passage des épreuves de vie que nous devons accepter, si difficiles qu'elles soient. Elles nous aident à nous épanouir, à nous éveiller, à grandir dans le bonheur. Bien qu'il existe des injustices, il faut être fort et savoir les surmonter. Il faut aimer et panser nos blessures.

Mais allez donc dire cela à la femme qui a été sauvagement violée et battue par Satan, qu'elle doit savoir panser ses blessures et aimer l'enfant à naître. L'enfant de Satan qui la persécutera dans la souffrance. Dites-le à la femme battue par un époux violent. À la femme droguée, prostituée. Et dites-le à la mère qui connaît le tragique destin de l'enfant à naître : la maladie, la mort, la déficience et l'oppression de la société. Bref, je conclurai donc sur ces mots.

Suivez notre dossier et faites-nous part de vos commentaires sur *L'Avorteur de Central Park* au : infos@nytodayjournal.com.

En finissant de relire pour une énième fois mon entrevue, je me rassurai en me disant que celle-ci divertirait mon public et porterait à réflexion. Je repris confiance en la délaissant pour me concentrer sur un‚autre élément de mon entrevue non dévoilé.

Julius Cristiano m'avait offert de contacter sœur Stewart afin qu'elle me donne un accès au registre que l'archidiocèse tenait à jour sur tous les groupes religieux de New York. Le prêtre en avait déduit qu'il pourrait m'être utile. Je souris en repensant aux nombreux remerciements que je lui avais offerts et à quel point j'étais énervée de mettre la main sur un indice qui pourrait guider le NYPD et le FBI sur une piste intéressante.

Ce répertoire contenait non seulement la mission et les coordonnées des mouvements religieux new-yorkais, mais aussi le nombre de membres, leurs noms et parfois leurs coordonnées personnelles, toutes les activités tenues, les incidents survenus, les manifestations organisées, les détails de fraudes, les précautions à prendre selon le cas et il comportait des notes d'alerte sur les mouvements et individus les plus dangereux.

Il s'agissait d'un registre réservé strictement aux membres de la communauté religieuse. Il se voulait un outil d'aide servant à guider les gens vers des ressources répondant à leurs besoins. De plus, les religieux l'utilisaient pour contacter certains groupes durant une recherche ou un simple questionnement intérieur. Mais il contribuait également à démasquer les fraudeurs prêchant la mauvaise parole. Il s'agissait d'un moyen de surveiller, de contrôler et d'intervenir auprès des plus extrémistes d'entre eux. L'Église avait le devoir de protéger ses disciples.

Je remettrais le tout entre les mains de Larry Robinson, me promis-je. C'était mon devoir. Je ne devais pas empiéter sur le terrain des policiers. Je ne détenais ni l'expertise ni les outils nécessaires. Or, je m'assurerais d'être la première informée sur les résultats de l'analyse de ce registre. Il fallait que je contacte mon collaborateur à cet effet sur-le-champ. J'imaginai le nombre de semaines que cela prendrait à éplucher toute l'information s'y trouvant et à effectuer des interrogatoires.

Larry, Larry, Larry ! m'exclamai-je haut et fort. J'étais si absorbée par mon travail que j'en avais complètement oublié la conférence de presse. Pas possible ! Je l'avais ratée ! Je n'avais entendu aucun mot de cette conférence de presse ! Ce qui me rendit excessivement nerveuse. Trop concentrée sur mes bons coups, j'en avais oublié le plus important ; mon marché avec l'enquêteur en chef du NYPD. Lui et Ryan Beckham devaient fulminer de rage contre moi. Sur cette pensée, mon cellulaire sonna.

En voyant le numéro de cellulaire de Larry Robinson s'afficher, mon visage se crispa et rougit de honte. Je répondis en gardant quelques secondes de silence.

— Qu'est-ce que vous nous jouez là ? Un marché, un marché ? Pour qu'il y ait un arrangement, jeune fille, sachez qu'il doit exister une certaine collaboration. Et elle me semble absente jusqu'à présent. Et ne faites pas semblant que vous ne m'écoutez pas ! Je vous entends respirer dans le combiné du téléphone ! Avez-vous quelque chose à dire pour votre défense ? demanda le policier.

— Larry ? Ehhh ! Je suis sincèrement désolée, et ce, même

si vous en doutez, je le sens bien. Je n'ai pas vu le temps filer. En plus, je n'ai pas la moindre idée de ce qu'il s'y est dit ou si j'y aurais appris du nouveau. J'ai aussi omis de regarder la télé, d'écouter la radio ou de m'informer sur le Net. Je suis coupable, vous avez raison. Alors, que fait-on maintenant pour justifier mon absence dans le cas où j'aurais des informations cruciales à vous livrer afin de faire avancer l'enquête ?

— Ouais c'est ça ! Des infos cruciales ! Elles sont mieux d'être très cruciales, car je vais vous en faire, moi, un marché ! se méfia mon interlocuteur.

— Dites-moi d'abord comment faire pour me sortir du pétrin ? osai-je lui demander.

— Je ne sais pas si j'aurais dû, mais j'ai simulé votre appel à distance comme prévu. J'ai pensé que cet acte de confiance me serait bénéfique. On se comprend ? m'apprit-il.

— Vous êtes sérieux, là ? Comment avez-vous procédé exactement ? Non, mais vous m'avez donc sauvée deux fois en quelques jours ! Ouais, je dois avouer que je suis stupéfaite, Larry ! Croyez-moi, je vous serai redevable et j'ai bien l'intention d'honorer ma parole, lui assurai-je.

— Redevable, hein ? J'ai l'impression d'entendre trop souvent ce mot sortir de votre bouche ! Pour répondre à votre première question, j'ai feint une vibration de cellulaire, suivie d'une prise de l'appel urgent impossible à ignorer. J'ai joué le jeu de l'acteur nul discutant avec une journaliste du *New York Today Journal*. J'ai ensuite mis mon cellulaire en direction des allocutions afin que l'on croie que vous écoutiez attentivement. Aux questions des autres policiers, je leur ai signifié qu'il vous était arrivé un contretemps, comme nous avions prévu. Ils m'ont cru, je crois. Ça vous va, chère dame ? me précisa le policier frustré.

Je le remerciai encore une fois tout en lui signifiant ma grande satisfaction. Je le questionnai à savoir si de nouveaux éléments que j'ignorais avaient rejailli de cette conférence de presse. Il me répondit par la négative. Ce qui me soulagea énormément.

Puis, je poursuivis la conversation concernant mon entrevue avec le père Julius Cristiano. Je lui dévoilai la meilleure carte de mon jeu : le répertoire des mouvements, organismes et groupuscules religieux. Je sentis le contentement dans la voix du policier à cet effet. Toutefois, il me prévint qu'il n'était pas de son ressort de décortiquer cet outil, mais plutôt de celui de l'enquêteur Beckham. Il me demanda ainsi de le joindre rapidement pour lui transmettre l'information afin qu'il examine le répertoire de l'archidiocèse le plus tôt possible.

Pour sa part, l'enquêteur en chef du NYPD me mit au courant des dernières nouvelles le concernant. Il devait enfin s'entretenir avec la mère de Loïc De Los Angeles après maintes tentatives pour la convaincre des bienfaits de cette collaboration. Pour ce qui était du joggeur, peine perdue. Il l'avait bel et bien rencontré, en plus de l'avoir soumis à l'épreuve du polygraphe, mais en vain. Il était disculpé de tout soupçon, bien qu'il ait été le premier témoin sur les lieux du crime.

De mon côté, je terminai en lui mentionnant mon intention de me rendre dès le lendemain dans un, deux ou peut-être trois hôpitaux de Manhattan, comme prévu. Je tâterais le terrain pour savoir si l'on pouvait se procurer des instruments chirurgicaux facilement. Qu'en était-il de la sécurité ?

Il se faisait tard, me rappela mon acolyte. Il souhaitait ainsi rentrer au bercail rejoindre sa famille. Sa famille ?

J'avais toujours cru qu'il était une espèce de vieux garçon. Il m'informa qu'il était marié depuis plus de 20 ans, qu'il avait un fils âgé de 16 ans et une fille de 13 ans. De là son paternalisme qu'il me vouait si humblement, en déduisis-je. Nous terminâmes ainsi la conversation sur ces confidences.

22 h 25. Aucune nouvelle de John sur mon entrevue avec le prêtre. Aucun message sur ma boîte vocale ni dans ma boîte de courriels à ce sujet non plus. Pas de nouvelle, bonne nouvelle, me dis-je.

Après vérification sur le portail du journal, une version brève et une plus longue de mon article écrit à l'avance sur les circonstances du drame avaient été mises en ligne à la suite de la conférence de presse du NYPD. C'était tout ce qui comptait. J'espérais avoir réussi à me placer au premier rang des diffusions médiatiques sur le sujet. Comme je ne sentais plus la force d'effectuer quoi que ce soit hormis me noyer dans ma baignoire et me reposer dans mon lit, je m'exécutai.

28 novembre, 6 h. Je rageai contre la sonnerie de mon réveille-matin. Encore une fois. Je tapai dessus à quelques reprises jusqu'à ce que je finisse par sortir de mes couvertures. Je posai un pied à terre, les yeux semi-fermés. La nuit m'avait paru beaucoup trop courte. Après quelques secondes d'inaction, je mis mon pyjama et je me dirigeai vers la cuisine pour me préparer un café-filtre et un petit-déjeuner.

Assise à l'îlot, j'analysai la longue liste des hôpitaux de la ville de New York que j'avais pris soin d'imprimer la veille avant de m'effondrer dans mon lit. Je ne m'étais jamais rendu compte de cette si grande accessibilité en matière de services médicaux dans la Grosse Pomme. Ma liste contenait une centaine d'hôpitaux et de centres médicaux d'importance, sans compter les services secondaires et toutes les cliniques. Comment choisir les plus pertinents pour mon article ?

Pour ajouter encore un peu de sensationnalisme à mon enquête, je décidai d'opter pour un établissement du Bronx, puisque Tamara De Los Angeles était résidente et originaire de ce quartier. Puis, pour un second à Manhattan. Après tout, il s'agissait du centre névralgique de New York. Le dernier, je le sélectionnerais au hasard les yeux fermés en pointant mon doigt sur la liste.

Alors que j'entamais ma seconde rôtie, mon cellulaire sonna. Je fixai mon horloge : 6 h 40. Qui pouvait bien vouloir me parler à une telle heure ? Je me ressaisis et agrippai mon appareil qui traînait sur le bout de l'îlot. John Carter, lis-je sur mon afficheur.

— Hope ? Je te réveille, dis-moi ? me questionna mon chef de pupitre sans attendre ma réponse. Écoute, peut-être es-tu déjà au courant ou peut-être que non, mais j'ai une excellente et une mauvaise nouvelle à t'annoncer ce matin, ma jolie ! Je parie un 20 que tu n'es au courant ni de l'une ni de l'autre. Tu dois être au bout du rouleau. À un point tel que t'as dû oublier de suivre toutes les péripéties de L'Avorteur dans les médias. Non, mais là, c'est une remarque gentille. Je veux supposer par là que tu effectues un travail extraordinaire, Lily ! Chris, lui-même, en était encore une fois bouleversé, pas plus tard que ce matin. Tu sais la chance que t'as ? Tu sais qu'il y en a parmi nous qui n'ont eu droit à ses éloges qu'après un an, deux ans, même trois ! Toi, tu débarques au journal et tu fais fureur ! s'exclama-t-il.

— John, merci, mais peux-tu s'il te plaît arrêter de me complimenter autant et aller droit au but ! C'est quoi tes nouvelles ? Elles sont sûrement importantes pour que tu m'appelles si tôt, l'interrompis-je.

— Ouais, commençons donc par la bonne nouvelle ; tu fais la une du journal pour une énième fois. Les ventes vont exploser ! Je n'ai rien mis sur le portail avant ce matin pour ce qui est de ton entrevue avec le prêtre, car il était primordial de ne rien dévoiler à nos compétiteurs. Ça aurait paru un peu louche d'être en mesure de fournir une entrevue à propos des éléments dévoilés dans la conférence de presse aussi vite. Or, hier, j'ai publié une brève, puis une version un peu plus longue de ton article sur ces éléments juste assez tôt, mais pas trop pour éviter les soupçons sur ta collaboration avec le NYPD. Tu étais encore une fois en tête du peloton sur le Web. Incroyable, Hope ! Mais ne te prends pas la tête ; il y a un p'tit problème là, poursuivit-il. ABC et CBC ont fait un court direct hier sur la sécurité dans les hôpitaux. Est-ce facile ou non de se procurer un bistouri chirurgical ? C'était le sujet de leurs reportages. De plus, on annonçait un dossier sur le sujet en une du *New York Times* de ce matin. ABC et CBC ont démontré combien cela était sécuritaire de fréquenter nos établissements médicaux. Le journaliste du *New York Times*, lui, a su prouver qu'on pouvait déjouer le système. Il est entré par lui-même dans une salle d'opération peu surveillée. Il n'y avait aucun matériel qui traînait. Les armoires et tiroirs étaient tous munis de serrures. Mais en tentant de les ouvrir, surprise, un tiroir s'est ouvert ! Il contenait, entre autres, des ciseaux et du tissu chirurgical. Sa quête s'est, heureusement pour nous, terminée là. Un gardien de sécurité a fait irruption et l'a sauvagement mis à la porte. L'action s'est déroulée au Downtown Hospital.

— Eh ben ! Voilà que c'est peine perdue pour moi aujourd'hui. T'imagines le nombre de médias qui suivront les traces de ces trois journalistes ! Ce qui veut dire que je ferais mieux de m'atteler à trouver une piste intéressante avant de tomber dans l'oubli, supposai-je.

— En effet, le lectorat oublie vite et tourne la page. Mais il te reste une corde à ton arc Hope : Julia. Tu ne voulais pas écrire un truc sur le portrait du tueur, quelque chose du genre ? Elle nous est habituellement fidèle. Je ne crois pas qu'elle accorderait une entrevue à un autre journaliste avant le *New York Today Journal*. Même s'il existe des tas de psychiatres et de profileurs à New York, Julia est la meilleure, m'encouragea John. Allez hop, Lily, lève tes fesses de ta chaise et accours !

J'approuvai. J'avais en effet prévu une seconde entrevue avec elle dès la fin de ce qui devait être mon article sur la sécurité des établissements médicaux de New York. John attendrait ma confirmation d'entrevue pour publier le produit final en version intégrale. Il avait adoré ce type de texte avec le prêtre. Il mettrait 40 % de mon article en ligne et la version complète dans l'édition papier du lendemain. Non, pas question d'en donner moins aux adeptes du journal qui se rongeaient les ongles en pensant à leur éventuelle lecture sur le sujet. Ne me restait plus qu'à joindre Julia Lewis rapidement.

Chapitre 11

L'Avorteur succombe

Une odeur de pourriture et de merde envahissait le refuge.

Un fauteuil vieillot délabré et une télévision munie d'une antenne de lapin, posée sur une table sur le point de s'affaisser, faisaient office de salon. Les murs étaient cartonnés de tapisseries superposées, déchirées et gonflées par l'humidité. Des lambeaux pendaient le long des murs. Des murs envahis par la moisissure qui, elle, était grugée par les souris et les rats. Les coquerelles se déplaçaient dans le désordre et les ordures s'accumulaient sur les restants de prélart jaune du plancher.

Seuls quelques crucifix, images religieuses froissées et chapelets accrochés aux bras du fauteuil décoraient l'endroit. Une fenêtre s'y trouvait. Mais elle était obstruée par la saleté. Un faible rayon lumineux persistait à vouloir traverser le verre fissuré.

Une table et deux chaises de parterre blanc-grisâtre craquelées représentaient l'espace où l'on se nourrissait. Un réfrigérateur renfermant du lait suri et quelques plats congelés périmés, et une cuisinière, tous deux jaunes et rouillés, ainsi qu'un comptoir restreint suffisaient comme cuisinette. La nourriture se désagrégeait et pourrissait dans la vaisselle entassée qui ne laissait aucune surface libre. Là aussi, les rongeurs, coquerelles et autres bestioles répugnantes s'en donnaient à cœur joie.

La salle de bain ne comportait qu'une douche et un meuble-lavabo encrassés, une toilette noircie plaquée de défécations et d'urine. C'était d'une insalubrité invraisemblable. Les quelques rouleaux de papier de toilette rangés sous le lavabo étaient même sales et rongés. Les cinq serviettes rangées aux côtés sentaient la sueur et la crasse humaines. Elles n'avaient pas été lavées depuis des lustres.

La chambre, elle, était plongée dans la pénombre. Aucune fenêtre ne s'y trouvait. Il y avait un matelas déchiré à moitié recouvert de couvertures souillées en bataille, d'où se dégageait une odeur forte rappelant celle des serviettes. Les tiroirs d'une commode, qui commençait à pourrir, débordaient de vêtements aussi répugnants que les couvertures et serviettes. Là également, les murs étaient placardés de tapisseries moisies, de quelques crucifix et d'images religieuses.

Mais c'était son domicile. Son territoire. Il s'y sentait bien. Invincible. Il le voyait. Sa résidence n'avait rien d'une demeure de luxe. Elle n'était ni même acceptable, présentable. C'était un taudis. Il le savait. Il était intelligent. Sale. Sans vergogne. Mais intelligent. Astucieux. Audacieux. Il travaillait à la sueur de son front. Il gagnait bien son pain malgré les apparences.

Son argent ? Son argent servait son audace. Il lui avait jadis permis de survivre. Et permis à sa maman de se piquer à l'héroïne jour après jour. Même si elle était une salope de chienne de putain, elle lui avait donné naissance. Elle l'avait accepté sous son toit. Elle lui avait tout appris. Tout appris de Dieu, de ses disciples et de la foi catholique. Tout des paroles du Seigneur, de ses commandements.

Aujourd'hui, ses économies lui permettaient de détenir le pouvoir de Dieu entre ses mains. D'accomplir sa mission. Il était son humble disciple. Le porteur de ses paroles. Il lui devait obéissance. Dieu le lui avait dit. À maintes reprises. Et il l'avait entendu. Ses économies lui avaient permis de mettre en branle le plan que Dieu lui avait dicté.

Sa mère avait été une putain de Satan. Une salope de Judas. Elle lui avait désobéi. Elle lui avait fait honte. Elle l'avait trahi. Trahi.

À présent, il suivait la voix du Seigneur pour réparer les erreurs du passé. Les torts de sa maman. Sa mère bien-aimée. Il avait la ferme intention de faire en sorte que plus jamais femme ne serait désobéissante. Toutes, elles devaient être reconnaissantes envers le don de la vie, offert par Dieu.

Il détenait le contrôle. Il était en train de le perdre. Une brebis égarée du Seigneur s'était mise en travers de son chemin. Cette brebis allait à l'encontre de son message. Elle le défiait. Elle défiait Dieu. Elle ne pouvait servir son Seigneur d'une telle façon hypocrite en prétextant que le peuple devait boire ses belles paroles écrites. Dieu ne pouvait lui pardonner. Pas encore. Cette brebis obligeait Dieu à revoir son plan. Il devait poursuivre sa voie au-delà de ce qui était prévu. Il devait agir rapidement avant que la brebis ne prenne le pouvoir sur le berger. Il était le berger. Celui du Seigneur. Son humble serviteur. Humble. Serviteur.

Il lui fallait retrouver le courage. Le courage de servir le maître. Son maître. Cela le rendait dingue. Complètement fou. Il était malade. Malade de folie. Il faisait chaud. Terriblement chaud. Trop. Des gouttes perlaient sur son front gras et boutonneux. Elles dégoulinaient dans son cou, puis sur ses épaules, et se déversaient sur sa poitrine crasseuse vêtue d'un t-shirt usé, jauni par la saleté. Il ne pouvait s'arrêter de faire les cent pas en tournant en rond dans son minuscule taudis. Il tournait, tournait et recommençait à s'étourdir sans cesse depuis des heures.

Par moments, il se saisissait fortement la tête entre ses deux mains robustes. Il se grattait les bras nerveusement jusqu'à la chair vive en laissant jaillir son sang. Celui du Christ. Il le croyait. Il était le fils de Dieu. Son fils.

Sa vision fut tout d'un coup brouillée. Des étoiles scintil-lèrent autour de lui. Il s'effondra à genoux et croisa ses mains. Il se mit à prier. À prier le Seigneur à tue-tête afin qu'il lui offre une réponse, une solution. Détenait-il la bonne? Devait-il passer à l'action de nouveau? Seul Dieu connaissait cette réponse. Il le supplia de rage. Il bouillait en dedans, en dehors. Il exorcisa toutes les larmes de son corps en hurlant. Il se balança sur ses genoux d'avant en arrière. Sa tête allait exploser bientôt entre ses mains tant la douleur était insupportable. Il hurla. Hurla encore. Sa colère éclata. Puis, il suffoqua et s'effondra sur le sol.

Lorsqu'il ouvrit les yeux, il était plongé dans la pénombre. Il faisait nuit. Il était étendu sur le sol avec les coquerelles. L'une d'entre elles lui grattait la main. Il sursauta et se leva brusque-ment, en panique. Son crâne. Il ressentait une douleur si intense. En posant les mains sur sa tête, il se souvint.

Il réfléchit un instant. Puis recommença à tourner en rond. Après quelques minutes de récidive, il se figea. Il devait baisser la garde. La voix de Dieu, il ne l'avait pas entendue. Pas en ce jour du moins. Il devait donc, tout comme le Christ, prendre une sage décision par lui-même. La meilleure qui soit pour ses disciples. Pour le règne humain.

Il sentait à nouveau son sang couler dans ses veines. Le pou-voir. Il était revenu sans prévenir. Il était bel et bien là. Présent en lui. Il le ressentait de l'intérieur. La tête levée vers le ciel, les yeux fermés, les bras ouverts en forme de croix, le sourire aux lèvres, il inspira fortement, puis expira. Il recommença cet exer-cice à maintes reprises jusqu'à ce qu'il se sente prêt.

Il se dirigea vers la chambre. Il tassa le matelas avec force.

Et il ouvrit la trappe dissimulée, menant à la cave. Il était venu le temps d'affronter la peur, d'agir. Pour ce faire, il devait contempler son travail. Il devait se glorifier. S'assouvir de la foi, de la grâce de son maître. Le Seigneur.

Ce qui surprenait, ce n'étaient pas les montagnes d'ordures suintantes qui envahissaient ce minuscule endroit au plafond bas. Non. C'était le nombre d'objets religieux accrochés aux murs de ciment. Il était si fier de sa collection. Pages de la Bible, médaillons, crucifix, photos, tissus, lampions, cierges, images, cadres, morceaux d'étoles, chapelets, bijoux… Même des diffuseurs d'encens étaient suspendus au plafond. De plus, il avait soigneusement écrit des versets de la Bible sur les murs.

Mais ce qui le glorifiait davantage. Ce qui le plaçait à la droite de Dieu. Qui représentait son pouvoir. Un pouvoir ultime. Il le savait. C'était ce bocal qui reposait tout au fond des ténèbres, dans les profondeurs de la cave.

Il se retourna et regarda droit devant lui. Son cœur frappait dans sa poitrine. Il ressentit l'excitation et l'adrénaline qui transperçaient son corps en entier. Une jouissance que peu d'élus pouvaient atteindre. Il avança. Il s'arrêta près d'un interrupteur et appuya dessus. Il poussa ensuite sur une porte. Une ampoule suspendue au plafond grésillait dans la pièce. Elle finit par s'allumer. Il descendit les marches de bois fragilisées par le temps. Le silence régnait. Il aimait ce silence. Seuls des craquements sous ses pieds résonnaient dans ses oreilles. Il hésita avant de franchir la dernière marche.

Mais il reprit confiance. Il poursuivit sa cadence. Il appuya sur un second interrupteur se trouvant au bas de l'escalier. Là encore, une ampoule suspendue au plafond grésillait. Elle ne s'alluma pas correctement. Ce qui l'énerva. Il la frappa et la frappa à nouveau. À force de se balancer, elle finit par éclairer le cachot.

Celui qui serait surpris par l'ornement religieux qui se trouvait à la cave n'en reviendrait pas de voir le cachot situé à l'étage au-dessous. La plus grande partie de sa collection s'y trouvait. Il abritait dix fois plus d'objets et de parures mettant en valeur Dieu, la Bible, la foi. Il ne restait aucun espace libre sur les murs, ni même au plafond. Ce spectacle magnifique l'éblouissait, lui procurait tant de plaisir, de jouissance. Il en ressentait des frissons sur les bras. Un courant électrique lui transperça le corps. Il se nourrissait, se glorifiait devant ce délire fanatique.

L'air était froid, humide. C'était exactement cet état qui devait prévaloir pour maintenir un climat favorable à la conservation du don. Du don de Dieu. Celui de la vie. La vie pure, saine. Il s'approcha tranquillement du bocal. Il lui paraissait plus énorme que dans ses souvenirs. Bien qu'il en ait fait usage il y avait de ça pas très longtemps. Quelques jours ou semaines tout au plus. Sa mémoire faisait défaut.

Le liquide qui le remplissait était si flou. Avait-il négligé l'entretien du bocal? Il lui sembla que non puisqu'il avait suivi la recette de conservation à la lettre. Cela devait être normal. Il ne devait pas s'inquiéter. Et arrêter de se gratter les bras ainsi en tournoyant sur lui-même. Il était organisé. Il avait pris son temps.

Il reprit le contrôle de son corps rapidement en se raidissant aussitôt. Son nez se situait à moins de trois centimètres du bocal. Il l'observait. Il était émerveillé. Dieu devait être si fier de lui. Pourquoi en serait-il autrement? Il se gratta néanmoins encore le bras nerveusement en songeant à ce qu'il avait fait. Il essaya de se convaincre. Il avait agi selon la volonté de son maître. Ce qui l'aiderait à obtenir le pardon pour sa mère. Pour toutes ses années de désobéissance. Il lui devait bien ça, car elle lui avait permis de naître. Permis d'être à présent le bras droit de Dieu.

Mais elle avait failli. Tant de fois. Il avait honte. Tellement honte de n'avoir pu arrêter ce supplice. Un supplice qu'il ne souhaitait pas se remémorer ni nommer. Il n'était pas prêt pour ça. Pas prêt du tout. Ça le rendait encore trop nerveux et malade de songer aux péchés de sa mère.

Il désirait lui pardonner. Mais pour être en mesure de lui accorder son pardon, et que Dieu soit prêt à son tour, il devait se consacrer à la tâche. Faire des sacrifices. De très gros sacrifices. Mais combien il serait récompensé. Il permettrait de redonner une place à sa maman au paradis. Ou du moins dans les cieux. Et toutes les mères du monde seraient forcées de donner naissance. Sa maman lui avait donné naissance. Elle lui avait permis de vivre à lui. À lui. À lui seul. Pas aux autres. Non pas aux autres. Il se gratta encore et encore. Il saignait. Encore. Son sang le tacha. Il se redressa et reprit le contrôle.

Il devait maintenant agir. Pour ce faire, il lui restait beaucoup de préparation. Beaucoup d'organisation. Il regarda le bocal une dernière fois. Il pria pour les âmes du purgatoire. Il fit un signe de croix. Puis, ses yeux quittèrent le bocal pour se diriger vers son laboratoire. Oui, il était maintenant temps de passer à l'action de nouveau. Mais Dieu le guiderait. Son père le guiderait.

Chapitre 12

Fausse route

7 h. Tel que je venais de le convenir avec mon chef de pupitre, j'organiserais une entrevue avec Julia Lewis. Mais avant de procéder, je décidai finalement d'entreprendre la journée en téléphonant à Ryan Beckham afin d'aller aux sources, au cas où je pourrais mettre la main sur des informations cruciales en primeur.

— Ryan ?

— Holà ! Mais c'est notre sublime Lily-Rose ! Ouais, je ne me souvenais même plus de notre collaboration et à peine de toi tellement ça fait un bail qu'on ne s'est pas parlé ! répondit le policier du FBI.

— Bon, ça va ! Te sens-tu vraiment obligé de te plaindre chaque fois que l'on s'adresse la parole ? T'es comme ça avec toutes les femmes ? Y en a une qui t'a fait souffrir ? Donc t'en veux à toutes les jeunes femmes de ce mond... n'eus-je le temps de terminer.

— Woohooo ! C'est bon, je lève le drapeau blanc ! Allez, raconte à présent. Non, stop. Pourquoi ne pas discuter avec un bon chocolat chaud à la main tout en se promenant dans Central Park par cette belle matinée ? proposa-t-il. Ça tomberait bien puisque je dois me taper de la paperasse et des rapports au bureau, ce que je déteste !

— Bon, OK, j'accepte. Laisse-moi le temps de me préparer, et je dois aussi voir avec Julia Lewis si elle a le temps de m'accorder une entrevue. Alors, si on se rejoignait à 9 h 30 à l'entrée du zoo comme la dernière fois ?

— Je comprends que tu désires prendre du temps pour te mettre jolie pour moi. Mais blague à part – car c'était une blague Lily-Rose – je vais te décevoir, mais je te confirme que Julia est à l'extérieur du pays. Elle est au Canada et elle revient ce week-end. Une affaire de congrès où elle est conférencière.

— Merde ! Merci pour le renseignement ! Je lui laisserai un message. On se rejoint à 9 h 30, répétai-je à Ryan, qui m'assura qu'il serait au rendez-vous avec quelques infos croustillantes à me donner en échange de celles que je m'apprêtais à lui livrer.

Ce n'était pas mon jour de chance ; après m'être fait avoir sur le sujet de la sécurité médicale, mon plan B venait de tomber à l'eau. J'espérais que les infos que l'enquêteur du FBI me livrerait pourraient combler le vide. Je devais au moins fournir un court article au journal.

Je fis un appel à mon chef de pupitre afin de lui faire part de la situation. Je lui indiquai mes intentions tout en le questionnant à savoir s'il aurait préféré que je trouve un psychiatre ou un profileur en remplacement de Julia Lewis. Il me souligna que la collaboration établie avec cette dernière était sacrée pour le journal. Aux risques de se faire doubler par les autres médias, il préférait attendre son retour plutôt que de la perdre au détriment d'un de ses compétiteurs.

Elle était la meilleure dans son domaine à New York, me rappela-t-il. Il me commanda ainsi un texte sur ce que j'apprendrais sous peu de la bouche de mon collaborateur du FBI. En terminant la conversation, John me taquina en me prévenant qu'il était un séducteur aux mains longues et qu'il savait très bien user de son charisme. Je le rassurai sur mes intentions. Je me contenterais de me satisfaire avec les yeux.

Avant de partir, je laissai un message à Julia Lewis pour lui faire part de ma requête d'entrevue en lui demandant de me rappeler à son retour à New York. Puis, je mis mon cardigan de style militaire, un gros foulard et des bottes cuissardes que j'étirai sur un jeans. Mon sac sur l'épaule, je me dirigeai vers la porte en prenant soin de me regarder quelques instants dans le miroir de l'entrée. Je levai les yeux au ciel en pensant que j'essayais de plaire à ce Ryan Beckham. Je me ressaisis. Il n'était pas question de tomber dans le piège.

9 h 30. J'approchai de l'entrée du zoo avec une certaine nervosité que je ne pouvais retenir. C'est assez ! me disputai-je. Le criminologue était déjà arrivé. J'apercevais sa silhouette au loin. Il semblait tenir quelque chose dans les mains. Je me sentis rougir. Je respirai, tout en me convainquant que je devais rester professionnelle ; j'étais là pour une affaire de meurtre après tout. Je me tenais à présent à ses côtés avec une attitude des plus sérieuses.

— Bonjour Lily. Joli rouge à lèvres. Rouge vif. J'adore ! Très belles lèvres aussi. Pas mal du tout ! Ah, tiens, un chocolat chaud comme promis ! Alors ça va ? me lança-t-il.

Je ne pus me retenir d'éclater de rire.

— Quoi ? Je te fais rire ? Mais qu'est-ce que j'ai encore dit de travers ? Quoi ? Arrête un peu et prends ton chocolat chaud.

— Désolée, t'es trop drôle, admis-je en saisissant le verre. Tu te ferais n'importe qui ou quoi ? OK, désolée, désolée ! Je ne dis plus rien, repris-je en balayant ma main gauche devant moi en signe de paix.

— Tu trouves que t'es n'importe qui ? C'est la seule estime que t'as de toi ? Et tu crois sincèrement tout ce que l'on raconte à mon sujet ? Ouais, c'est vrai que je suis un charmeur, mais pas un idiot ! T'es pas mieux, à ta réaction, je vois bien que t'es célibataire. Tu ne me feras pas croire que tu baises jamais ou que t'as pas d'espoir ? Bon, assez les conneries ! De toute façon, t'es peut-être jolie, mais pas mon genre du tout, comme je t'ai déjà dit. Alors, t'inquiète pas, je ne te toucherai pas une fesse, même dans tes rêves.

— Ouais, célibataire. Mais pour moi non plus, t'es pas mon genre. Pas laid, mais sans plus. Donc, aucun danger que je te frôle, ne serait-ce qu'un bras. Alors tu le lâches ce chocolat chaud, le relançai-je tout en tirant sur le verre qu'il retenait de plein gré en me dévisageant.

— Pourquoi m'as-tu contacté, Lily ? Raconte-moi. Tout en marchant, si tu veux maintenir tes fesses fermes.

Je pris une gorgée de chocolat chaud tout en me tournant les yeux à l'envers, sans en ajouter. Nous marchâmes enfin. Je lui décrivis ma visite à l'archidiocèse et ma rencontre avec le père Julius Cristiano. Il me félicita pour mon article, qu'il avait aimé. Un compliment qui me surprit. Je l'acceptai. J'en vins au point culminant de mon histoire : le registre. Il me félicita une seconde fois en moins de quelques minutes. Il était visiblement de bonne humeur.

Il se mettrait au travail pour décortiquer ce registre dès qu'il y aurait accès. Il espérait pouvoir en retirer des indices intéressants, mais il s'agissait là d'une analyse qui s'avérerait ardue. Il pourrait s'écouler des semaines avant qu'il ne soit enfin sur une piste. Ce que j'avais peine à m'imaginer. Je lui laissai les coordonnées d'Angélique Stewart en lui précisant qu'elle allait peut-être lui mener la vie dure.

De son côté, le policier Beckham m'informa que son enquête avançait lentement mais sûrement. Déjà, il avait pu éliminer hors de tout doute les collègues de Tamara De Los Angeles. Larry Robinson et lui avaient passé au polygraphe et questionné une trentaine de ceux-ci, compte tenu de la pression populaire. Ils n'avaient vraisemblablement rien à voir avec sa mort. Au cas où, l'enquêteur en chef du NYPD avait tout de même décidé de pousser l'investigation plus loin en passant quelques jours au Musée d'histoire naturelle afin de questionner davantage le personnel dans l'espoir de découvrir des indices.

Par ailleurs, au même moment, ce dernier devait se trouver face à face avec la mère de Loïc De Los Angeles. L'enquêteur Beckham me promit que notre acolyte, ou lui, me ferait un compte rendu de la rencontre dès qu'elle serait terminée, aux fins de mon article du jour. L'objectif de la rencontre était d'approfondir la relation tumultueuse des De Los Angeles au cours des dernières semaines et d'identifier d'éventuels suspects chez les proches du couple. Mais rien pour l'instant ne portait à croire que l'époux de la victime était mêlé à toute cette histoire. Ce qui ne m'étonnait pas. Même si je ne pouvais en expliquer les raisons, il m'était impossible d'imaginer qu'il pouvait être coupable. Il possédait cette lueur de bonté au fond des yeux, tout en dégageant une aura particulièrement saine.

La mère de Loïc De Los Angeles était le seul membre de la famille qui vivait une relation rapprochée avec Tamara et Loïc. Le père de ce dernier, son frère et sa sœur vivaient en Haïti. Pour ce qui était de Tamara, son père, sa mère et sa sœur étaient décédés dans un accident de voiture. Il fallait croire qu'ils étaient tous prédestinés à vivre une fin tragique.

Les enfants du couple, pour leur part, ne seraient pas questionnés pour le moment. Ils étaient traumatisés par la mort de leurs parents. Divers professionnels liés à la santé mentale essayaient de les soutenir. Et le NYPD les suivait pas à pas pour leur sécurité. Ce qui représentait un énorme traumatisme pour de si jeunes personnes.

J'enregistrais tout ce que me racontait mon acolyte en poursuivant notre marche, tout en savourant lentement mon chocolat chaud. Alors que je croyais qu'il avait terminé de me faire part des derniers détails de l'enquête, il me dévoila un indice que je trouvai des plus intrigants.

Hannah Polanski, la médecin-légiste, avait continué d'analyser les objets trouvés sur les lieux du crime, soit le crucifix, le chapelet et le message que contenait le crucifix. Grâce à divers tests, mesures et comparaisons, dont je ne comprenais pas les aspects techniques et cliniques décrits par le criminologue, elle avait découvert que ces objets provenaient d'un lieu surprenant. En fait, des techniques médico-légales avancées lui avaient permis de relever des substances biologiques microscopiques révélant qu'ils provenaient d'un endroit anormalement humide et insalubre. Des particules noires et verdâtres s'étaient incrustées dans la matière du crucifix et du chapelet. Il s'agissait de moisissures ainsi que d'excréments d'insectes et de rongeurs.

Le tueur les avait pourtant soigneusement lavés à l'aide de détergents puissants. Mais ils étaient si détériorés par la crasse qu'il n'avait pas été en mesure de les nettoyer en profondeur. Hannah Polanski avait aussi détecté que certaines particules semblaient encore toutes fraîches. Elles remontaient à quelques jours. Ce qui voulait dire que ces items se trouvaient encore dans un endroit insalubre dans un passé fort rapproché. Nous pouvions donc supposer que soit le tueur demeurait dans un lieu incroyablement infesté, soit il avait caché les objets dans le fond d'un hangar, d'un édifice désaffecté ou tout autre bâtiment laissant place à une moisissure intense, aux rongeurs et aux coquerelles.

Il était difficile de mettre le doigt sur la réponse pour l'instant. Et il était impossible pour le FBI et le NYPD de fouiller tous les endroits potentiels où auraient pu être cachés ces objets en espérant trouver des traces intéressantes. Il était encore moins possible d'obtenir un mandat et d'enquêter dans tous les taudis de la Grosse Pomme. Il s'y trouvait de si nombreux coins sombres et insalubres.

Par contre, le policier Beckham m'expliqua que cette trouvaille nous aiderait pour la suite des choses si l'on croisait cette donnée avec d'autres informations. Cela permettrait ainsi au FBI et au NYPD d'établir une carte des lieux potentiels où pouvait agir le tueur. Cette carte prendrait forme sous peu, selon lui. Il y travaillait avec la collaboration d'un spécialiste en géographie.

— Un spécialiste en géographie ? « Ça mange quoi ça en hiver », mon cher Sherlock Holmes ? questionnai-je le criminologue en levant un œil en coin.

— « Ça mange quoi en hiver ? » C'est une expression du Québec que t'as traînée avec toi dans tes bagages ? Ouain, ben je suppose que ta question concerne le rôle exact de cet expert. Moi qui pensais dur comme fer – une expression utilisée par plusieurs citoyens du monde – que tu savais tout sur tout ! Eh bien, en voilà une surprise ! se moqua-t-il sous mon air désapprobateur. Son rôle est de déterminer le profil géographique du tueur en considérant le facteur espace-temps. Ainsi, on peut cibler l'endroit où il a le plus de chances de se trouver dans la vie quotidienne. Que l'on parle de son travail, de son domicile, ou même de ses activités diverses. Je te dirais que c'est assez efficace, du moins lorsqu'il y a meurtres en série. Malheureusement, il faudrait donc que L'Avorteur récidive pour ce faire. Alors, en considérant ton air qui dit « ouain, mais ? », je vais te clarifier cette théorie. Notre spécialiste en géographie appliquera une formule mathématique en croisant des caractéristiques des lieux du crime avec les indices trouvés. Par exemple, notre cas de moisissure pourra lui venir en aide. Mais d'autres indices également. Alors on sait que le cadavre était encore assez frais lorsqu'il a été découvert et qu'il a été traîné à l'endroit où il se trouvait dans Central Park. Si l'on calcule le temps que le tueur a pris pour tuer sa victime, pour procéder au déplacement du corps sans se faire prendre et au dépôt de celui-ci où il a été retrouvé, selon certaines statistiques scientifiques, on peut déjà délimiter un périmètre. Notre expert a déterminé qu'il n'avait pu partir de très loin. Dans ce cas-ci, on croit qu'il aurait opéré dans la ville de New York. Sans aucun doute. Or, il y en a du monde ici et des recoins. Ce périmètre est trop ardu pour le moment. Mais il représente une certitude. Ça paraît facile et banal, tout cet exercice, mais nous devons tout étudier de façon scientifique.

Ryan ralentit le pas et se passa une main dans les cheveux, puis il but quelques gorgées de son chocolat chaud avant de poursuivre. Je le fixai avec impatience. Il me sourit et reprit où il en était dans ses explications.

— Et je n'ai pas fini mad'moiselle ! Ne me bombardez pas de questions sur-le-champ, mon cher Watson ! Je continue. En plus de définir un périmètre, notre expert en profil géographique nous en a dévoilé un peu plus long sur notre tueur ! Il nous a indiqué qu'il aurait utilisé au moins un véhicule pour déplacer le corps de Tamara. Ainsi, il est organisé. L'organisation est un facteur important pour nous. Ça nous aide à cerner le type, tu vois ? Si la victime était morte sur les lieux du crime, il aurait été plutôt désorganisé. Qu'est-ce qu'on en a à faire, tu te dis ? S'il est organisé, on peut en déduire presque assurément qu'il avait un mobile. S'il détenait un mobile, il possédait peut-être des motifs liés à celui-ci. Et s'il avait des motifs, cela peut laisser supposer qu'il a vécu un événement déclencheur. Ce déclenchement peut être la cause. La cause, elle, peut nous mettre sur une piste. Mais vous connaissez déjà la théorie du déclencheur, mon cher Watson, pour l'avoir partagée avec vos lecteurs grâce à Julia. J'avoue qu'avec cette théorie, tu misais assez juste. Or, il nous faut encore plus de faits. Toi, tu flaires des pistes, tu fais des suppositions. Nous, nous élaborons un profil, nous analysons les circonstances et nous émettons des hypothèses basées sur du concret. Dans ce cas, on appuie tes théories, on dirait bien. Donc, notre spécialiste confirme nos suppositions, tout en nous en révélant un peu plus, termina Ryan Beckham.

— Notre tueur agit ou demeure dans un endroit très insalubre de New York. C'est un nouveau fait intéressant. J'admets ! Notre périmètre de recherche vient d'être drôlement réduit également. Je veux dire votre périmètre de recherche, à vous les policiers, corrigeai-je sous le regard méfiant de mon interlocuteur. Ouais, très intéressant ! D'autant plus qu'on sait qu'il est assez intelligent, mais peu instruit si l'on se fie à son *modus operandi*. Il n'a laissé aucune trace d'ADN ; un coup de génie ! Alors qu'il est très difficile de se procurer des outils chirurgicaux, lui, il en possède au moins un. À l'opposé, son message satanique était rempli de fautes. Ce qui signifie qu'il a peu d'instruction. Si on se fie aux lacérations mal taillées sur le corps et à la procédure médicale qui manque de finition, il n'est ni médecin, ni chirurgien, ni même infirmier. Si on tient compte de tout ça, son manque d'instruction n'est pas lié ici à un désintérêt face à l'éducation puisque notre homme semble fort intelligent. Qu'est-ce qui fait donc en sorte qu'il puisse être moins instruit selon toi ? questionnai-je avec plaisir.

— Beau compte rendu ! Ouais, ouais, ouais, je vous aime de plus en plus, mon cher Watson ! Alors la réponse est : sa famille était trop pauvre pour lui payer des études. Et vlan !

— Et une famille pauvre – sans préjugés – vivra probablement dans des lieux réduits au strict minimum, répliquai-je. Si t'as pas d'argent à New York, tu vis où ? Dans un lieu infect, insalubre, dans la rue, ou bien tu cours d'un refuge à un autre. Je pense qu'il est fort probable que ce maniaque agisse sur les lieux de sa résidence. Une résidence infecte. De plus, si tu réfléchis un peu, mon cher Sherlock Holmes, s'il est malade au point de tuer de façon si horrifiante, c'est qu'il a sûrement connu une vie de merde qui l'a affecté. Il a vécu lui-même des événements épouvantables. En ce sens, la dernière chose qu'il ait vécue d'horrible l'a peut-être mené à tuer Tamara, continuai-je. Mais quel est ce déclencheur ? Tu as lu mon entrevue avec Julia Lewis : elle est persuadée que ce type a des sentiments. Alors le déclencheur lui a fait beaucoup de peine, j'en mettrais ma main au feu. Qu'est-ce qui peut causer une peine si intense pouvant être, du même coup, liée à ses convictions en rapport à l'avortement et la naissance ? exposai-je.

— Non, mais tu opères ce matin ! Je dirais que pour moi, le pire événement qui pourrait m'arriver, c'est que l'un de mes proches soit gravement malade ou qu'il meure.

— C'est exactement ça. La mort. Quoi de plus atroce ? La mort. La mort de qui ? Un parent, un ami, une épouse, un enfant ? Serait-il possible pour le FBI et le NYPD de mettre en perspective tous les décès survenus au cours des derniers mois des New-Yorkais qui vivaient pauvrement dans des lieux insalubres ? T'imagines comment on pourrait se rapprocher de L'Avorteur si mes déductions s'avéraient exactes ! formulai-je.

— Ouais, mais toutes tes déductions ne sont que des suppositions ! Ni le FBI, ni le NYPD n'accepteront de miser sur cette piste en se fiant à tes éléments, pas plus qu'aux miens. Nous devons obtenir davantage de preuves. Puis, combien de personnes décédées recenserions-nous ? Des centaines, des milliers ? Je dois déjà examiner le répertoire de l'archidiocèse qui s'annonce d'une grande complexité.

— Je comprends, répondis-je tout en réfléchissant à une autre possibilité. Mais si tu demandais à ceux qui te paraîtront suspects dans ce répertoire s'ils ont vécu la mort d'un proche récemment, tout en les questionnant sur leur lieu de résidence ? proposai-je.

— Je te suggère de t'en tenir à tes potins de journaliste et de me laisser effectuer mon enquête en paix ! Je sais pertinemment ce que je dois faire ou ne pas faire, OK ? En parlant de journalisme, pas question que tu déballes l'ensemble de nos discussions dans ton journal pour l'instant. Tu nuirais à l'enquête. Je serais, Larry serait, le FBI serait, et le NYPD serait en furie ! Est-ce que t'as bien compris, là ?

— Quoi ? Ça va pas ! Je dois sortir une primeur aujourd'hui, sinon mon chef de pupitre m'arrachera la tête ! On avait bien marchandé le répertoire de l'archidiocèse contre quelques infos intéressantes, non ?

— OK, disons qu'un marché est un marché. Mais tu ne veux pas tout compromettre, j'espère ? Alors, fais preuve de discernement ! Tu me fais lire ton article et je t'autorise à publier, me dicta l'enquêteur du FBI.

— Hein ? Quoi ? Pas question ! Tu m'entends ! Non et non ! m'écriai-je tout en accélérant le pas, les bras dans les airs.

Je marchai de plus en plus vite dans Central Park en direction de mon studio. Je n'avais pas la tête à affronter mes collègues du journal. Je venais de me faire doubler sur le dossier de la sécurité dans les hôpitaux. Julia Lewis n'était pas disponible avant le week-end pour une seconde entrevue. Je venais de me faire avoir avec Ryan Beckham. Et pour couronner le tout, je n'avais aucun article à pondre.

Mon collaborateur me suivait tout en me priant de l'attendre. Il me rattrapa. Il me supplia de lui pardonner et m'offrit un dîner en guise de compensation. Je refusai son offre et poursuivis sur ma lancée. Il ne broncha pas pour autant et continua sur la sienne lui aussi. Après un ou deux kilomètres de mise en forme, j'arrivai face à mon immeuble. Je stoppai ma cadence net et me retournai vers mon pot de colle. Je lui fis un signe d'au revoir en lui indiquant que j'étais arrivée à la maison et que j'avais du pain sur la planche. Je lui soulignai que je le contacterais une fois mon article terminé. Si le cœur m'en disait.

Il revêtit son éternel sourire de satisfaction fatigant. En plus, il osa me demander si je l'invitais à monter pour visiter ma demeure. Ce qui m'incita encore une fois à refuser fermement sa demande. Il se mit à rire en me signalant qu'il adorait mon sale caractère et qu'il attendrait donc de mes nouvelles. Il se retourna, marcha en direction inverse et leva la main afin de me saluer. Quelques secondes plus tard, mon cellulaire vibra, ce qui me fit penser que c'était assurément lui qui n'avait pas encore dit son dernier mot pour m'ennuyer.

— Quoi encore Ryan, tu arrêtes un peu ou… n'eus-je pas le temps de finir.

— Ouf ! Je vois que vous venez de terminer votre rendez-vous avec Ryan, supposa Larry Robinson.

— Désolée, Larry. Eh oui, vous avez raison. Comment faites-vous pour tolérer ce Ryan ?

— Ne vous en faites pas trop. Il vous aime bien, c'est tout. C'est un bon gars malgré les apparences et un expert hors pair. Vous ne trouvez pas qu'il est quand même un peu charmant ? Non ?

— Bon, passons pour les commentaires. Que se passe-t-il, Larry ? J'allais rentrer à la maison pour écrire un énième article sur L'Avorteur. Ou plutôt pour chercher quoi écrire étant donné ma journée, qui ne m'a rien rapporté de bon ! En plus, il est déjà 11 h, je dois m'empresser, sinon mon chef de pupitre sera en furie contre moi.

L'enquêteur en chef du NYPD m'indiqua qu'il souhaitait me faire part de sa rencontre avec la mère de Loïc De Los Angeles, tel que convenu. Il avait trouvé en cette femme un être de bonté pure, d'une générosité sans limites. Elle s'était donné comme mission de prendre soin de sa famille. La seule qui lui restait. Bien malgré lui, il avait dû lui demander de se soumettre à un polygraphe. Elle avait accepté sans broncher. Il lui avait donc fait subir le test avec une certaine amertume. Mais elle s'en était sortie de façon exemplaire. Finalement, rien ne portait à croire qu'elle pouvait être impliquée dans la mort de sa belle-fille ou de son fils d'une quelconque façon.

Larry avait poursuivi son interrogatoire avec elle malgré tout afin d'en connaître un peu plus sur la vie personnelle de la famille De Los Angeles. Il avait espoir de découvrir un indice pouvant le faire avancer dans son enquête. Ce qui s'était avéré un succès puisqu'il avait réussi à lui soutirer un fait intéressant.

Tamara De Los Angeles devait se faire avorter au Westside Women's Medical Pavilion. Il s'agissait là d'une clinique médicale privée qui lui avait été recommandé par l'une de ses collègues dont l'époux y travaillait comme adjoint administratif. Même s'ils n'étaient pas très riches, ils voulaient s'assurer de la plus grande discrétion possible. Sans même que mon collaborateur m'en dise davantage, je compris qu'on pouvait maintenant associer la victime à un lieu potentiel de rencontre avec son agresseur. Ce qui signifiait que le portrait du tueur et de son environnement se définissait.

— Mais je voulais vous suggérer de garder l'info, pour l'instant. Cela me permettra d'y mettre les pieds afin de flairer une piste. En attendant que Ryan ou moi puissions obtenir un mandat de la cour nous autorisant à interroger le personnel. Un centre médical est tenu à la confidentialité. Il vaut donc mieux prendre plus de précautions que pas assez. Je veux interroger tous les médecins, infirmiers, et leurs adjoints. Tous. On tient peut-être là une piste intéressante. Je ne soupçonne pas nécessairement l'un d'eux d'être impliqué, mais je crois du moins qu'on pourrait apprendre des faits intéressants sur Tamara De Los Angeles et son entourage.

— Mais qu'est-ce que vous avez tous aujourd'hui ? Si je ne peux rien révéler, je fais quoi, moi, pour alimenter mon lectorat, nom de Dieu ? Ryan m'a fait le même coup !

— Lily-Rose, le journalisme, c'est aussi une enquête, non ? Vous devriez savoir ça depuis le temps. Vous n'avez pas déjà gagné un prix prestigieux ? Tout vient à point à qui sait attendre ! Vous retenez trop de frustration contre L'Avorteur. Ce qui vous pousse à mettre la charrue devant les bœufs. Relaxez ! On fait du bon travail ! Je vous assure que tant du côté du NYPD que de celui du FBI, nous vous laisserons la primeur. Vous avez prouvé que vous pouviez nous être utile autant que Georges l'a été pour nous depuis des lustres. Alors, ça va ! Ne vous inquiétez pas ! me rappela à l'ordre le policier Robinson.

Je le remerciai de sa confiance, tout en admettant que tout ça me stressait au plus haut point. Je lui mentionnai qu'il y avait un peu plus d'un an, j'avais vécu une horrible tragédie ayant complètement bouleversé ma vie jusqu'à sombrer dans une dépression profonde. Qu'ainsi, j'avais pris la décision de repartir à zéro en venant m'établir à New York. Je poursuivis en lui expliquant combien mon destin au journal avait pris une autre direction. Je lui indiquai que je me sentais souvent seule, loin de ma famille, de mes amis et de ma terre natale. Et que toute cette histoire de meurtre sordide me mettait une pression énorme sur la tête. Sans compter que je devais faire mes preuves au bureau. Je lui admis aussi que je me sentais complètement dépassée par tous les événements qui se bousculaient dans ma vie. Ce qui me faisait perdre mes moyens et oublier la procédure à utiliser pour parvenir à mes fins en tant que journaliste.

Je conclus en concédant qu'il avait raison sur le fait que je devais me contrôler, reprendre le dessus. Le public ne devait pas tout savoir à tout prix. D'autant plus que ça serait peut-être l'accalmie dans les médias au cours des prochaines semaines. À moins qu'un journaliste futé ne tombe sur une piste incroyable. Au moins, mes deux acolytes du NYPD et du FBI se faisaient un devoir de maintenir leur collaboration avec le *New York Today Journal*. Ce que j'appréciais grandement, étant donné que cela me facilitait la tâche.

L'enquêteur en chef du NYPD me pria de me calmer et de cesser de m'apitoyer sur mon sort. Sur ce conseil, je ressentis soudainement un malaise en pensant que je venais de me confier à un inconnu, un collaborateur. Qu'est-ce qui m'arrivait ? J'essayai de me déculpabiliser en me disant que j'avais simplement eu besoin de vider mon sac. Et que Larry Robinson, en bonne figure paternelle, était là au bon moment.

Mon acolyte poursuivit en me suggérant de passer en revue mes propos avec l'enquêteur Beckham afin de voir s'il pouvait en résulter un article intéressant malgré les interdictions de divulgation. Au bénéfice du NYPD et du FBI, il me demanda ensuite de vérifier les nombreux commentaires et courriels que le journal recevait depuis le début de cette affaire, à la recherche d'indices.

Comment avais-je pu négliger d'effectuer cette vérification ? me désolai-je. Le webmestre devait avoir retenu des tonnes de messages à ma demande dans un fichier. Un fichier qui devait être énorme à présent. Je mis rapidement fin à la conversation avec mon interlocuteur afin de passer à l'action.

Je montai à toute vitesse l'escalier de mon immeuble. J'entrai et, après avoir retiré mon manteau, je me précipitai vers mon portable. J'écrivis un courriel au webmestre afin de lui demander de placer le fichier des messages retenus pour moi dans mon dossier intranet. J'y aurais ainsi accès à distance. Je ressentais un besoin de solitude. Je travaillerais donc dans mon studio pour les prochains jours. À moins que John ne m'oblige à faire acte de présence au bureau. Ce qui m'aurait surprise.

En attendant de pouvoir faire le tri des messages et des commentaires émis sur le portail, je démarrai ma cafetière et préparai une carafe de huit portions. Je m'assis à l'îlot et je sortis mon cellulaire afin de réécouter en rafale mon enregistrement de la conversation que j'avais tenue plus tôt avec Ryan Beckham. Je voulais avoir la certitude qu'il y avait ou non – selon notre entente – matière à écrire un article avant d'appeler mon chef de pupitre pour lui faire part de mon changement de direction.

J'enrageais. Comment dire ceci sans dire cela ? Et cela sans dévoiler ceci ? C'était beaucoup trop complexe pour songer à faire de mon entrevue avec le criminologue du FBI un bon article. Je le sentais. C'était comme ça. J'avais démarré la journée dans l'incertitude et elle allait se terminer de façon abrupte. Je créai un nouveau document sur mon portable nommé « 28nov.entrevueRyanLarry ». J'y insérai tous les faits les plus intéressants de mes discussions avec les deux policiers sous forme de liste à puces et de citations. Il me serait fort utile le jour où mes acolytes me donneraient le OK pour publier ces informations en entier.

J'en étais à parfaire les derniers détails lorsque mon chef de pupitre me contacta. Je lui fis part de la situation : j'étais prise avec deux entrevues « à micro fermé » entre les mains. Il me conseilla de lâcher prise. Il m'encouragea plutôt à m'attarder aux nombreux commentaires accumulés de mes internautes afin de décortiquer tout ce désordre.

Après ma conversation, je fis une pause pour le lunch et je dégustai une pizza cuisinée maison, tout en pitonnant sur la manette de la télévision. Ce qui me mit royalement en colère en écoutant les nombreux reportages concernant la sécurité dans les hôpitaux. Je me situais loin de la ligne de front. Plusieurs journalistes m'avaient devancée. Je n'osai même pas poursuivre ma tournée des médias en ligne et radiophoniques. Quel désastre ! Sans compter les nombreux journaux qui aborderaient le sujet fièrement en une le lendemain. Mais John jugeait bon de se retirer pour l'instant en ne précipitant pas les choses. Il devait avoir raison. Je m'affalai sur mon sofa et fermai la télévision. Je relaxais enfin !

Après cet instant de détente et juste avant de plonger tête première dans les commentaires des internautes, je sortis prendre une marche de santé pour me changer les idées, sans cellulaire ni appareil-photo. Je m'enveloppai dans ma veste en duvet et calai mon bonnet de laine sur mes oreilles. L'air était frisquet, le ciel gris et le paysage glacial. Finalement, ma promenade s'était éternisée. J'avais vagabondé de boutique en boutique, dépensant de jolies sommes pour consommer ma détresse. Mon magasinage m'avait ensuite guidée tout droit chez Eataly. Je m'étais donc retrouvée assise au bar de l'un des comptoirs italiens qui ornaient le marché. Comme d'habitude lorsque j'avais besoin de réconfort, je me commandai une assiette de viandes séchées et fromages fins accompagnée d'un ballon de vin rouge. Tout en dégustant mon festin, je feuilletai quelques magazines de cuisine achetés sur place pour me changer les idées.

19 h. Merde ! 19 h s'affichaient sur la grande horloge décorant l'un des murs. Je payai ma facture au serveur et je me levai de mon tabouret sur lequel j'étais assise depuis deux bonnes heures. Les quatre verres de vin que je venais de boire beaucoup trop rapidement faisaient leur effet.

Encore une fois, j'avais oublié ma sagesse à la maison. Mais sans aucun remords. Je ressentais le besoin de me retrouver seule dans les moments difficiles. Je sortis d'Eataly sous le sourire amusé de mon serveur, avec mes cinq sacs remplis de mes folles dépenses, qui me coupaient les bras. Je ne pus m'empêcher de rire bêtement de moi-même en réponse au serveur. Il était assez charmant, mais un peu jeune pour m'émoustiller. Une image de Ryan Beckham me vint soudain à l'esprit. Une image que j'effaçai rapidement de ma tête.

Étant donné que je me situais à plusieurs kilomètres de marche de chez moi, je pris un taxi pour le retour. Peu de temps s'était écoulé et le chauffeur m'indiqua déjà que nous y étions. Comment avais-je pu fermer l'œil durant un si court trajet ? Le vin. Il sortit du véhicule et m'ouvrit la porte. Il saisit mes sacs et les rentra à l'intérieur de l'immeuble. Lorsqu'il ressortit, je lui payai ma course et y ajoutai un pourboire de cinq dollars pour sa gentillesse bien calculée.

Je pénétrai dans mon studio. Je déposai mes sacs sans même les défaire. Je me dévêtis, puis je me dirigeai vers mon bureau de travail où j'avais laissé mon cellulaire. Lorsque je vis une lumière rouge clignoter, j'appuyai sur le bouton d'ouverture. L'écran indiquait que j'avais trois nouveaux messages. Avant de les écouter, je pitonnai sur mon appareil afin de me rendre dans ma boîte de courriels. Elle affichait 18 nouveaux messages. De quoi me jeter par terre. Je le tirai sur le sofa. Et je me dirigeai vers le coin de mon studio faisant office de chambre, tout en me déshabillant. Une fois nue, je me blottis sous les couvertures, oubliant tous ces messages. Oubliant toute cette mauvaise journée…

Chapitre 13

La récidive

Dimanche 2 décembre. La sonnerie de mon cellulaire me fit sur-sauter dans mon sommeil. J'avais l'impression qu'elle faisait partie de ma rêverie. Je me concentrai pour écouter tout en me relevant sur les coudes dans mon lit. Plus un son. Je fixai mon réveil qui affichait 4 h 16 du matin. Je me questionnai à savoir quel jour nous étions. Trois jours venaient de s'écouler sans que je puisse sortir de primeur dans le journal, au détriment de mes compétiteurs. Je stagnais dans mon enquête. En plus, je m'étais fait réprimander par mon rédacteur en chef au lendemain de ma petite tournée chez Eataly. Il m'avait reproché de ne pas avoir répondu à ses courriels et appels et de ne pas avoir transmis à mon chef de pupitre le suivi des 368 courriels des internautes. Ainsi, il m'avait mise au repos forcé pour quelques jours, sans me donner le nombre exact de congés obligatoires. Il s'agissait d'une sorte de suspension, d'un avertissement pour mon inconduite.

J'avais complètement perdu la notion du temps après m'être réconfortée à nouveau auprès d'une bouteille de merlot la journée suivante, et la suivante ainsi que celle d'après. Selon mon calcul, nous devions être dimanche, jour du Seigneur. Je me sentais embrouillée. Comme la sonnerie ne s'était pas répétée, je me cachai sous les draps et refermai les yeux aussitôt.

Alors que je venais à peine de m'assoupir, un incroyable

vacarme me sortit à nouveau de mon sommeil. Cette fois-ci, le bruit persista et m'apeura. On cognait de façon enragée à ma porte. 4 h 45. Je fus surprise de m'être replongé dans un profond sommeil si rapidement. En me rapprochant de l'entrée, mon nom retentit derrière les murs jusqu'à mes oreilles. Je me tournai pour saisir mon pyjama posé sur une chaise. Tout en m'exécutant, je crus entendre mon nom à nouveau à travers le brouhaha.

— Ça va, y a pas le feu dans l'immeuble ! J'arrive, j'arrive ! criai-je.

— Allez, ouvre ou je défonce, t'as compris ? T'as deux minutes pour t'habiller et ramasser tes trucs de journaliste. Allez, Larry nous attend en bas et quittera sans nous dans maintenant une minute cinquante-cinq ! Une minute cinquante-cinq ! Pas une seconde de plus !

Ryan Beckham. Mon cœur battait la chamade et mes yeux s'écarquillèrent. Une image de L'Avorteur me vint à l'esprit. Non, L'Avorteur ne peut pas déjà avoir récidivé ! m'emballai-je. Que pouvait-il bien être arrivé sinon pour que ce dernier débarque au pas de ma porte un dimanche avant l'aube ?

— J'ai compris ! Pas la peine de hurler mon gars ! Comme il ne me reste qu'une minute pour m'habiller, je te demanderais de rester tranquille un instant de l'autre bord de la porte. Le mur du passage est très confortable comme appui. Je me bouge les fesses, ne crains pas !

Le policier du FBI cessa son numéro et se tint silencieux jusqu'à ce que j'ouvre la porte, vêtue de travers avec un bonnet sur la tête et des lunettes de soleil cachant mon air abattu. Je mis une botte puis une autre par-dessus mes jeans, tout en ramassant mes clés et en précipitant mon matériel de reportage dans mon sac.

— Enlève ces stupides lunettes ! T'es encore endormie ou quoi ? Il fait noir. Houhouhhh, c'est la nuit !

Je fis mine de ne pas avoir entendu son commentaire et je lui demandai de m'expliquer ce qui se passait.

— Allons-y, contente-toi de me suivre ! On te fera un résumé une fois en route, me lança bêtement le policier tout en dévalant les escaliers. Et ne crois pas que tu es privilégiée par rapport aux autres journalistes ! Si on est passés ici ce matin, c'est simplement dans l'optique que tu nous sois redevable pour l'avenir si tu découvrais des infos cruciales pour nous, selon l'entente qui règne entre ton journal, le FBI et le NYPD depuis des siècles. Tant qu'à toujours avoir une bande de journalistes dans les jambes, vaut mieux en tirer profit ! N'oublie jamais ça !

— Ça va pour les sermons ce matin, Ryan ! Je sais déjà tout ça. Pas la peine de me ressasser tous ces commentaires désagréables !

Ryan Beckham me fit signe de le suivre sans en rajouter. Je m'exécutai. Une voiture du NYPD était garée devant la porte de mon immeuble. Larry Robinson nous attendait. Il m'ouvrit la portière arrière en me signalant de faire attention de ne pas me cogner la tête et en me rappelant que j'avais déjà l'air bien assez bête comme ça.

Je me poussai sur la banquette pour atteindre le centre du véhicule. Le policier Robinson ouvrit la petite vitre devant le grillage nous séparant, tout en se retournant vers moi pour me saluer. Il regarda sa montre et me signala qu'il était satisfait de mon rendement.

— Mais qu'est-ce qui se passe ? Vous allez me jouer la comédie encore longtemps ? hurlai-je presque. Que me vaut le privilège d'être ainsi recueillie chez moi, dites-moi, hein ? C'est pas normal toute cette gentillesse !

— Alors là, Lily-Rose, j'ai plutôt l'impression que c'est vous qui nous jouez la comédie avec vos verres fumés ! Enlevez ça de vos yeux et je vous raconte, m'indiqua l'enquêteur en chef du NYPD, sous le sourire de contentement de son collègue.

J'obéis dans le seul but de rassasier ma curiosité.

— Ouain, s'écria l'enquêteur Beckham ! Remets-moi ces lunettes immédiatement ! m'ordonna-t-il. Mais t'es passée sous un train ou quoi ? T'as vraiment l'air givré, ma belle !

Je soupirai en reposant mes lunettes sur mon nez. Larry Robinson semblait amusé malgré l'atmosphère d'inquiétude et d'urgence qui régnait.

— L'Avorteur. C'est L'Avorteur. Je suis désolé, Lolita ! Sincèrement désolé. N'en faites pas une affaire personnelle. Vous savez, ça n'a rien à voir avec vous, laissa tomber ce dernier en me fixant dans le rétroviseur central tout en gardant un œil sur la route. Il s'en moque de votre tronche de journaliste, vous savez. C'est un hasard, vous voyez. Vous n'avez rien déclenché. Rien du tout. Rien. N'allez pas croire que vous puissiez avoir autant d'importance. C'est un malade, un fou, un désaxé, vous comprenez ça, hein ? Un con de désa...

— Mais qu'est-ce que vous me chantez là, Larry ? l'interrompis-je. Un désaxé ? Pourquoi tentez-vous de me déculpabiliser ainsi ? Pourquoi serais-je en cause, dites-moi ? m'exclamai-je en m'agrippant pour éviter de m'écraser au fond de la banquette sous le choc des virages abrupts que le policier empruntait. Qu'est-ce que j'ai fait ? continuai-je en entendant le crissement des pneus sur la chaussée et la sirène d'urgence qui me cassait les oreilles.

Le policier Beckham m'observait d'un œil inquiet dans le

rétroviseur. Tandis que Larry Robinson lui lançait un regard avisé. Il prit ainsi le relais pour me faire part de la situation, voyant que son collègue semblait paralysé.

— Le NYPD a reçu un appel il y a maintenant 23 minutes, reprit le criminologue du FBI en regardant son cellulaire. Un prêtre. Qui sortait de la cathédrale Saint-Patrick. De l'archidiocèse de New York, donc. Il avait travaillé toute la nuit sur un projet. Il allait partir après une longue nuit de labeur. Il a emprunté la sortie arrière. Celle réservée au personnel. Quand il a ouvert la porte, eh bien. Eh bien, il a… Quand il a ouvert la porte, le prêtre a…

— C'est fini, ce manège ? coupai-je. Quoi ? Qu'est-ce qu'il a vu ? Qu'est-ce qu'il a découvert ? hurlai-je à présent bêtement, la tête presque accotée dans le grillage me séparant des deux policiers.

— Il a découvert une autre victime affreusement éventrée qui gisait dans une mare de sang, décrivit subitement mon collaborateur du FBI, sous mon regard pétrifié et mon visage blêmissant. Elle a été déposée sur le bord de la porte. Lorsque le prêtre l'a poussée, il a senti une certaine résistance. Alors, il s'est mis à pousser davantage avec son épaule afin de la débloquer. Après quelques efforts, elle s'est ouverte. Mais en voulant mettre le pied à l'extérieur, il a été saisi par un affreux spectacle. Paraît que les cheveux lui ont dressé sur la tête ; il a eu la peur de sa vie, disons ! Sans réfléchir, il s'est sauvé à toute vitesse en se dirigeant vers le premier téléphone qu'il a pu trouver. Et il a contacté le 911 en panique. Semble-t-il qu'il était tellement affolé que la standardiste avait peine à comprendre ce qu'il tentait d'exprimer. Le service des urgences nous a mis sur le coup en moins de deux. Et nous voilà ! T'es prête à affronter ça, Lily-Rose ? Tu dois reprendre tes esprits rapidement, me dicta le criminologue en voyant que je blêmissais de plus en plus et que je ne réussissais plus à prononcer un mot. Tu m'entends ? Tu comprends ce que je te dis ? Tu dois honorer la collaboration qui règne entre ton journal, le NYPD et le FBI. C'est pour ça que t'es là. Tu as fait du bon travail d'enquête jusqu'à présent, alors continue, essaya-t-il de me rassurer.

La voix de l'enquêteur Beckham me sembla soudainement lointaine. Mes oreilles bourdonnaient. J'étais abasourdie. Je plongeai en déduisant que j'avais peut-être contribué au meurtre de cette deuxième victime à la suite de mon entrevue avec le père Julius Cristiano. C'était pour ça que l'enquêteur en chef du NYPD venait de tenter de me déculpabiliser. La profileuse Julia Lewis avait prédit avec certitude que L'Avorteur récidiverait. Mais rien ne laissait présager qu'il allait agir en si peu de temps. Cela n'était-il pas inhabituel comme *modus operandi* ? Et si j'étais responsable ? Je n'avais pas besoin d'être profileuse ou policière pour comprendre qu'il s'agissait peut-être là d'un avertissement du tueur. Et si L'Avorteur m'avertissait ? Et s'il avertissait aussi le père Cristiano qui avait osé l'affronter ? Et s'il prévenait également les membres de l'archidiocèse qui oseraient le défier à l'avenir ? Il m'ordonnait peut-être de cesser de lui mettre des bâtons dans les roues. Je lui avais mis un filtre. Son message s'était évaporé, subtilisé. Il se sentait surveillé, menacé, piégé.

Je sortis brusquement de mes pensées cauchemardesques en sentant la main du policier Beckham me saisir le bras pour me forcer à sortir du véhicule. Ce qui me fit sursauter. Il s'arrêta un instant et me fixa dans les yeux en me brassant les épaules de ses mains robustes.

— Ça ira très bien, Lily-Rose ! T'es parmi les meilleurs

journalistes que j'aie rencontrés dans ma carrière. Tu fais que débuter ton travail au *New York Today Journal* et au département des crimes et enquêtes en plus. Tu dois apprendre à avoir davantage confiance en toi et à te contrôler. Sinon, tu feras pas long feu dans ton milieu. Démontre combien tu possèdes de l'assurance. Tu sais, j'aime bien ton p'tit air arrogant ! termina-t-il en souriant. Ce qui me fit sourire à mon tour et reprendre des couleurs.

Il pouvait se montrer étonnamment compatissant et gentilhomme. Je lui agrippai le bras à mon tour, en saisissant mon sac, et je sortis du véhicule. J'étais tellement préoccupée par la situation et envoûtée par la gentillesse de mon acolyte que je n'avais pas remarqué la présence du policier du NYPD qui se tenait sur le bord de ma portière avec un air piteux. Je lui souris.

— Merci Ryan ! Merci à vous aussi, Larry ! Merci pour votre soutien. Je sais que rien ne vous y oblige. Je suis prête à affronter la tempête. Je saurai me contrôler. Ne vous inquiétez pas. L'Avorteur n'en a pas fini avec moi ! affirmai-je sous le regard amusé des deux policiers.

Je mis un pied devant l'autre, tout en scrutant autour de moi afin de démasquer les médias. Voyant mon air inquiet, l'enquêteur du FBI me sourit à nouveau et m'indiqua que j'étais la première journaliste sur les lieux. Un de ses collègues l'avait assuré que l'information n'avait pas encore circulé. Sous mon air lui démontrant que je pensais que la chose était impossible, il m'expliqua que lorsqu'un cas extrêmement dangereux pour la sécurité de la population se présentait, le NYPD et le FBI pouvaient ordonner un avis de non-divulgation des renseignements transmis au 911 et au service de police.

L'appel logé avait ainsi immédiatement été considéré comme ayant un rapport avec L'Avorteur. Après quelques secondes seulement de conversation entre l'appelant et le répondant du 911, ce dernier avait entamé la procédure de non-divulgation et d'urgence. Mais les policiers ne pourraient garder sous silence la tragédie encore bien longtemps. Vers 7 h, l'interdiction serait levée.

Je sortis mon cellulaire de mon sac et fixai l'heure. 5 h 05. Je venais de quitter mon lit douillet pour plonger à nouveau dans la terreur de L'Avorteur. Tout en suivant les deux enquêteurs, je réfléchissais à grande vitesse. Après un repos forcé, je devais reprendre l'affaire en mains en surprenant mon chef de pupitre et mon rédacteur en chef. Sinon, ils risquaient de me donner une sale raclée pour inconduite.

Je me rappelai à l'ordre en pensant que j'étais sur le coup grâce à Larry Robinson et Ryan Beckham, qui avaient entièrement confiance en mes capacités. Je devais donc arrêter de jouer à la jeune journaliste apeurée et victime d'un tueur en série ! Encore fallait-il qu'il y ait trois meurtres pour identifier L'Avorteur comme tel, me corrigeai-je. Un titre que je n'avais pas l'intention de lui octroyer. Il voulait encore passer un message. On lui répondrait. On le démasquerait au grand jour tôt ou tard.

À chaque pas que je faisais, je me rapprochais de l'inévitable. Nous arrivâmes au bas de l'escalier sur la devanture de la cathédrale. L'enquêteur en chef du NYPD croyait bon de passer par-devant plutôt que par-derrière où avait eu lieu l'irréparable. Examiner la scène de crime de façon élargie allait peut-être nous en apprendre davantage. Du moins, cela nous permettait de nous préparer mentalement à l'affreux spectacle qui allait bientôt s'offrir à nous.

Nous nous arrêtâmes brusquement devant les grandes portes ornant la devanture qui étaient surveillées par une meute de policiers. Mes deux acolytes sortirent leurs insignes et me demandèrent de montrer ma carte de presse. Je m'exécutai. On nous laissa passer rapidement. Les deux policiers étaient des sommités dans leur domaine. Il n'y avait aucun doute à ce propos si on se fiait à la fierté que démontraient ces vaillants soldats en leur accordant rapidement un droit de passage. Même à moi, qui étais journaliste et non policière. Sans dire un mot, l'enquêteur Beckham fit un signe de tête me précisant que nous pouvions foncer droit devant. Il poussa sur l'une des lourdes portes avec ses deux mains. Puis il la retint afin de nous faire passer en avant de lui.

Une obscurité terrifiante régnait. L'air était aussi pesant et froid que lors de ma dernière visite. Aucun bruit ne se faisait entendre. J'avais l'impression que nous nous étions littéralement trompés de lieu étant donné la tranquillité de l'endroit. Une tranquillité inquiétante. Nous avançâmes tout en examinant les lieux.

— Vous ne trouvez pas ça un peu bizarre, tout ce silence, alors qu'il y a eu un meurtre sordide ici même dans ce lieu de culte ? nous demanda le criminologue du FBI.

— Le clergé qui ne s'est pas pointé le bout du nez dans de telles circonstances ; ça sent effectivement les problèmes ! acquiesçai-je. Ça démontre un recul, une réfutation de ce qui se passe. J'ai l'impression que la communauté religieuse ne se sent pas responsable. Sinon, pourquoi la garde rapprochée de l'archevêque ne serait-elle pas sur place pour soutenir le prêtre dans cette épreuve ? Même Angélique Stewart, la religieuse responsable des communications, n'y est pas. À moins que personne de la direction n'ait été contacté ? questionnai-je.

— Ouais en principe, les propriétaires des lieux sont les premiers mis au courant. Et habituellement, ils se dépêchent à se pointer le bout du nez pour se disculper et prendre le tout en mains de leur côté. Je trouve tout ça étrange. Mais pourquoi se soustraire à la situation selon toi, mon cher Watson ? me lança Ryan Beckham en me faisant un clin d'œil.

— Je crois que l'archevêque veut se dissocier des propos du membre de sa communauté qui a accordé une entrevue anonyme avec des propos controversés. Il est contre l'avortement et fort conservateur sur le sujet. Voire un peu extrémiste, songeai-je à voix haute, tout en admirant l'architecture toujours aussi surprenante. S'il prône une idée, la cavalerie suit. Il y a probablement eu un avertissement général en réponse à la sortie publique du père Cristiano. Et avec ce meurtre qui s'ajoute. Meurtre sur ses propres lieux sacrés, ce n'est pas bon pour lui, ça ! Il doit craindre que son honneur et sa réputation soient mis en jeu. Son équipe des communications doit être déjà en train de songer à une stratégie efficace, exposai-je. Je crois que si les membres de l'archidiocèse en accord avec le père Cristiano s'étaient manifestés, le tueur se serait senti affaibli par la force du groupe. Je pense aussi qu'ils auraient plutôt intérêt à collaborer avec les policiers au lieu de fuir. Ça ne fera qu'empirer l'image froide et fermée que représente l'Église catholique pour la plupart des gens. Mais bon, passons !

— Ouais, vous devinez, Lily-Rose, que ça met l'archidiocèse dans une sacrée merde ! poursuivit le policier Robinson. On peut même dire que toute la communauté doit être considérée comme suspecte avec ce meurtre. Comme vous le disiez, la dissociation de l'archidiocèse face aux propos du père Cristiano sur l'avortement ainsi que le manque de collaboration actuel n'arrangent en rien la situation ! Mais bon, quelqu'un va sûrement se pointer à un moment ou à un autre ! supposa-t-il.

— On a assez perdu de temps ! Nous devons passer à l'attaque. Êtes-vous prêts à faire face au cadavre ? Allons-y ! indiqua Ryan Beckham.

Le cadavre. Ce mot résonnait dans ma tête. Je devais m'y faire. Je serais bientôt spectatrice pour une seconde fois d'une cauchemardesque scène de crime de L'Avorteur. Nous poursuivîmes notre « chemin de croix » en bifurquant à gauche et à droite en quête d'indices. Sans succès. Un bruit attira soudain notre attention. Nous aperçûmes un policier à l'arrière de la cathédrale. Il s'avança rapidement vers nous. Il se présenta à moi comme étant un collègue de mon acolyte du NYPD. Il était là pour nous guider vers l'extérieur, comme il ne fallait pas sortir par la porte arrière menant directement au cadavre afin de ne pas altérer les lieux. Il nous demanda ainsi de le suivre. Nous nous exécutâmes en silence. Le jeune homme se dirigea vers une sortie sur le côté du bâtiment.

Les battements de mon cœur s'accéléraient. Je fixai mes mains qui tremblaient. La nervosité m'envahissait. Encore. La peur me guettait. J'essayais de cacher mon inquiétude. Mais plus nous avancions, plus elle se répercutait dans tout mon corps. Mes jambes devinrent lourdes et molles. Ce qui me fit perdre pied sous le regard interrogateur de mes accompagnateurs. Sans dire mot, je leur fis signe que tout allait bien. Ce qui était faux. Rien n'allait plus mal qu'à ce moment. Des coups frappaient de plus en plus fort dans mon thorax. Je me sentis si étourdie que des étoiles apparurent dans mon champ de vision. Mais je m'efforçai d'agir comme si de rien n'était.

Nous y étions. Notre guide poussa sur la porte, qui s'ouvrit sur un soleil levant qui perçait déjà le ciel. Ce qui m'éblouit. Nous sortîmes à l'extérieur. Au même moment, j'entendis un brouhaha infernal qui attira mon regard vers l'arrière de la cathédrale. Nous nous situions à une centaine de mètres du cadavre. Nous pouvions apercevoir le ruban jaune qui délimitait le périmètre de la scène de crime ainsi qu'une quinzaine d'experts qui analysaient les lieux. Criminologues, polices scientifiques, coroner, médecins-légistes, photographes judiciaires, etc. Ils y étaient tous.

Nous marchâmes en leur direction en piétinant la longue pelouse jaunie couverte de neige par endroit, tout en tassant quelques arbustes au passage afin de nous frayer un chemin. Je sentis soudainement des sueurs froides me dégouliner sur le front. Je me dépêchai de les balayer de la main. J'étais si étourdie. Toutes ces étoiles, ces tremblements et ces battements de cœur me firent craindre le pire. Je m'arrêtai donc abruptement et indiquai aux enquêteurs Beckham et Robinson de poursuivre sans moi. Je devais reprendre mes esprits. Je les rejoindrais dans quelques instants. Ils continuèrent ainsi d'avancer en me laissant derrière eux.

Je fermai les yeux. Je pris de grandes respirations tout en me concentrant sur elles. Puis je répétai l'exercice en détendant mon cou, mes épaules, mes bras et mes jambes. Je m'étirai à répétition. Je repensai aux conflits que j'avais affrontés en tant que journaliste. À toute cette détermination et ce courage dont j'avais réussi à faire preuve auparavant. Où était passée cette journaliste qui savait surmonter ses peurs ? Je devais la réveiller. Elle sommeillait en moi depuis qu'Émile s'était donné la mort. À l'évidence, ma confiance et mon courage s'étaient évanouis dans une sombre dépression.

J'avais fait tant d'efforts et surmonté de nombreux obstacles pour en arriver à mener à nouveau une vie normale. Je ne devais jamais l'oublier. Plus d'un an de souffrance s'était écoulé. Je devais franchir une autre étape de ma vie. Tous les chemins menaient à présent vers ma délivrance, tant au point de vue personnel que professionnel. La chance me souriait. Je poursuivrais donc sur ma lancée. Et ce n'était pas L'Avorteur qui m'en empêcherait. J'étais avant tout une journaliste passionnée.

J'ouvris les yeux. Malgré mon affolement, je me sentis prête à me rapprocher davantage du périmètre. Je sortis mon appareil-photo. Je trouvais cela si ignoble d'immortaliser un meurtre. Mais c'était pour une bonne cause. Je préparai ensuite mon cellulaire afin d'enregistrer les propos qui me seraient utiles. Je n'avais pas le cœur à écrire des notes. Finalement, je vérifiai que ma nouvelle tablette numérique, un iPad 4, se trouvait bel et bien dans mon sac. Mon chef de pupitre m'avait offert ce nouveau joujou dernier cri avant mon repos forcé dans le but de me permettre d'accélérer mes envois. John Carter prenait toujours bien soin de son équipe.

J'avançai en catimini en piétinant les herbes mortes ensevelies par la neige. Inconsciemment, je poursuivais en même temps mes grandes respirations. Je me rapprochais de plus en plus du périmètre de sécurité.

— Allez Lily, allez ! Courage, courage, couraaage ! me répétai-je à voix haute.

Une main. Une main se révéla devant mes yeux. Une main violette et inerte pointait vers moi sur le coin du balcon arrière de la cathédrale. J'inspirai, je soufflai, j'inspirai, je soufflai. Encore et encore.

Je fis quelques pas de plus. Un bras aussi violet et raidi que la main se présenta maintenant à mes yeux. Le vertige me surprit, suivi d'un haut-le-cœur. Un haut-le-cœur que je retins par une main qui serrait ma bouche fortement. Je me ressaisis aussitôt. J'ouvris mon appareil-photo en tremblant de tout mon corps. Mes dents claquaient et ma bouche frétillait. Je devais être très blême.

Plus j'approchais, plus je percevais les voix des techniciens judiciaires qui discutaient d'une façon froide et scientifique. J'aperçus mes deux collaborateurs qui analysaient le spectacle avec dédain. Larry Robinson tenait même son visage avec sa main gauche. Je me rassurai en me disant que le froid devait avoir ralenti la décomposition du corps. Je n'allais donc pas inhaler d'odeurs de putréfaction.

Puis, des cheveux blonds se dévoilèrent alors à moi. Des cheveux soyeux qui se balançaient tranquillement au gré du vent à travers les barreaux du balcon, comme s'ils ignoraient la terreur qui régnait. Plus je m'approchais du balcon, plus je découvrais ce sang qui envahissait la chevelure de la défunte. Seul le bout de ses longs cheveux semblait épargné.

La scène me rappela celle de Tamara De Los Angeles. Je revoyais sa chevelure imbibée de sang. Une série d'images effroyables défilèrent ensuite dans ma tête. Son ventre. Je repensai à la façon dont elle avait été froidement éventrée. Le fœtus. Un fœtus qui avait été sauvagement retiré du corps de sa mère après cinq mois de grossesse. Les entrailles. Le chapelet. La croix. La froideur de son regard. Le suicide de ce courageux, mais si fragile époux et père aimant. Son corps qui se balançait au bout d'une corde, alors que j'étais debout sur une chaise en train d'espionner par une fenêtre. Les sept enfants De Los Angeles abandonnés dans la noirceur.

Sous le choc de mes visions, je me brassai la tête afin de revenir à moi. Puis, je pris deux, trois photos de la scène de crime au loin, qui étaient plutôt évocatrices. Je me dis que celles-ci demeureraient certainement plus décentes dans un journal que des photos en gros plan de la victime.

Par la suite, je m'agenouillai et connectai mon appareil-photo à ma tablette numérique à l'aide d'un adaptateur. Puis je téléchargeai mes photos et j'écrivis une brève pour annoncer ou plutôt dénoncer ce deuxième meurtre commis par L'Avorteur. Je l'envoyai au webmestre, en copie conforme à mon chef de pupitre et mon rédacteur en chef. Après trois jours de repos forcé, je revenais avec vigueur sur le terrain.

— Lily-Rose ? Lily-Rose, allez, viens par ici, chuchota Ryan Beckham. Allez, hop !

Sans lui répondre, je me relevai, les genoux endoloris, et j'accrochai le cordon de mon appareil sur mon épaule droite.

— Qu'est-ce que tu fais ? T'attends que tes collègues arrivent et te doublent sur le coup ? Bon, OK, je cesse mes commentaires, émit le policier devant mon expression de colère.

Je ne lui répondis pas. Je devais consacrer mes énergies à mon travail. Je me dirigeai vers lui au bas de l'escalier menant au balcon sans regarder le cadavre.

J'y étais. À ses côtés. Mais je ne le regardais toujours pas directement. Je savais ce qui m'attendait comme spectacle. Et je le craignais. D'autant plus que je ressentais à nouveau des palpitations dans mon abdomen.

— Lily-Rose ? Lily ? Lily-Rooose ? s'exclama un peu trop fort le criminologue, ce qui attira l'attention de ses collègues sur moi.

— Eh, ça va, je t'ai entendu ! J'arrive. Du calme. Ce n'est pas parce que je ne suis pas près de toi que je suis inefficace, Ryan. J'ai un travail à faire et je le sais très bien ! Ça ne t'est pas venu à l'idée que j'étais en train d'écrire une brève ou de saisir la scène sur mon appareil-photo, hein, dis-moi ? Arrête un peu ! « J'ai l'air d'une belle dinde devant tout ce beau monde » ! terminais-je en français à voix basse.

— « L'air d'une dinde » ? répéta le policier. Bon encore une expression du Québec ! OK, OK, j'ai saisi !

— Ça va, nous avons du pain sur la planche, nous autres ! Je ne crois pas que toi et Larry m'ayez réveillée pour qu'on fasse la fête ensemble à l'aurore tout en se lançant des conneries ?

— Ça va, je lève le drapeau blanc ! m'assura-t-il.

Il se détourna de moi et poursuivit son investigation. Je passai donc à l'action en exécutant les pas manquants pour me permettre d'obtenir un accès direct à la scène de crime. Je me trouvai au bas de l'escalier du balcon. Je le grimpai tranquillement, marche par marche, en ne regardant toujours pas devant moi. J'entendais clairement les voix des policiers sur place. Je pouvais saisir absolument toutes les conversations et les différents échanges. J'y étais. Je me situais près de la victime. Je m'arrêtai afin de ne pas me faire avertir. Je ne devais surtout pas altérer les lieux et embêter la police scientifique.

Je levai les yeux. Ils s'arrêtèrent d'abord sur la tête glacée et ensanglantée de la femme. Elle paraissait si jeune, si fragile. Son visage était beau et doux, malgré les innombrables tuméfactions. Ses longs cheveux blond doré enveloppaient tendrement son visage. Malgré leur état pitoyable, on devinait qu'ils étaient soyeux et lumineux. Mais toute cette beauté, cette douceur se perdaient dans la mélancolie de la peur, de la souffrance. Dans la frayeur de vivre un dernier instant, de profiter d'un dernier souffle.

Tout comme la première victime de L'Avorteur, son regard reflétait un effroyable sentiment de vide, de mort. Ses yeux bleus en amande semblaient plongés dans les ténèbres. Avait-elle supplié son assassin ? Avait-elle pu se défendre ? Se couper de la réalité en pensant à ses proches qu'elle chérissait et aux derniers moments heureux vécus à leurs côtés ? Ses tendres souvenirs et son imagination avaient-ils poussé son âme vers un monde surnaturel loin de son ravisseur ? Loin de L'Avorteur ? Avait-elle ainsi pu minimiser son martyre physique et mental ?

Je me rappelai soudainement la triste réalité : mon travail. Je m'ordonnai de scruter le cadavre et d'analyser la scène de crime. Le prêtre l'ayant découverte avait tenté de pousser la porte contre celui-ci en pensant qu'elle était coincée. Son corps s'était ainsi tourné sur le côté droit. La porte frôlait toujours son corps, mais de peu. On pouvait supposer que les policiers l'avaient soigneusement repoussée pour les besoins de la cause tout en évitant de déplacer quoi que ce soit. Le cadavre devait s'être alors tourné légèrement sur le côté droit. Il était à présent accoté dans les barreaux du balcon.

Le haut du corps de la victime était méconnaissable. Les ecchymoses sur sa poitrine étaient si nombreuses qu'on ne pouvait distinguer la couleur de sa peau ni même celle de ses mamelons. Ses seins étaient difformes et déchiquetés. Je me sentis brusquement étourdie pour une énième fois en regardant ces énormes masses violettes qui pendaient le long de son ventre.

Son ventre, mais quel ventre, m'aperçus-je ? Un amas de chair gonflée qui déployait des boyaux d'intestins éclatés s'offrait à nos yeux. Une véritable boucherie.

Elle était enceinte. Elle aussi. Je le présumai par la rondeur de son ventre, toujours apparente. Malgré les nombreuses lésions corporelles laissées par son prédateur, la rondeur de son ventre avait résisté. Une rondeur qui me rappela la douceur de son visage. Elle aurait été bientôt mère, supposai-je. Au creux de ce petit ventre rond, un vide terrifiant me saisit. Un vide immonde et répugnant. Un autre fœtus avait été arraché des entrailles de sa mère.

Mais comment cela était-il possible ? Pourquoi agir de façon si brutale, inhumaine ? Et où se trouvaient les cadavres des fœtus des victimes ? Sur quoi étais-je en train d'enquêter ? Sur quels odieux crimes ? Toutes ces questions me martelaient la cervelle. Je fermai à nouveau les yeux pour me ressaisir, tout en me retenant sur la garde du balcon. Tout son, tout bruit et toute discussion me parurent alors si lointains.

— Oui, effectivement, tu n'as pas tort mon gars, exprima un expert à un de ses collègues avec une mine déconfite.

Ce commentaire me tira hors de mon délire.

— On dit que les tueurs les plus sadiques aiment jouer avec les policiers et les journalistes. Il y en a qui sont impulsifs face à une situation imprévue. Là, t'as visé juste, nous nous retrouvons avec un meurtrier qui a peut-être réagi de nouveau en réponse à une action qui l'a royalement contrarié ! La sortie de la journaliste, tu crois ? poursuivit-il.

— Alors là, certainement mon ami ! Je me demande bien ce qu'ils ont tous à vouloir nous surprendre ? Nous avons encore affaire à un énergumène qui a tout risqué pour la gloire, sans penser aux conséquences. Voilà le résultat ! lui répondit son collègue, les deux bras dans les airs.

J'ouvris mes yeux après un bref répit, sans toutefois les regarder. Je continuai à tendre l'oreille. Parlaient-ils de moi ou étais-je devenue complètement paranoïaque ?

— En tout cas, notre malade utilise toujours la même signature, semble-t-il. Que veut-il nous dire, ce con ? Ah et puis, contentons-nous de faire notre travail ! Tu prends les photos et je recueille, numérote et classe les indices entourant le corps. Ça te va ? proposa l'un des deux techniciens en scènes de crime.

— OK, procédons ainsi. Tiens, dit ce dernier en tendant des sacs et des instruments de travail à son collègue.

— Quelle belle et illustre histoire sensationnaliste pour notre journaliste du *New York Today Journal* qui ne semble pas être bien loin, lança celui qui placardait de photos le cadavre sans aucune émotion, avec un sourire mesquin. Elle va sûrement se pointer bientôt. Si elle ne s'est pas déjà infiltrée. C'est pas sain cette collaboration que maintiennent le FBI et le NYPD avec ce journal. Ça leur retombera sur le nez tôt ou tard. Quels incompétents !

J'étais si en colère que mes joues rougirent. Il était bel et bien question de moi. Je me sentais déjà coupable. Je n'avais pas besoin qu'on m'enfonce encore plus. Semblait-il qu'ils n'avaient pas encore remarqué ma présence, ou qu'ils ne m'avaient pas reconnue. Ils devaient bien m'avoir vue précédemment pourtant. La prochaine fois, ils se souviendraient de mon visage. J'allais leur montrer comment je m'appelais. Malgré la culpabilité que je ressentais vis-à-vis de la victime, je ne pus me retenir plus longtemps. Je m'avançai tout près de l'un des deux avec un air confiant. J'allongeai mon bras droit afin de cogner sur son épaule à l'aide mon index.

Alors que je me retrouvais en plein élan, une main me retint fermement et me serra le bras. Ma pression monta d'un cran. Je stoppai mon geste et me retournai. Larry Robinson. Il ne dit rien. Mais son regard intense m'hypnotisa. Il me fit un signe de négation de la tête afin de me dissuader de réagir, tout en maintenant sa main sur mon bras. Il osa même me tirer vers l'arrière. Je le fixai avec arrogance. Une arrogance qui prit rapidement des airs de déconfiture. Il avait raison. Je devais battre en retraite.

— Ça n'en vaut pas la peine, Lily-Rose. Allez! murmura-t-il du bout des lèvres, avec un air protecteur.

Il m'avait épargnée de mon inconduite lors de la découverte du corps du regretté Loïc De Los Angeles. Il m'avait démontré toute sa confiance depuis notre rencontre. Puis, il m'avait aussi conseillée à maintes reprises. Et là, il venait encore à mon secours. Je le fixai toujours. Je lui fis signe que je me retirais, tout en reculant de quelques pas derrière moi. Ce qui encouragea le policier à laisser tomber mon bras et à m'offrir un radieux sourire malgré le massacre dont nous étions témoins. Je lui souris à mon tour. Rassuré, il s'éloigna.

Je rattrapai alors mon appareil-photo qui se balançait sur mon épaule. Je pris plusieurs clichés sans trop réfléchir, mais en prenant soin de capter la scène de façon à camoufler l'horreur. J'eus tout d'un coup le réflexe de regarder ma montre. Même à l'heure des nouvelles technologies, je ne pouvais me passer d'une bonne vieille horloge à cadran dressée sur mon bras pour me préciser le moment de la journée. 6 h 18. Déjà. À 7 h, l'interdiction de transmettre les informations sur ce second meurtre de L'Avorteur serait levée. Une meute de journalistes s'attrouperait autour de la scène de crime sous peu, songeai-je nerveusement.

Larry Robinson remarqua que je fixais ma montre. Il devina ainsi mon inquiétude. En ce sens, il m'indiqua qu'il venait d'obtenir une confirmation à l'effet que les informations seraient transmises sur les fréquences du 911 et aux médias vers 7 h 30. Ce qui était exceptionnellement une bonne nouvelle dans les circonstances. Je soupirai de soulagement. Ce dernier me fit signe de me dépêcher en me pointant sa montre. Je m'attardai donc à nouveau sur mon appareil-photo.

Je m'arrêtai soudainement lorsque je surpris une conversation entre deux experts penchés sur le corps. L'un d'eux était une femme assez âgée dont les traits durs révélaient une vie tumultueuse. Même si je ne savais pourquoi, elle attira ma curiosité.

Je me concentrai sur le dialogue en cours qui me fit prendre conscience que j'étais si affairée à obtenir le plus de photos de bonne qualité possible que j'étais en train de passer outre à un élément du crime primordial.

— Tu crois qu'il comble un fantasme à travers son *modus operandi* ? demanda un jeune homme agenouillé, le pied appuyé sur son long manteau noir feutré camouflé par un habit plastifié, en se retournant vers la vieille femme.

— Le fantasme qu'on se soumet à sa volonté ? Tel un dieu ? Probablement. Il est clair que le *modus operandi* est identique à celui de la première victime. C'est authentique. Ce n'est pas une imitation. Le travail a été effectué de la même façon et selon le même mode, précisément. Juste en observant la tranchée laissée par l'objet du crime, je peux te confirmer scientifiquement qu'elle est comme celle laissée sur la première victime. Je pourrais te faire une longue liste de ressemblances dignes de L'Avorteur. Or, tu es là pour apprendre, mon cher. Donc, à toi les déductions. Et surtout, n'oublie pas d'accorder beaucoup d'importance aux objets religieux mythiques, souligna-t-elle en fixant son élève de ses yeux d'un bleu saillant. Si tu tiens à me soutirer une réponse claire et précise à tout prix, je terminerai notre échange en soulignant que le fantasme de L'Avorteur structure son être et donne un sens à sa vie. Que le peuple écoute sa voix et accomplisse sa volonté, tel est son fantasme ! Ce monstre passe un message à travers sa signature. Maintenant, cesse de poser des questions ! Observe. Analyse. Déduis, continua la dame bêtement en plissant les yeux de mécontentement. Bien sûr, j'approfondirai tout ce stratagème davantage en laboratoire en m'appuyant sur des sources scientifiques sûres. En espérant que ça me permette de découvrir de nouveaux indices et de reconstituer le scénario criminel qui pourrait nous mener à freiner ce carnage, relança-t-elle en se brassant la tête de découragement tout en manipulant le corps de ses mains gantées.

— Le crucifix et le chapelet nous parleront sûrement lorsque nous les analyserons, répondit fièrement son élève, en pointant les objets scellés dans des sacs posés sur une table métallique pliante derrière lui. Pour l'instant, je peux constater que le tueur est une personne impulsive qui n'a aucun problème à positionner sa victime de façon humiliante et dégradante. J'irais même jusqu'à dire que cela pourrait faire partie de sa signature. Pas de pitié pour mes victimes ! clama-t-il.

— Elles représentent un affront à ses convictions, conclut-elle. D'autant plus que si l'on considère que ses deux victimes ont été probablement kidnappées, entraînées dans un lieu secret, droguées, martyrisées, débitées, puis traînées vers un second lieu de dépôt, c'est tout dire de la souffrance que L'Avorteur est prêt à infliger pour en arriver à ses fins.

— Se faire obéir, décrivit avec assurance l'élève, là est sa mission ultime ! Se faire obéir.

Alors que j'enregistrais les propos, mon collaborateur du FBI s'approcha de moi et passa sa tête par-dessus mon épaule droite. Si tranquillement qu'il me fallut un petit moment avant de m'apercevoir de sa présence. Ce fut son odeur corporelle qui éveilla mes sens et me fit sursauter.

— Tu espionnes mes collègues, Lily-Rose ! Est-ce que tu leur as demandé leur permission pour les enregistrer ? Je parie que non ! T'as du front, mon cher Watson ! me nargua-t-il.

— Ouais, c'est ça ! Tu réussis à faire de l'humour en de pareilles circonstances ! T'es pas croyable ! Laisse-moi travailler et occupe-toi donc de tes fesses mon cher Sherlock Holmes ! Ah, mais avant, puisque tu es là, dis-moi, on a identifié la victime ? lui lançai-je, en le tassant avec mon bras droit et en tournant les yeux vers le haut.

— Non, trop tôt encore pour répondre à ta question ! Et avant de te laisser en paix, je peux pas passer sous silence l'identité de cette gente dame que t'observes avec son apprenti, me glissa l'enquêteur Beckham avec un regard du coin de l'œil. C'est Hannah, notre médecin-légiste sur l'affaire.

— Je croyais que les médecins-légistes ne se déplaçaient pas sur les lieux du crime ? Qu'ils travaillaient plutôt dans l'ombre de leur laboratoire ?

— Ouais, c'est vrai pour certains. Mais pas pour Hannah. Ni les médecins-légistes qu'elle a formés. Même qu'on lui a longtemps reproché son comportement très intrusif. Mais ça va de soi : c'est la meilleure dans son domaine ! Et ses anciens élèves ne sont pas imbéciles du tout. Alors, c'est elle qui mène la danse !

— Ryan ! Allez, tasse-toi un peu ! Allez, allez ! insistai-je, en le poussant d'une main.

Je regardai encore une fois ma montre. Elle affichait 7 h 06. Non seulement le policier Beckham m'avait fait perdre le fil de la conversation entre la médecin-légiste et son élève, mais il m'avait fait gaspiller de précieuses minutes. Je devais faire vite si je voulais devancer mes compétiteurs et impressionner mes patrons.

Je me reculai du cadavre avec un air de regret. Je me sentais un peu mal à l'aise envers le travail que j'effectuais. J'étais voyeuse. Voyeuse d'une scène machiavélique que je devais exposer à un public assoiffé de sensationnalisme. Je me dégoûtai sur le coup de l'émotion. Les chaleurs et les étourdissements prirent place. Je retombai une fois de plus les deux pieds sur terre face à la triste réalité. Alors que je venais de remonter une montagne russe, je dévalais une autre pente à toute vitesse vers l'angoisse.

Je fermai les yeux quelques secondes pour une énième fois en respirant profondément afin de me recentrer sur mon objectif principal : stopper L'Avorteur.

Je descendis les escaliers du balcon et fis quelques pas, alors que de gros flocons de neige se mettaient à tomber dans la froideur du lever du jour. Je calai mon bonnet sur mes oreilles tout en me dirigeant sur le côté de la cathédrale à l'abri du vent qui se levait. Je trouvai un coin tranquille loin des regards indiscrets. Je m'agenouillai, appuyée le long d'un mur de pierres. Je sortis mon adaptateur USB de mon appareil-photo à nouveau, que je branchai sur ma tablette numérique. Je transférai au journal d'autres photos de la scène de crime de la deuxième victime de L'Avorteur. Du même coup, des frissons me parcoururent le corps. Je grelottais.

Pendant le transfert de mes photos, j'ouvris mon courriel du journal et je repris la dernière brève envoyée afin d'y ajouter quelques paragraphes à l'aide de mes notes prises à partir des échanges entre Hannah Polanski et son élève. Je ressentis là encore une pointe de culpabilité. J'étais coupable de les avoir épiés.

Une fois le transfert terminé, je fis rapidement un tour d'horizon de mes photos. J'en sélectionnai une vingtaine. Je transformai leur format de façon à ce que je puisse les faire parvenir facilement au webmestre du journal avec mon court article. Quelques minutes plus tard, j'envoyai deux courriels avec la mention d'urgence en objet et une note indiquant de retravailler mes photos. J'aurais donc deux parutions à mon actif pour le portail du journal depuis mon arrivée à la cathédrale, contre zéro pour les autres médias. Je me félicitai.

7 h 29. J'étais toujours assise au sol, bien accotée contre le mur de la cathédrale. Les yeux fermés. Les mains posées sur ma tablette numérique sur laquelle s'accumulaient rapidement des flocons de neige, tout comme sur mon visage. Cela me procurait un grand bien, d'ailleurs. Je me sentais revivre à la sensation froide provoquée par chacun de ceux-ci glissant sur ma peau. J'avais les genoux en compote à force d'être pliée en deux, mais je m'en moquais éperdument.

— Lily-Rose, levez-vous ! Allez, allez ! somma fermement l'enquêteur en chef du NYPD en m'empoignant le bras gauche, ce qui me fit bondir de terre. Je retins ma tablette numérique avant qu'elle ne tombe dans la neige. Vous avez envoyé la nouvelle au journal ? Vous m'écoutez ? Apparemment, non ! Vous êtes dans votre bulle ? Lily-Rose, allez, faites un effort, vous êtes pesante, vous savez. Aidez-moi ! continua-t-il tout en me tirant pour que je me lève.

— Merci, Larry ! Vous savez que vous êtes un chic type ? Ça va. Je suis désolée. Sincèrement désolée d'être un poids sur vos épaules à vous et Ryan ! Je ne suis pas à la hauteur de Georges. Je sais. Mais je vais faire mon possible pour mener à bien cette satanée enquête ! Et oui, j'ai envoyé une brève accompagnée de photos à mon arrivée tout à l'heure. Et je viens tout juste de terminer mon second envoi ; un court article soutenu par un reportage-photos, lui décrivis-je. Il n'y avait pas d'embargo, non ?

Le policier me souleva, en s'excusant de son énervement tout en m'assurant qu'il n'avait aucun doute sur mes compétences. Et en me précisant qu'il me donnait sa bénédiction pour informer la population des dernières nouvelles concernant L'Avorteur. Je rangeai donc ma tablette numérique dans mon sac avec soulagement, puis je me secouai les jambes, les bras et le visage, tout en souriant à ce cher Larry Robinson. En me ressaisissant, je le suivis avec vigueur. Nos pas s'imprégnaient sur le tapis de neige blanche. Soudain, nous entendîmes un vacarme de voitures s'entremêlant à des cris stridents, des bruits d'objets et des pas de course. Les journalistes. Ils accouraient pour couvrir la nouvelle du jour.

Nous avions effectué à peine quelques pas que nous nous fîmes bousculer par la meute en délire. Je regardai mon complice du NYPD qui me sourit et souleva les épaules en guise de désespoir. Que pouvions-nous faire ? Les journalistes envahissaient la place afin d'accomplir leur travail tout bonnement, comme moi.

Nous continuâmes à nous diriger vers la victime. Une fois arrivés à destination, un collègue du policier Robinson nous fraya un chemin à travers les journalistes qui s'affairaient soit à prendre des photos, soit à filmer la scène, soit à faire des reportages en direct. Pendant que j'observais tout ce cirque, Ryan Beckham s'approcha de moi, tandis que notre acolyte rejoignit ses collègues afin de poursuivre son enquête. Je jetai un œil à mon collaborateur du FBI, puis je redirigeai mon regard vers la victime. Rien à faire, mon cœur ne pourrait jamais cesser de battre la chamade en voyant une scène si cruelle. Un policier s'occupait de délimiter un second périmètre de sécurité entourant la victime. Un premier ayant été érigé un peu plus tôt autour de la cathédrale.

— Tu sais que dans environ 75 % des meurtres en série, la signature a contribué considérablement à résoudre le crime ? Donc à arrêter le tueur ? me lança le criminologue en me faisant un clin d'œil. Tu devrais peut-être t'en soucier et prendre des notes au lieu de cogiter comme tu le fais. Qu'en penses-tu, hein ?

Je me retournai vers lui. Il se situait beaucoup plus près de moi que je ne l'avais prévu. Je le regardai froidement dans les yeux en silence, à quelques centimètres de son visage.

— Soixante-quinze pour cent ? Tu es sûr de ton affaire ? Sûr à 100 % de ta statistique ? Ça fait pas un peu trop là quand même ? En tout cas, si c'est réaliste, eh bien tant mieux !

Tu pourras t'y mettre et investiguer là-dessus. Avec ce second meurtre, il est clair que le *modus operandi* est demeuré le même pour cette jeune femme que pour la première victime. Le chapelet et le crucifix, quant à eux, font maintenant formellement partie de sa signature. Tu pourras te lancer dans les comparatifs. Tu as beaucoup de pain sur la planche, mon cher ! Tu devrais être bon pour me laisser en paix un sacré moment ! observai-je un peu ironiquement.

— Tu te souviens que je suis un renommé criminologue du FBI ? Soixante-quinze pour cent. Tu peux l'écrire. Tu te rends pas compte de la chance que t'as, rajouta l'enquêteur en me donnant un coup d'épaule et en pointant son menton vers la victime afin que je me concentre sur la scène de crime. Tu sembles être la seule et unique journaliste au courant qu'il y a eu récidive en ce qui concerne le chapelet et le crucifix, me fit-il remarquer. Avec un peu de chance, qui sait ? Tu seras peut-être aussi la première à savoir si oui ou non le crucifix renfermait un message ! Ou encore si les deux objets sont identiques à ceux trouvés sur le corps de la première victime ! Ce genre de détails, quoi ! Alors, soit un peu reconnaissante, chuchota-t-il dans mon oreille.

— Merci Ryan. Sincèrement. Je te suis redevable, et je le sais, plus que tu ne peux t'imaginer. Merci encore pour la confiance que toi et Larry me vouez. Merci. Sincèrement.

— Bon OK, OK, ça va ! me répondit-il.

— Bon, dis-moi alors dans combien de temps le point de presse se tiendra, continuai-je. Je me demande si ça vaut la peine que j'y assiste. Quoi dire de plus pour l'instant à part ce que je sais déjà ? J'imagine que le dévoilement de l'identité de la victime n'est pas au programme en plus ! Je crois donc qu'il est temps pour moi de retourner dans mon refuge afin de détailler quelques éléments croustillants pour le journal. Tu sais, pour alimenter mon lectorat rapidement ! Mais avant, j'envoie une citation de ta part au webmestre sur ta statistique des 75 %, lui promis-je en lui faisant un clin d'œil à mon tour. Dis-moi Ryan, tu n'aurais pas aussi une statistique à me donner sur le nombre de victimes qui connaissaient leur agresseur ?

— Je te dirais qu'environ 20 % des victimes ne connaissent pas du tout l'agresseur. Pour 30 %, il s'agissait d'une simple connaissance. Contre 50 % dont l'agresseur était un proche. Par déduction, malheureusement, 80 % des victimes connaissaient leur assassin. Tant qu'à être parti, je peux te dire aussi que 80 % des tueurs sont des hommes. Et que 40 % des victimes sont des femmes lorsqu'il y a homicide. Pour terminer, j'ajouterais que ce sont généralement des hommes âgés de 20 à 30 ans, de race blanche qui sont au cœur des homicides.

Je soulignai l'intérêt de ses propos avant de lui dire au revoir. Je savais qu'il n'y avait rien de neuf sous le soleil dans ce genre de statistiques, mais un rappel aux lecteurs ne faisait jamais de mal. Et combien ne les connaissaient pas ? Même moi, je n'aurais pu les citer de façon juste. Je me poussai ainsi une dernière fois sur le côté de la cathédrale pour préparer un encadré de statistiques qui accompagnerait mon dernier texte et mes dernières photos. Je remballai ensuite mes trucs soigneusement en me dirigeant vers la rue pour héler un taxi. Enfin !

Je levai le pouce à la vue d'un véhicule jaune qui apparut au loin. Puis je me ravisai. Et si je me rendais à pied au journal pour travailler au lieu de m'enfuir dans mon cocon douillet loin de tous ? me convainquis-je. En faisant acte de présence, je démontrerais mon intérêt à m'intégrer à l'équipe ainsi que celui de faire face à mes responsabilités. Même si je me sentais mieux seule, je savais parfaitement que l'équipe régnait toujours.

J'hésitai un moment en pensant que j'étais censée dormir puisque j'étais en congé forcé par mon rédacteur en chef. Mais qui ne risque rien n'a rien ! Je l'avais déjà confronté plus d'une fois en si peu de temps. Une fois de plus n'y changerait pas grand-chose. Sans oublier que j'étais indispensable pour le journal concernant L'Avorteur. En ce sens, je décidai de foncer.

Même si je me situais à moins de 15 minutes de mon lieu de travail, le trajet me parut une éternité. Je ressentis un certain stress en pensant devoir affronter mes erreurs. J'éprouvais toujours cette crainte exagérée quand il était question de mes peurs. Peur de ceci. Peur de cela. La mort était la plus grande de toutes mes peurs. Mais pourquoi encore, cet apitoiement ?

Chapitre 14

L'affront

8 h 20. Je saluai au passage les concierges qui s'affairaient au ménage de l'immeuble du journal, puis je me dirigeai d'un pas pressé vers les grandes portes de la salle de rédaction. Ça faisait un bail que je ne les avais pas traversées. Je poussai fortement les deux en même temps et fis mon apparition. Je fus surprise par une salle fort animée pour un dimanche. Les voix s'entrecoupaient. Les gens couraient dans tous les sens. Je profitai de cette euphorie.

Même si j'aimais cette ambiance dynamique, j'avais pris conscience au cours des dernières semaines qu'une certaine hargne m'habitait toujours face aux journalistes. En travaillant de chez moi, je n'avais pas à affronter les critiques de trop près, les hypocrites, les jaloux en plus des envieux déblatérant dans le dos des uns et des autres. Sans compter ceux qui étaient prêts à tout pour prendre votre place. Il y avait aussi les jeunes curieux malsains posant de ces questions si morbides et insensées. Et puis les grosses têtes s'admirant, les assoiffés de pouvoir. Et tous ces étourdis croyant pouvoir refaire le monde…

Mes pensées furent interrompues par les regards qui se tournèrent vers moi. Je ne changerais pas la dure réalité du milieu compétitif, sournois et parfois même mesquin du journalisme, me convainquis-je. Je souris à tout un chacun.

— Eh, salut toi ! Ça va ? T'étais passée où ? Tu ne viens

même plus faire la fête au Pop Burger ! T'as une drôle de mine, tu sais ! Tu n'es pas malade toujours ? Ah, et puis si c'est cette bande de déplaisants autour de nous qui t'énervent, je te comprends ! Mais ne te terre pas ainsi dans ta tanière, me bombarda Stephany Morgan, mon ex-chef de pupitre aux tendances mode et beauté.

Elle me rappela que les journalistes n'étaient pas tous cons. Elle était la gentillesse incarnée. Compréhensive et toujours là pour vous soutenir sans juger. Elle était intelligente, l'une des meilleures journalistes du bahut. Et malgré tout, elle demeurait humble.

— Merci pour ton accueil ! Ça fait beaucoup de questions à la fois, lui indiquai-je pour la faire sourire. Non, ça va ! Je ne suis pas morte, comme tu vois, ni malade ni disparue ni en dépression. Je n'ai rien du tout en fait ! Je suis simplement un peu craintive et solitaire. Mais ta vigueur me redonne de l'énergie, tu sais ! Et t'as raison, je devrais festoyer avec vous ce vendredi au Pop Burger ! Et cesser de prendre toute cette enquête trop au sérieux. En même temps, je crois que je devrais me discipliner un peu pour remonter ma cote de rigueur auprès de John et Chris. T'as sûrement entendu parler de mes derniers agissements ?

— Bah, juste un tout petit peu, me répondit-elle en me faisant signe avec son pouce et son index que c'était minime. Tu t'en fais beaucoup trop pour rien. T'as vécu des moments difficiles avant de débarquer ici. Tout ça au journal, c'est nouveau pour toi. Tu dois aussi te refaire une nouvelle vie ! Laisse-toi une chance Lily-Rose. Tu te sortiras bientôt la tête de l'eau. Allez, va ! Et félicitations pour ta sortie de ce matin ! C'est dans la poche ! Dans la poche, je te dis ! Je dois m'occuper de ma bande à présent. Il y a un gros tournage hollywoodien dans la Grosse Pomme au cours des prochaines semaines. La crème de la crème débarque en ville aujourd'hui même ! C'est pour ça que je suis ici un dimanche, annonça-t-elle en s'éloignant gaiement.

Je poursuivis ma route vers mon bureau en la saluant. Un bureau que j'avais du mal à considérer comme un terrain personnel. Je devrais tôt ou tard m'y habituer.

— Bravo ! Mademoiselle Lily-Rose ! Vous êtes un modèle pour moi et pour plusieurs ! me lança un jeune journaliste au passage, que je remerciai d'un air incertain. Encore ce matin, vous êtes sur la première ligne ! Je vous admire ! me glorifia-t-il.

Je songeai alors qu'en plus de Stephany, j'avais une autre preuve comme quoi il ne fallait pas mettre tous les journalistes dans le même paquet. En voilà un second qui était fort courtois. J'étais la première à couvrir le deuxième meurtre de L'Avorteur, selon ce dernier. Un sentiment de fierté m'envahit. C'était grâce à cette opportunité que m'avaient offerte sur un plateau d'argent mes collaborateurs Beckham et Robinson. En pensant à leur extrême gentillesse, je me rappelai que notre pacte initial était d'échanger des services en profitant l'un de l'autre, sans plus. Or, je sentais qu'un certain attachement se profilait à l'horizon.

Je laissai mes pensées de côté et me mis au travail. Julia Lewis. Je ne me souvenais pas de la journée de son retour à New York après un long congrès où elle était la conférencière invitée. Mais j'osai espérer qu'elle serait disponible, ou du moins dans les heures qui suivraient. Or, elle n'avait donné aucun signe de vie ni aux policiers ni à moi à la suite du second meurtre de L'Avorteur.

J'étais décidée à obtenir ce que je désirais : une seconde entrevue de fond sur le portrait de L'Avorteur avec la sommité du profilage à New York. Même s'il n'était que 9 h 35, un dimanche matin, j'osai la contacter sur son cellulaire. À ma grande surprise, elle décrocha.

— Julia Lewis, répondit la profileuse d'une voix sèche.

— Hum, désolée de vous déranger un dimanche matin à une pareille heure Madame Lewis. C'est Lily-Rose L'Espérance du *New York Today Journal*. Vous êtes au courant pour L'Avorteur ?

— Malheureusement, oui. Je sais depuis une vingtaine de minutes. En me levant, j'ai constaté que la lumière clignotante de mon cellulaire m'avertissait que ma boîte vocale contenait des messages. On me réclamait pour ce meurtre. Je m'habille donc à l'instant pour me rendre sur les lieux du crime avant qu'il ne soit trop tard. Ça fait déjà un moment que j'aurais dû y être ! Les policiers sont un peu en colère contre moi, disons. Il paraît que les médias sont partis. Ainsi, je pourrai au moins travailler en paix avec le NYPD et le FBI, comme ils sont heureusement encore sur les lieux.

Étant donné que le temps presse pour vous, je ne passerai pas par quatre chemins. M'accorderiez-vous une entrevue ? Disons en fin de matinée ?

Me laissez-vous le choix ? Bon. OK. Après tout, vous êtes du *New York Today Journal* en plus d'être l'amie de Georges avec qui je collabore depuis des siècles. Puis vous êtes sympathique. Et d'après Larry et Ryan, vous êtes une experte dans votre domaine. Alors, pourquoi pas ! Je vous propose qu'on se rejoigne à la pâtisserie Magnolia Bakery, sur Columbus

Avenue dans l'Upper West Side. Ça nous éloignera un peu de la scène de crime. Ah, et c'est vous qui payez ! Connaissez-vous cet endroit ?

— Bien sûr, c'est dans mon quartier, lui soulignai-je. On y sert les meilleurs *cupcakes* en ville. J'y serai donc à midi tapant. Ça vous va ?

— D'accord. J'y serai. À plus tard. Je dois vous quitter à présent.

— Je comprends. Merci encore une fois ! conclus-je, alors qu'elle raccrochait sans attendre la fin de ma phrase.

Je me réjouis en émettant un petit cri strident tout en serrant les poings. Ce qui attira l'attention des journalistes. Je tournai le regard pour une énième fois vers l'heure affichée sur mon écran de portable. 9 h 55. Je devrais encore patienter une bonne heure et demie avant de partir pour rejoindre Julia Lewis.

Après avoir préparé mon entrevue, je me décidai enfin à m'attarder aux commentaires des internautes. Je n'avais guère le choix si je ne voulais pas me retrouver encore une fois en congé forcé, K.-O. à la maison à me gaver de nourriture et à boire du vin rouge.

Ma lecture me démontra que j'avais raison de ne pas avoir tenu compte de tous ces commentaires plus tôt. Alors que ça ne faisait que 20 minutes que mon chemin de croix avait débuté, rien, non rien, n'avait attiré mon attention. Je me ressaisis en relevant ma tête appuyée sur mon coude. Et je poursuivis ma passionnante lecture. 11 h 30. Enfin. Je ramassai mes effets et préparai mon sac. Je mis mon manteau et mon bonnet avec empressement. Puis, je me dirigeai à toute vitesse vers les grandes portes de la salle de rédaction, que je m'amusai à pousser du plus fort que je le pouvais chaque fois que je les traversais. En mettant le nez dehors, je pris la sage décision de faire le trajet en marchant afin de calmer mon excitation.

Trente minutes plus tard, je me trouvai à l'entrée de Magnolia Bakery. Pile à l'heure. Je longeai la chic vitrine de l'endroit en jetant un œil à l'intérieur. J'ouvris la porte vitrée et pénétrai dans la pâtisserie. Une odeur savoureuse réussit presque à me faire oublier l'objet de ma présence. Lorsque tous ces petits *cupcakes* aux couleurs flamboyantes apparurent sous mes yeux, une rage gourmande m'envahit. Je me penchai sur le comptoir afin d'en choisir un soigneusement.

J'eus alors subitement une vision monstrueuse du visage ensanglanté de la deuxième victime de L'Avorteur. Je voyais ses yeux vides et noirs effrayés par la mort. Mon cœur fit un bond. Pourquoi n'avais-je pas été aussi marquée par cette mort imprégnée au fond de ses yeux, alors que j'étais au bord de l'apoplexie lorsque j'avais découvert cette même froideur dans les yeux de la première victime ? Est-ce la peur qui se dissimulait ou mes émotions qui me laissaient tomber ?

— Mademoiselle Lily-Rose ? C'est bien vous ? me demanda une femme derrière mon dos en me tapotant l'épaule.

— Eh, Lily-Rose ? Lily-Rose ? Ça va ? persévéra-t-elle en me tenant l'épaule.

— Je suis désolée ! m'exclamai-je en sursautant. Sincèrement. Je ne sais pas ce qui m'arrive. J'étais complètement perdue dans mes pensées. Je dois vous admettre que je suis quelque peu traumatisée par toute cette histoire, vous savez.

Ça me terrorise, je pense. Enfin, je ne sais pas, me justifiai-je à Julia Lewis, qui se tenait droite devant moi en me fixant à travers ses épaisses lunettes noires.

— Vous n'avez pas à vous justifier. Ni à vous questionner sur ce que vous ressentez. C'est normal. Ne pas avoir de réactions, d'émotions, ça c'est inquiétant ! Mais on finit par arriver à les dissimuler, ce qui aide à maîtriser notre travail. Ça ne fait pas de nous des monstres. Vous verrez, vous y arriverez. Mais ne croyez pas que vous vous sentirez mieux pour autant.

— Bon, vaut mieux se concentrer sur ce qui nous intéresse. Suivez-moi. Nous serons beaucoup plus à l'aise assises à l'abri des oreilles indiscrètes.

— Vous voyez ? Vous commencez déjà à vous maîtriser. Avec un peu d'efforts, vous serez parfaite ! ironisa la profileuse en me faisant un clin d'œil en direction des tables qui étaient disposées face à nous. Mais si vous n'y voyez pas d'inconvénient, je dégusterais bien ce joli *cupcake* au crémage rosé et puis celui-là ici, turquoise. Turquoise ? Je me demande bien quelle en est la saveur !

— Oui, bien sûr, j'allais oublier les *cupcakes* ! Vous faites votre choix par la couleur et non la saveur ? Ça en dit long sur votre personnalité ! Créatrice, mais pas nécessairement gourmande ! l'agaçai-je en riant, pour me rattraper de mon air un peu bête.

La profileuse répondit à mon ricanement nerveux en riant. Ce qui me surprit, étant donné la sévérité qu'elle dégageait. Nous commandâmes donc nos *cupcakes* avec deux cafés expressos. Et nous nous assîmes à une table afin de passer aux choses sérieuses.

— C'est délicieux ! lançai-je.

Julia Lewis se contenta d'un signe de tête et continua à émietter son gâteau. Puis, elle me souligna qu'elle avait deux autres entrevues à accorder en après-midi. Elle souhaitait donc que nous procédions assez rapidement, comme le temps filait. Je ne pus m'empêcher d'être un peu déçue. Mais au moins, elle privilégiait toujours le *New York Today Journal*. Nous commençâmes donc notre entretien.

Ouf, déjà 14 h ! Je filai vers chez moi. Je devais me bouger les fesses pour sortir une histoire intéressante avant la fin de la journée. Mes brèves et ma galerie de photos ne suffiraient pas à rassasier mon lectorat. Au-delà de l'édition en ligne, il existerait toujours une édition papier. Et je me faisais une fierté de penser aux lecteurs qui préféraient encore aujourd'hui, à l'ère des nouvelles technologies, opter pour ce modèle d'information. Les statistiques le prouvaient. Du moins, pour le *New York Today Journal*. Son édition papier était là pour rester. Je l'espérais. L'avenir nous le dirait !

18 h 25. Tout en dégustant ma salade de prosciutto, tomates séchées et vinaigre balsamique, je tournoyai de joie sur ma chaise de bureau, une fourchette à la main. Enfin, je pouvais envoyer mon texte sur mon entrevue avec Julia Lewis à mon chef de pupitre ! Le tout devait se rendre au service d'impression avant 23 h, heure de tombée.

Je repensai alors aux nombreux appels et messages textes de Chris et John auxquels je n'avais pas répondu. Mon cellulaire était au repos depuis le début de mon entrevue avec Julia Lewis. Lorsque j'avais constaté le nombre invraisemblable de messages de mes deux patrons à mon arrivée chez moi, j'avais décidé de lancer mon cellulaire au fin fond des oubliettes dans ma corbeille à linge sale jusqu'au lendemain. Elle se révélait à moi comme un endroit parfait pour me débarrasser de cet appareil dérangeant. Encore une fois, je faisais preuve de mauvaise conduite, mais n'étais-je pas censée être en congé forcé après tout ? Étant revenue sur le terrain par moi-même, je craignais ainsi que ma boîte de messagerie soit remplie de réprimandes à ce sujet.

J'avais tout de même mis ces deux derniers en copie conforme de mon courriel envoyé au chef de pupitre du week-end. Je savais fort bien que même s'ils étaient en furie contre moi, ils ne passeraient jamais à côté d'une bonne entrevue au détriment du journal. Je détenais donc le beau rôle pour le moment. Ce qui me plaisait bien. Disons que je n'avais toujours pas digéré mon congé forcé à la maison.

Je fus réveillée par la sonnerie de mon cadran à 6 h tapantes, le lundi 3 décembre, la tête enfoncée sous mon oreiller, espérant pouvoir me reposer encore un peu. Mais je me convainquis finalement qu'il ne fallait pas étirer l'élastique jusqu'à ce qu'il éclate. Je me tirai donc du lit. Et je fouillai rapidement à travers mes vêtements sales afin de retrouver mon cellulaire. Je l'apportai vers l'îlot de la cuisine. Je le posai dessus et le démarrai. Les nombreuses sonneries de rappel, m'indiquant que j'avais des messages, se firent entendre.

Je me retournai sans broncher vers ma cafetière pour me préparer une tasse bien remplie. Dès l'infusion terminée, je me servis un café. Je me dirigeai ensuite vers la porte d'entrée. Si mes derniers textes et photos n'occupaient pas une place importante dans le journal, c'en était fini pour moi. Je me retirerais alors, me promis-je. Je louerais mon studio et je prendrais le premier avion vers le Québec dès que possible en laissant tout derrière moi pour me diriger encore une fois vers l'inconnu. Mon orgueil me menait par le bout du nez et me faisait verser facilement dans le négativisme. Certains évoquaient que le suicide de l'homme de ma vie était la cause de mon dévergondage. Ils avaient raison. Je jouais à la roulette russe dans tous les domaines de ma vie depuis ce malheureux événement.

Sur ces réflexions, je tirai la porte et je penchai les yeux quasi fermés pour ramasser le journal. J'arrachai l'élastique l'entourant et je le dépliai. Je me trouvai alors stupide devant une telle nervosité. Je laissai tomber mes mauvaises pensées afin de me concentrer sur mon taux de réussite. Je terminai de dérouler le journal et je posai mes yeux sur la page couverture. Je soupirai de soulagement en constatant qu'une partie de la une m'était consacrée. Les photos, les gros titres, mon nom. Ce qui m'amena à gravir un barreau de plus sur l'échelle de la confiance en soi.

Les photos présentées en une étaient un peu froides et dures, mais elles ne choqueraient ni le public ni la famille, pensai-je. Les titres étaient simples, mais combien révélateurs. *L'Avorteur récidive. Notre journaliste Lily-Rose L'Espérance vous dévoile la scène de crime. Et l'arrière-scène*, lus-je. En sous-titres, on annonçait ma description des lieux du crime et les circonstances dans lesquelles le corps avait été découvert. Puis, on promettait une galerie de photos unique à l'intérieur. Finalement, on incitait le lectorat à lire en primeur une seconde entrevue intégrale avec la renommée profileuse, Julia Lewis. Cette entrevue était la partie de mon travail qui m'avait causé le plus d'incertitude quant au rendu final. Je me dépêchai donc de tourner les pages en passant sur mes articles expliquant les faits liés au deuxième meurtre et mes nombreuses photos couleur avec vignettes qui s'étalaient sur quelques pages. J'arrivai enfin sur mon article de fond. Je relus le tout pour me rassurer sur le résultat.

NEW YORK TODAY JOURNAL   A 9

ENTREVUE AVEC LA RENOMMÉE PROFILEUSE JULIA LEWIS
L'Avorteur : un extrémiste religieux démoniaque ?

Par Lily-Rose L'Espérance

Manhattan, le 3 décembre 2012

Q : L'Avorteur ne semble avoir ressenti aucun regret face à son premier meurtre, puisqu'il en a commis un deuxième aussi sordide. Lors de notre première entrevue, vous nous aviez expliqué qu'il n'était pas un psychopathe dénué de toute émotion. Alors comment peut-il récidiver de la sorte s'il ressent tant d'émotions ?

R : D'abord, je tiens à souligner qu'il est nécessaire que la population se méfie, plus précisément les femmes enceintes souhaitant avorter. Je dis souhaitant avorter, car je suis convaincue que l'enquête du NYPD, en collaboration avec le FBI, nous confirmera que la deuxième victime avait opté, elle aussi, pour l'avortement. On est déjà sur cette piste.

Je crois que nous avons affaire ici à un dégénéré qui régresse vers la sauvagerie. Et ce, afin de mener à bien la mission qu'il s'est donnée. C'est donc un bâtard impur et bestial qui décline vers l'état animal. Je fais référence ici à la théorie du criminel-né. Au cours de ma carrière, j'ai étudié en profondeur divers cas me poussant vers cette théorie, datant du XIXe siècle, basée sur les études du Dr Lombroso. La communauté scientifique la réfute de façon générale. En résumé, il définissait le criminel-né comme un individu amoral commettant des crimes par nécessité biologique. Il croyait en l'existence d'un gène meurtrier pouvant être identifié selon certains traits physionomiques, psychologiques et sociaux le rapprochant d'un animal sauvage. Il faut bien sûr en prendre et en laisser. Cette théorie a aussi beaucoup évolué depuis, en s'adaptant à notre ère, grâce à plusieurs chercheurs dont je fais partie. En ce sens, j'ai fait l'objet de maints reproches face à ma croyance parce qu'aucun gène du meurtre n'a scientifiquement été identifié. Néanmoins, je ne cesserai jamais de croire que le criminel-né existe. Or, pour confirmer avec certitude que L'Avorteur en est un, il faudrait que je puisse m'appuyer sur davantage de faits. Mais pour cela, nous devons l'arrêter. Et je dois être autorisée à décortiquer sa psyché en profondeur.

Q : Revenons à ses émotions : qu'en est-il ? Vous dites qu'il a des sentiments, qu'il porte peut-être un gène le poussant à tuer, tel un prédateur. Mais quel type de prédateur est-il donc ?

R : Tout nous porte à croire que notre tueur est insensible quand il s'agit de tuer pour sa cause. Il n'est pas impulsif. Tous ses actes sont grandement mûris. Il est démoniaque et dégénéré. Nous avons affaire à la pire espèce des *serials killers*. Je veux dire, des tueurs. Il faut trois meurtres pour affirmer qu'il s'agit d'un tueur en série. Mais il y en aura trois, quatre et cinq si personne ne l'arrête.

Comme je l'ai déjà expliqué lors de notre première entrevue, plusieurs facteurs psychologiques, physiques, sociaux et environnementaux peuvent être des causes de sa démence. Il se retrouve avec un drame social qui est étroitement lié à une situation vécue face à laquelle il a été impuissant. Il se révolte donc en utilisant mal les valeurs auxquelles il croit. Telle la religion. Qu'est-ce qui l'a blessé à un point tel ? A-t-il vécu l'avortement comme un échec ? Une offense suprême ? Par sa mère ? Sa petite amie ? Où se trouve cette mère ou cette petite amie ? Comment cette femme a-t-elle agi pour que le diable s'empare de son âme ainsi ?

« Et j'entendis dans le ciel une voix forte qui disait : maintenant le salut est arrivé, et la puissance, et le règne de notre Dieu, et l'autorité de son Christ ; car il a été précipité, l'accusateur de nos frères, celui qui les accusait devant notre Dieu jour et nuit ». C'est ce que nous dicte l'Apocalypse, chapitre 12, verset 10 du Nouveau Testament.

Selon L'Avorteur, celle qui donnera naissance et refusera d'avorter sera bénie de Dieu. Sauvée de Satan. Elle sera sa brebis égarée qu'il protégera jusque dans l'éternité. Celui qui sauvera l'enfant qui devait être avorté sera le berger du Seigneur qui gagnera l'Éternel. L'Avorteur croit être un prophète de Dieu. Rien de moins ! Mais il est un simple extrémiste religieux qui croit à tort qu'il sauvera notre monde. Il se voit comme un berger.

Un criminel-né, un gène de dégénération, un psychisme dérangé, des émotions fortes, un environnement défavorable, une vie sociale et familiale des plus dépravées ; le tout agrémenté par un déclencheur. Voilà une recette parfaite pour créer le pire des monstres ! Il faut chercher en ce sens. Où se cachent ces monstres, ces extrémistes ? La position de la Bible est claire : non à l'avortement. Et il l'utilise. Je crois qu'il faut donc chercher du côté des extrémistes religieux qui se démarquent.

Q : Pensez-vous qu'il est question de meurtres avec préméditation ?
R : Vous touchez un bon point. D'abord, sachez que selon ma théorie, un meurtre non prémédité n'existe pas. C'est une manigance judiciaire. Pour le commun des mortels, il y a meurtre non prémédité si une personne a commis un geste brutal et fatal non réfléchi à la suite d'un déclencheur qui l'a poussée à tuer froidement sa victime sur un coup de tête. Quand elle revient à elle, elle cherche à être exclu de toute accusation de meurtre avec préméditation afin de ne pas trop écoper. Et là, nous retrouvons l'avocat qui poursuit sa conquête. Et bla-bla-bla. Selon Étienne de Greeff, l'un des premiers criminologues reconnus de notre ère, il n'existe que des meurtres prémédités. Il y aurait maturation vers le crime qui se ferait en trois étapes. L'Avorteur est un cas idéal pour imager cette théorie. Une théorie datant du siècle dernier, mais qui est encore

privilégiée par plusieurs criminologues aujourd'hui.

L'acquisition mitigée est la première étape. Il s'agit de l'apparition de l'idée du crime. L'idée de tuer dans le cas présent. Ce qui peut être inconscient chez certains. Mais qui peut commencer à un très jeune âge. L'assentiment formulé est la seconde étape. Notre criminel se prépare en élaborant des ébauches de scénarios, qui ne parviennent pas à leurs fins. Le passage à l'acte est la dernière de ces étapes. En réponse à un élément déclencheur, le criminel se convainc qu'il a une mission de vengeance à accomplir. Cette théorie reconnue de plusieurs criminologues et profileurs d'hier et d'aujourd'hui me ramène à celle du criminel-né. Qui de normalement constitué mentalement passerait à la seconde étape, si ce n'est que d'un gène le manipulant ? Plusieurs d'entre nous ont eu de mauvaises pensées. Des pensées dangereuses envers une personne nous ayant profondément blessés, détruits. Mais nous ne sommes pas passés à l'acte pour autant. Loin de nous l'idée de tuer. Loin de nous.

Q : D'après vous, L'Avorteur peut-il récidiver ?

R : Plus tôt dans notre entretien, je vous ai glissé quelques mots à ce propos. Je crois qu'il y aura d'autres victimes si on ne stoppe pas l'hémorragie. Le passage à l'acte, cette dernière étape, lorsqu'elle a été franchie une fois, la seconde fois est facilitée. Lorsque la seconde fois a été exécutée, le troisième passage à l'action est encore plus facile. Et ainsi de suite. La récidive rend le tueur beaucoup moins sensible et beaucoup plus puissant. Chaque meurtre constituera à présent une pièce de puzzle. L'Avorteur ne savait certainement pas qu'il allait devenir un tueur en série. Aujourd'hui, il est comme une chenille qui se transforme en papillon. Il s'est tant nourri de la détresse qu'il en est devenu puissant.

Q : Selon votre expertise, en plus de chercher auprès des groupes ou individus extrémistes religieux, devrait-on axer l'enquête aussi du côté de ceux qui sont atteints de maladies mentales ?

R : Vous pensez qu'il faut souffrir de maladie mentale pour commettre de tels meurtres ? Vous réagissez comme la plupart des gens le font. Mais bien que je ne détienne pas de théorie incontestable entre les mains, je ne crois pas du tout, alors là, pas du tout, que L'Avorteur soit atteint d'une maladie mentale. C'est ce qui m'effraie le plus. Il vaut mieux pouvoir contrôler une personne atteinte d'une maladie mentale qu'échapper un criminel-né qui a pris de la maturité au point d'être en mesure de tuer. De peut-être même devenir un tueur en série des plus tristement célèbres. Je vous explique.

Il ne faut pas confondre le mal et la maladie. Être cinglé ne signifie pas que l'on soit malade mentalement. Une personne atteinte d'une maladie mentale entreprendrait-elle une longue épopée de massacres réfléchis et matures ? Elle tuera parce qu'elle se sent menacée. Un ou deux individus, de façon très désorganisée, sans mode opératoire. Nous sommes plutôt en présence d'une personne qui ne se sent pas du tout menacée, mais plutôt toute-puissante. Ce tueur a un *modus operandi* précis. Et nous nous entendons pour dire qu'il est plus qu'organisé pour réussir un coup du genre. Vous savez, environ seulement 2 à 3 % des personnes atteintes de maladies mentales sont au cœur de meurtres. C'est beaucoup moins que ce que nous laisse entendre la croyance populaire. Gardons le cap sur la religion, car c'est assurément là que se réfugie L'Avorteur. Là où se trouve la solution.

J'étais satisfaite de mon reportage sur le deuxième meurtre de L'Avorteur. Par contre, je trouvais que mon entrevue avec Julia Lewis comportait certaines longueurs qui auraient dû être raccourcies afin de simplifier le texte. Le chef de pupitre du week-end devait être plus ou moins rigoureux. Même si j'avais mis John en copie conforme dans mon message, il était clair que ce n'était pas lui qui avait révisé mes textes. En pensant à ce dernier, je saisis mon cellulaire sur l'îlot et j'écoutai mes messages laissés aux oubliettes le soir précédent.

Six nouveaux messages. Un message de ma mère qui s'inquiétait d'être sans nouvelles et qui souhaitait prévoir les vacances de Noël dès que possible. Mon frère ayant déjà confirmé que lui et sa petite famille passeraient quelques jours sous le toit familial. Même mon amie Zoé y serait avec son conjoint et ses deux enfants. Zoé, quelle négligence j'avais eue envers elle. Mais je me soulageai en pensant que notre devise était de miser sur la qualité plutôt que sur la quantité.

Dans les deux messages suivants, on entendait la personne soupirer et puis raccrocher. Le quatrième était de John, qui me soulignait être furieux face à mon indiscipline des derniers jours, mais heureux que je me sois relevée et que j'aie été la première sur la ligne de front encore une fois. Mon rédacteur en chef répétait des mots semblables à ceux de mon chef de pupitre sur le message suivant. Mais il quémandait une rencontre de remise à l'ordre. Ce qui me fit tourner les yeux à l'envers. Finalement, Georges me demandait de le rappeler dès que possible. Son message remontait à 1 h du matin.

Pendant que je me préparais un petit-déjeuner dans la cuisine, mon cellulaire sonna. L'afficheur m'indiqua que Georges m'appelait. Une photo de lui et de sa nouvelle petite amie apparut sur mon écran. Je pensais qu'identifier son numéro de téléphone par une photo de son couple m'aiderait dans mon cheminement pour éliminer ma jalousie, qui était totalement injustifiée. Georges et moi avions décidé de ne pas nous investir dans une relation amoureuse afin de préserver notre relation amicale extraordinaire. Je lui répondis.

— Ouais Georges, qu'est-ce qui presse tant pour que tu m'appelles à 7 h du matin, hein, dis-moi ?

— Lily ? Ça va ? Pourquoi tu me donnais pas de nouvelles ? Avec tout ce qui t'arrive. Je pensais que j'étais ton

meilleur ami à New York ! C'est à cause de Josie ? Je croyais
que tu l'avais adorée. Que tout était clair entre nous deux !
Non ? En plus, j'apprends dans le journal ce matin tes bons
coups, sans compter que John m'a parlé de ton congé forcé en
rapport avec ta petite tournée. Ça non plus, tu ne m'en as pas
parlé.

— Bonjour Georges ! Wow! t'en a des questions ! Écoute,
je suis pas obligée de tout te confier mot pour mot ! Josie est
parfaite. T'en fais pas pour moi. Ça va, je te répète ! Non, je
me sentais simplement dépassée par les événements de ma
nouvelle vie. Je crois. Mais que puis-je faire pour toi, mon
cher Georges ? le relançai-je.

— Rien. Je voulais juste m'assurer que tu allais bien
avant de partir. Je m'inquiétais un peu, c'est tout. Avant que
tu me poses la question, je suis à l'aéroport. Je m'en vais à
Washington pour soutenir Ben dans son enquête sur le président et ses démêlés avec Keystone. On n'en entendait plus
beaucoup parler alors qu'il était sur un gros coup. L'affaire,
c'est qu'il a dérapé le pauvre. Il n'a malheureusement pas
assuré, tu vois, se justifia mon ami. Chris voulait le faire
revenir au journal pour que je prenne la relève. Mais je trouvais que ça ne se faisait pas. C'est lui qui a flairé la piste du
siècle après tout. Je vais plutôt lui donner un coup de main
afin de le remettre sur les rails avant le temps des fêtes. Mon
objectif étant qu'après le long congé, le journal soit toujours
au premier rang sur cette affaire. Aussi, je dois te dire que le
21 décembre, je reprends l'avion en direction de Las Vegas
jusqu'au 6 janvier. Josie fait un numéro dans KÀ du Cirque
du Soleil. Elle est seconde habituellement sur le spectacle,
mais elle a gagné un rôle de première. Une fille s'est blessée.
Elle fera ses preuves. Je dois donc être à ses côtés. Puis, j'ai

envie de célébrer le Nouvel An avec elle. C'est la bonne, je crois bien !

— Eh bien, dis donc ! Alors tu me quittes pour un bout ! Je suis heureuse pour toi, Georges ! Je t'aime beaucoup. Ne t'en fais pas ! Tu peux partir en paix. Je tâcherai d'être sage et d'assurer sur le terrain. Je penserai fort à toi et à Josie. Salue-la de ma part. Je dois raccrocher à présent, j'ai une ligne en attente. On se tient au courant. Tu me cuisineras un bon repas thaï à ton retour, histoire qu'on se raconte nos trucs ? Vraiment désolée de couper ainsi ! On se rappelle, OK ?

— C'est sûr ! Je t'aime beaucoup aussi ! Allez, à plus ! conclut-il.

Je n'avais pas de ligne en attente. Je n'avais simplement pas le goût de jaser. Après l'appel de Georges, je continuai donc de préparer mon café et mes rôties, en repensant à l'entrevue avec Julia Lewis. Elle avait confirmé que le NYPD devait concentrer ses recherches du côté des extrémistes religieux. Elle avait affirmé que notre meurtrier n'était pas atteint d'une maladie mentale. Je me demandai ainsi où en étaient les recherches liées au répertoire des mouvements, organismes et groupuscules religieux. J'avais le pressentiment que des réponses se cachaient dans ce répertoire.

Les enquêteurs Beckham et Robinson détenaient-ils une information intéressante ? Qu'en était-il de leurs démarches auprès du personnel du Westside Women's Medical Pavilion, où devait se faire avorter Tamara De Los Angeles ? Des suspects avaient-ils été identifiés ? La deuxième victime avait-elle reçu des soins à la même clinique qu'elle ? Ce qui nous avancerait dans l'enquête. Le chapelet et la croix retrouvés sur le second corps nous révéleraient-ils des détails semblables à ceux que nous connaissions ? Ce qui nous permettrait d'approfondir les recherches. L'Avorteur avait-il drogué sa victime encore une fois ?

Je me questionnai encore et encore ! Je ne pouvais m'empêcher de croire que l'on tournait en rond. Nous détenions plusieurs indices intéressants. Mais tous défilaient en parallèle. Il me semblait qu'aucune donnée croisée ne nous permettait d'avancer sur une piste. Aucune.

8 h. À force de réfléchir, le temps filait. Je saisis mon téléphone sur l'îlot et composai le numéro de cellulaire de Larry Robinson. Il décrocha rapidement. Je le questionnai à savoir si le corps avait été identifié. Il me parut hésitant à répondre.

Puis, il m'expliqua d'abord qu'il avait reçu des reproches de son patron concernant notre collaboration. Cela manquait de subtilité, selon lui. Ce dernier craignait que sa réputation ne soit ternie à la suite d'une sortie médiatique qui confirmerait l'étroite collaboration entre le NYPD et le *New York Today Journal*. Ce qui entacherait l'enquête en cours.

En ce sens, mon acolyte se sentait obligé de restreindre légèrement notre collaboration, du moins temporairement. Lorsqu'il prononça le mot « légèrement », cela me fit figer sur mon banc. Je craignais la suite de notre conversation.

Il me proposa d'assister à la conférence de presse du lendemain, question d'être équitable envers les autres journalistes. Équitable voulant dire « sans que je connaisse l'identité de la victime à l'avance dans le but de diffuser l'information en primeur », me décrivit-il. Il connaissait le nom de la victime. Mais il se tairait. Ryan Beckham aussi, me prévenait-il. Il ne valait pas la peine d'essayer.

Il m'apprit également que ni lui ni le criminologue du FBI ne seraient de la partie durant la conférence de presse. Ils devaient gagner du temps. Hannah Polanski avait déjà mis au jour des indices et faits intéressants. Tous les deux seraient donc en tête-à-tête avec elle durant la sortie médiatique. Chrystine Johnson, cette policière si autoritaire, était responsable de l'événement. Elle pourrait répondre à toutes mes questions, m'indiqua l'enquêteur en chef.

Un silence suivit. Je soupirai. Mon interlocuteur reprit la conversation. Il hésita encore une fois. Ce qui me fit craindre les propos à venir. Je fus plutôt agréablement surprise lorsqu'il m'offrit de le rejoindre, lui et mes deux autres collaborateurs au laboratoire du FBI, un peu plus tard dans le but de faire le point. Il se situait non loin du quartier général du NYPD. Il me donna les coordonnées tout en me précisant qu'il n'était pas nécessaire de tenter de me pointer avant 11 h. Mon arrivée serait autorisée seulement à compter de cette heure. Un gardien de sécurité m'attendrait et me guiderait vers le lieu convenu.

Tous les trois avaient fait un pacte de divulgation. Je pourrais non seulement tout dévoiler sur ce que j'apprendrais ce jour-là de leur part, mais aussi ce que je savais déjà grâce aux confidences des deux enquêteurs. En réponse à l'interdiction de collaborer avec moi, Larry Robinson se rebellerait, car il croyait à l'importance de ma participation. J'allais contribuer à arrêter L'Avorteur. Ce qui fit grimper ma cote de confiance en moi, encore une fois. Son patron se trompait royalement s'il pensait qu'il allait se soumettre à ses ordres. Il en avait vu d'autres ! me promit-il.

Nous continuâmes notre discussion pendant un bon moment. Je lui fis part des milliers de questionnements qui me tracassaient sans cesse. Je mis l'accent sur mon pressentiment : nous devions forcer la note sur le répertoire de l'archidiocèse. Larry Robinson me donna son accord sur le sujet.

Il me promit qu'au cours des prochains jours, une mise à jour de l'analyse du répertoire suivrait afin que je puisse à mon tour pousser mon enquête. Ryan Beckham m'en ferait part puisqu'il avait mis son équipe sur le coup après entente avec le NYPD. Nous raccrochâmes finalement sur ce point, après une trentaine de minutes.

Mon lundi s'était déroulé dans une tranquillité inquiétante. Je m'étais rendue au journal après ma discussion avec l'enquêteur en chef du NYPD dans le but de faire le point avec mon rédacteur en chef, tel qu'il me l'avait demandé. Et j'en avais profité pour mettre à jour mon emploi du temps avec mon chef de pupitre. Une fois la situation régularisée et l'esprit enfin en paix, je retournai dans le confort de mon studio en attente de la suite des choses. Mon enquête stagnait, je devais faire preuve de patience.

Tout au long de la journée, je m'étais attardée aux innombrables reportages de mes compétiteurs sur L'Avorteur. Peu faisaient preuve d'originalité. Mon entrevue avec Julia Lewis se révéla comme étant le reportage le plus inattendu de tous, me félicitai-je. Tous les journalistes se trouvaient dans l'attente de la conférence de presse du NYPD qui se déroulerait à 8 h le lendemain. Je détestais cette idée de devoir me perdre dans la masse. J'obtiendrais des informations sur le dévoilement de l'identité de la victime en même temps que les autres. Je grognai de rage devant cette idée. Mais je devais m'y faire. Au moins, je retrouverais peut-être le premier rang dans les jours qui suivraient grâce à ma rencontre secrète avec mes acolytes.

Chapitre 15

Mise à l'épreuve

Mardi 4 décembre. Ouf! Je me levai à l'aurore vers les 4 h 30 afin de rédiger un texte troué d'espaces dans le but de gagner du temps sur la rédaction de mon article sur le dévoilement de l'identité de la deuxième victime de L'Avorteur. Une fois le travail terminé, et même si j'avais une longueur d'avance pour la conférence de presse du NYPD, je ne ressentis aucune satisfaction.

Enfin prête pour le départ, je mis des survêtements chauds pour affronter les caprices de dame nature à l'extérieur. Une tempête. Vêtue d'un long manteau douillet, je me sentis d'attaque. Je sortis en pensant que mon taxi m'attendait au bas de l'immeuble. Quel réconfort!

— Eh, ma très chère Lily! Ça va, jeune demoiselle? Vous m'avez semblé distante ces derniers jours mon amie.

« Mon amie ». Cela me créa un petit velours d'entendre ces mots résonner à mes oreilles. J'avais tant besoin de ça.

— Ça va, mon cher Bob! Ne vous en faites pas. Tout a défilé si vite. Et je ne voulais surtout pas vous monopoliser pour moi seule. Ça aurait été égoïste envers vos enfants et votre femme. Vous comprenez? Je travaille à des heures impossibles. Je préférais donc m'organiser sans vous, bien que vous me manquiez.

— D'accord. Vous êtes pardonnée, ma chère Lily-Rose,

me lança-t-il en se tournant vers moi pour me fixer de son regard chaleureux.

Il me donna une claque amicale sur la jambe en me demandant où je souhaitais être déposée en ce mardi matin, 6 h 45. Je lui expliquai que je devais en premier lieu me rendre à la conférence de presse du NYPD qui se tiendrait à 8 h. Je justifiai mon horaire devancé en soulignant que j'avais besoin de tranquillité sur les lieux de l'événement avant de plonger tête première. Je me doutais aussi que bien des journalistes feraient la file devant les portes du quartier général du NYPD dès 7 h.

Le reste du trajet se passa dans le silence. Mon chauffeur devina que j'en avais besoin. Il ne dit aucun mot jusqu'à notre arrivée, quelques minutes plus tard. J'aimais qu'il puisse deviner mes besoins de solitude aux moments opportuns.

Nous arrivâmes devant la façade de l'immeuble du NYPD. Le lieu était déjà envahi d'intrus qui épiaient. Je roulai les yeux à la pensée que je devais faire face à toute cette comédie. Autant le milieu médiatique déclenchait chez moi le goût de m'affirmer, de foncer, autant il me rebutait par tout ce sensationnalisme inutile. Mon accompagnateur remarqua mon dédain. Il baissa les yeux tout en m'encourageant. Je lui souris et lui fis un clin d'œil en ouvrant la portière. Je lui mentionnai de ne pas m'attendre. Je me rendrais au journal après la conférence de presse. Je me dirigerais ensuite en métro au laboratoire de médecine légale et de science judiciaire du FBI, où travaillait Hannah Polanski.

Tout en marchant vers les portes principales du poste, je réfléchissais. L'Avorteur. Sa seconde victime. Je craignis que certains journalistes n'osent me tenir en partie responsable de ce deuxième meurtre, étant donné mon entrevue controversée avec une source anonyme de l'archidiocèse de New York. Mais après tout, ils auraient fait pareil, me convainquis-je. Ils ne devraient donc pas porter de mauvais jugements à mon égard.

J'avançai tranquillement vers la façade de l'édifice de façon incertaine. Une incertitude qui me tuait. Je saisis la poignée de la porte principale en espérant qu'elle n'était pas verrouillée et que les journalistes ne faisaient que vagabonder à l'extérieur.

— Merde ! m'exclamai-je, en constatant que l'accès était verrouillé.

Au même moment, une main se posa sur mon épaule. Je me retournai sans tarder. Chrystine Johnson. Je m'efforçai de sourire et de la saluer avec mon air de gentille fille. Elle me rendit mon sourire avec son air autoritaire.

— Ah, bonjour Lily-Rose ? Lily-Rose comment déjà ? Non, ne dites rien ! Lily-Rose L'Espérance ! s'écria-t-elle avec un sourire en coin. Du *New York Today Journal*. Collaboratrice de Larry et Ryan, c'est bien ça ? Ouais, réfléchit-elle en m'analysant de la tête aux pieds.

Cette observation sur ma personne m'agaçait au plus haut point. Mais je devais me faire aimable. L'enquêteur Robinson m'avait informée qu'elle serait mon contact pour le moment.

— Bonjour, lui dis-je avec un brin d'hésitation dans la voix.

— Bonjour, me répondit-elle, en écarquillant les yeux. Donc, je dois être votre guide aujourd'hui. Je dois vous offrir sur un plateau d'argent l'exclusivité. Le méritez-vous plus qu'un autre ? Larry et Ryan semblent croire que oui. Mais permettez-moi d'avoir des doutes. Vous voyez la foule de journalistes qui fourmillent ici. Eux aussi espèrent obtenir une exclusivité. Par ailleurs, j'aimerais vous souligner que je n'ai pas aimé votre réaction face à moi, lors de la dernière conférence de presse. Ce qui n'est pas à votre avantage.

— De quoi parlez-vous ? Je ne comprends pas du tout. Vous insinuez quoi au juste ? répondis-je innocemment.

— Quoi ? Allez, ça va ! Vous pensez que je suis bornée et dure ! Dites-moi que je fais fausse route ! À voir votre air défaitiste, j'ai visé juste. Sachez que je suis habituée à ce genre de réflexions. Ça me renforce.

— OK, OK ! Vous avez raison ! Je ne dirais pas que vous avez l'air d'être bornée, mais vous avez un air autoritaire, disons. Cela apporte son lot de préjugés, j'imagine ! Ceci étant dit, je m'excuse si vous n'avez pas aimé mon comportement. Finalement, vous me paraissez bien gentille, lui confiai-je en lui souriant. Ce qui parut la satisfaire.

La suite de notre échange fut beaucoup plus agréable que j'avais prévu. Ce qui était positif pour mon dossier. Après avoir déverrouillé la porte principale et invité les médias à entrer, la policière du NYPD me fit signe de la suivre. Je m'exécutai en l'accompagnant dans les longs, étroits et lumineux corridors. Nous arrivâmes finalement face à un local dans lequel elle me demanda d'entrer. Je souris et pénétrai à l'intérieur. Elle m'invita à m'asseoir. Je m'exécutai encore. Elle emboîta le pas. Je n'arrivais pas à savoir si le fait de me trouver seule avec elle devait cette fois-ci être interprété de façon positive ou négative. Mais je me rappelai que je devais avoir confiance en mes collaborateurs.

Il s'avéra que j'avais raison. Chrystine Johnson admit qu'elle obéissait à Larry Robinson, qui était son patron. Il lui avait fait part de la situation selon laquelle la direction du NYPD craignait la collaboration entre son service et le journal. Mais l'enquêteur l'avait convaincue des bienfaits de notre coopération. Elle s'en était ainsi tenue au plan. Elle espérait par contre que je n'allais pas la décevoir. Je la rassurai en lui avouant que je comprenais son inconfort lié à mon comportement. Or, je lui fis remarquer que je ressentais la même réticence par rapport à sa façon d'agir envers moi. Nous échangeâmes un sourire sincère. Puis, elle me dévoila finalement le clou de la conférence de presse en me faisant promettre de conserver l'embargo jusqu'au début de celle-ci. Ce que je lui promis.

Je regardai ma montre pour une énième fois. Ça y était. 8 h. La conférence de presse commença. Je pouvais à présent transmettre au journal le texte que je venais de taper en vitesse pour faire suite à ce que Chrystine Johnson venait de me dévoiler en primeur. Tout ce que je devais savoir, mais qui se révélait, somme toute, pas grand-chose, hormis l'identité de la victime. Au moins, les autres journalistes l'apprendraient en conférence de presse, alors que j'aurais déjà quitté les lieux en direction du journal pour terminer mon article.

8 h 15. Que du bla-bla, tel que des rappels sur le premier meurtre et l'enquête du NYPD en cours. Je me levai de mon emplacement situé dans le fond de la salle des médias et je filai en douce sous l'air surpris du policier qui gardait l'entrée.

Quelques minutes plus tard, je poussai les grandes portes de la salle de rédaction en gardant une cadence effrénée pour éviter que l'on m'intercepte au passage, ce qui m'aurait retardée. Je m'installai sur ma chaise, j'ouvris mon ordinateur et je me lançai dans l'écriture, énervée. Je pondis d'abord une brève à l'aide de mon texte troué préparé à l'aurore. Je l'envoyai en moins de deux au webmestre afin de devancer les journalistes qui devaient être à l'écriture en direct de la conférence de presse. J'entamai ensuite un très court article, étant donné le peu de détails que je détenais.

La victime se nommait Pamela Jefferson. Elle avait seulement 21 ans. Un si jeune âge. Elle commençait à peine sa vie. Provenant d'une famille aisée vivant à Manhattan, elle s'était rebellée face à ses origines bourgeoises. Ce qui l'avait poussée à devenir une prostituée de luxe, selon ses proches.

Depuis huit mois, elle travaillait pour une célèbre agence connue sous le nom de NY Celebrities of the Day. La jeune femme était déjà une vedette au sein de l'organisation. L'une des prostituées les plus prisées des gros bonnets fréquentant l'agence. La direction avait rappelé que la sécurité des filles était la priorité numéro un et qu'aucun échange sexuel n'était permis.

Aussi, elle prétendait que la victime n'avait pas averti ses patrons du fait qu'elle était enceinte. La direction avait souligné que Pamela Jefferson n'avait pas été mise en retrait du travail.

Question de clause de confidentialité liée à l'agence, le NYPD ne pouvait légalement pas faire connaître le nom de l'homme d'affaires dont elle portait l'enfant. Mais le NYPD et le FBI détenaient les coordonnées de cet homme qui s'était rapporté, et de tous les clients de cette dernière. Ils seraient tous rencontrés, questionnés et passés au polygraphe. Sans exception. Peu importait le temps que cela prendrait.

Autre point souligné par les policiers : il n'y avait aucun lien entre les deux victimes. Le seul était qu'elles étaient enceintes. Et que Pamela Jefferson, tout comme Tamara De Los Angeles, devait se faire avorter. Une amie l'avait accompagnée dans ses démarches. Pour terminer, la famille demandait de respecter son deuil. Elle ne souhaitait répondre à aucune question des médias. Ni être prise en photo ou filmée. Un journaliste publiant quoi que ce soit sur cette famille devrait s'expliquer devant les tribunaux. Une interdiction de publication formelle avait été émise.

En relisant mon texte, j'eus soudainement pitié de cette jeune femme. Son image devait être bien assez ternie dans son entourage sans avoir besoin qu'un journaliste décide d'aggraver la situation. Je décidai ainsi que je ne fouillerais pas en profondeur dans son passé et sa vie personnelle si cela ne s'avérait pas nécessaire.

Je repensai que j'avais tant espéré que Chrystine Johnson m'apprendrait que les deux femmes effectuaient leurs démarches d'avortement au même endroit. Ce qui m'aurait menée sur une piste intéressante. Mais il n'en était rien. Tamara De Los Angeles devait se faire avorter au Westside Women's Medical Pavilion situé sur Broadway. Tandis que Pamela Jefferson devait procéder au Manhattan Women's Medical situé sur Park Avenue.

Je m'encourageai en me rappelant qu'au moins, l'information avait été facile à obtenir cette fois-ci, ce qui nous ferait gagner du temps. Pour ce qui était de la première victime, le lieu de consultation médicale avait semblé être un secret des dieux. Le policier Robinson avait soutiré l'information de sa vieille belle-mère trop tardivement. Ce dernier devait d'ailleurs se rendre sur les lieux afin de poser quelques questions anodines. L'enquêteur Beckham, quant à lui, devait obtenir un mandat pour interroger le personnel, me souvins-je. Mais je n'avais eu aucune nouvelle depuis ma dernière discussion sur le sujet avec mon acolyte du NYPD. Détenaient-ils des éléments cruciaux à propos de leur enquête au Westside Women's Medical Pavilion ?

Il fallait du temps. Du temps pour interroger tout ce personnel, pour interroger les proches. Du temps pour identifier quels individus et mouvements du répertoire de l'archidiocèse devaient être examinés. Pour solliciter les suspects de ces mouvements. Du temps, du temps, du temps ! Et là, il en faudrait encore plus pour enquêter auprès du personnel de cette seconde clinique ! Sans compter tout le temps nécessaire pour les analyses médico-légales, pour enquêter plus en profondeur sur la provenance des objets et des outils utilisés par L'Avorteur ! Il faudrait du temps pour corroborer le profil dressé par Julia Lewis dans le but de l'associer à de potentiels suspects. Puis pour contre-vérifier la théorie de l'espace géographique ! Mais nous n'avions pas de temps à perdre ! Merde ! rageai-je à voix haute sous les regards interrogateurs de mes collègues.

Je regardai l'heure affichée sur mon écran. 10 h. Je pouvais me rendre au laboratoire de médecine légale et de science judiciaire du FBI. Comme je ne pouvais y mettre les pieds avant les 11 h, comme prévu, je prendrais le métro pour m'y rendre. Je me détendrais un moment.

Je débarquai à la station du Brooklyn Bridge dans le Lower Manhattan. Je me dirigeai au Federal Plaza situé sur Broadway. L'architecture du gratte-ciel qui se trouvait devant moi n'avait rien d'intrigant, ni même de surprenant comparativement à bien des tours de la Grosse Pomme, hormis le nom affiché à l'entrée, Federal Bureau of Investigation, le nombre de policiers, de gardiens de sécurité, de barrières à franchir et la surveillance accrue de l'endroit. Après m'être identifiée à maintes reprises, avoir répondu à mille et une questions et m'être presque mise à nue, j'arrivai enfin à l'accueil officiel où je m'identifiai une dernière fois. Je fixai ma montre. 11 h 03.

Quelques minutes plus tard, Ryan Beckham et Larry Robinson firent leur apparition dans le cadre d'un ascenseur. Ils venaient me chercher. Badges au cou, ils avancèrent vers moi avec un air sérieux que je ne leur connaissais pas. C'était probablement une question de professionnalisme devant les collègues et les caméras de surveillance.

— Bonjour, Madame L'Espérance. Vous pouvez nous accompagner. Nous vous mènerons à la rencontre de notre médecin-légiste qui pratique les autopsies sur des victimes d'homicide, me dicta sans broncher mon acolyte du FBI.

Je levai les yeux de stupéfaction et je me pinçai pour m'empêcher d'éclater de rire.

— Je vous remercie Monsieur Beckham, si je ne m'abuse ? Je vous suis donc de ce pas. Et vous devez être Monsieur Robinson ? Larry Robinson, je pense ? poursuivis-je.

— Oui, vous avez vu juste chère dame. Je suis du NYPD. Nous nous sommes rencontrés à quelques reprises sur les lieux de l'enquête et aux points de presse concernant L'Avorteur. Allons-y à présent, conclut-il en faisant signe au policier qui me surveillait qu'il pouvait disposer.

Nous nous dirigeâmes vers l'un des nombreux ascenseurs. Une fois à l'intérieur, le criminologue du FBI appuya sur le bouton du 23e étage. Je ne savais pourquoi, mais j'avais toujours imaginé qu'on autopsiait les cadavres au quatrième ou cinquième sous-sol.[4] Tout au long du trajet, ni l'un ni l'autre de mes complices ne me regardèrent. Ils se concentrèrent sur le plafond. Ils jouaient la comédie jusqu'au bout pour faire croire que nous étions des inconnus.

Les portes s'ouvrirent sur une foule de spécialistes vêtus de chemises blanches qui déambulaient rapidement dans les corridors comme si le feu était pris. Certains se heurtaient parfois une épaule ou un bras, sans même réagir. Je sentais une certaine froideur dans ce spectacle qui s'offrait à mes yeux. Alors là, c'était du sérieux !

L'enquêteur Beckham me fit signe de passer devant lui. Je m'exécutai. Le policier Robinson nous emboîta le pas. Nous nous frayâmes un chemin à travers la cohue et nous filâmes droit devant dans un long corridor blanc étroit, qui me rappelait celui que j'avais emprunté au quartier général du NYPD. Optimiser la chaleur d'un décor n'était évidemment pas une priorité en ces lieux austères. Le criminologue du FBI s'arrêta devant une porte elle aussi blanche, sur laquelle se trouvait l'inscription « À vos risques et périls ». Je regardai ce dernier d'un air interrogateur.

— Allez, t'inquiète ! On n'est pas dans un film d'horreur. C'est la vraie vie ici, ma chérie ! C'est le petit côté lugubre et ironique d'Hannah. C'est comme un pseudonyme, au lieu d'afficher son nom. Elle est privilégiée ici. Avoir son propre

---

4 L'endroit où se trouve le laboratoire de médecine légale et de science judiciaire du FBI est fictif pour les fins du roman.

local de médecine légale, c'est un avantage que très peu d'experts peuvent se vanter de posséder au FBI. Seulement la crème de la crème, dit-on.

— Ouais, disons que je pensais sincèrement que je me trouvais dans un drôle de film d'horreur, à voir vos têtes d'acteurs ratés nous jouer la comédie ainsi ! Alors je suis prête, soulignai-je en sortant mon calepin de notes, un crayon et mon cellulaire afin d'enregistrer les échanges.

— Eh, Ryan, je suppose que je pourrai par la suite visiter ton propre bureau. J'imagine que tu as toi aussi une porte flanquée d'un pseudonyme du genre « Bienvenue au paradis » ? Hein ? Car tu dois bien faire partie intégrante de la crème des experts ? le narguai-je gentiment, sous les éclats de rire de l'enquêteur en chef qui attirèrent l'attention des passants.

Alors que Ryan Beckham saisissait la poignée sans répondre, la porte s'ouvrit sur notre hôte. Des images d'elle en train de récupérer des preuves sur les lieux du crime me revinrent à l'esprit. Elle me salua en me serrant la main. Elle me paraissait fort sympathique. Hannah Polanski nous invita aussitôt à pénétrer à l'intérieur.

Il faisait un de ces froids à vous glacer le sang. Une lumière intense envahissait la place. Si intense, qu'elle me fit cligner des yeux. Puis une odeur nauséabonde me monta au nez. C'était à mourir de peur cet endroit. Et encore, nous nous trouvions tout juste à l'entrée de son bureau. Le local d'autopsie devait se trouver à plusieurs mètres de nous, derrière ces épaisses portes métalliques semi-ouvertes que j'apercevais. D'où l'odeur.

— Madame L'Espérance, vous allez bien ? me demanda avec inquiétude la médecin-légiste. Vous êtes toute pâle, continua-t-elle, alors que mes deux acolytes se détournaient en même temps pour me faire face.

— Oui, oui, désolée ! Disons que je ne suis pas trop une habituée de ce genre d'endroit. C'est nouveau pour moi.

— Vous vous y ferez. Ce n'est pas aussi macabre que vous semblez le croire. Tout est une question de science, d'analyse, de calculs. Ah, et l'odeur aussi, on s'y fait ! Regardez nos deux amis ici combien ils ont l'air de se sentir dans leur élément. Vous ne trouvez pas ? me rassura notre hôte en souriant aux deux policiers.

— Bien sûr. Ne vous en faites pas ! Je ne suis pas si fragile que j'en ai l'air, lui répondis-je, alors que Ryan et Larry écarquillaient les yeux démontrant que mon affirmation était tout à fait fausse.

Hannah Polanski nous tourna le dos à la recherche de documents à travers le désordre qui régnait sur une table appuyée au mur derrière son bureau. Puis elle leva les bras dans les airs, un dossier à la main. Elle l'ouvrit et étala son contenu en nous invitant à nous asseoir. Comme il n'y avait que deux chaises pour les invités, le policier Robinson nous offrit de prendre place. Il préférait demeurer debout. Nous nous assîmes. Puis je plaçai mon cellulaire bien en vue et je pressai sur la fonction d'enregistrement.

Une heure et 10 minutes plus tard, elle termina son exposé et ses multiples explications concernant ses découvertes. Elle nous offrit ensuite de la suivre du côté laboratoire afin de constater par nous-mêmes les faits.

La médecin-légiste passa devant et se dirigea vers les grandes portes de métal, suivie par les deux policiers et moi en dernier. Une petite pièce blanche encore plus éclairée que son bureau se dévoila sous nos yeux. Des casiers et tablettes

métalliques remplissaient la place. Au centre de celle-ci trô-
nait une énorme table en inox entourée de bancs.

Or, ce qui attira davantage mon attention fut les trucs
étalés sur celle-ci. Hannah Polanski poursuivit la discussion
qu'elle avait entamée dans son bureau en appuyant chacun
de ses propos par un indice disposé sur la table. Elle saisit
une paire de gants et manipula chacun d'eux pour s'assurer
que nous comprenions parfaitement ses analyses. Je les identifiai facilement : des morceaux des crucifix, chapelets et messages démoniaques retrouvés sur les deux victimes. Aussi,
des mèches de cheveux, des échantillons de sang, de terre,
de moisissures, de peau et d'ongles. Même des dents s'y trouvaient. Divers petits instruments, des bouteilles remplies de
liquides, des produits, des sacs et des boîtes occupaient le
reste de l'espace. Dans une boîte de carton retirée au coin de
la table étaient finalement mis à part toutes sortes d'objets
trouvés non loin des victimes, tels que de la monnaie, un bout
de papier froissé, un mégot de cigarette, un bout de plastique,
une bouteille d'eau vide et une paire de lunettes.

Une autre demi-heure s'écoula.

Pour la dernière phase de sa démonstration, notre hôte nous
proposa de la suivre dans son laboratoire de dissection des
dépouilles. Cet endroit se cachait derrière deux autres grandes
portes métalliques ornant l'un des murs de la pièce où l'on
se situait. J'acquiesçai en acceptant son invitation. Mon cœur
s'emballa. Mon pouls accéléra. Et mes mains se mirent à
trembler. Je me retrouverais bientôt aux côtés des victimes
de L'Avorteur. Ou plutôt aux côtés de leurs cadavres froids

et vides. De leurs cadavres mutilés non seulement par leur prédateur, mais aussi par l'autopsie qui avait été pratiquée sur chacun d'eux. J'espérai que la scène serait moins horrifiante que je ne l'imaginais.

La médecin-légiste sortit des clés de ses poches, débarra les portes et les poussa. La pièce était plongée dans la pénombre. Il faisait si froid que de la buée sortait de nos bouches et de nos narines lorsque nous respirions. Je ne distinguais pas de quelle façon était disposée la pièce. Elle avança tout en longeant le mur en nous faisant signe d'attendre. Puis, elle alluma un interrupteur. D'énormes ampoules fluorescentes illuminèrent la pièce après quelques grésillements. Elle se retourna vers nous en nous priant d'avancer vers le centre de la pièce.

En remarquant la façade argentée divisée en casiers numérotés, je compris pourquoi les corps ne se trouvaient pas au centre du laboratoire. Je m'étais imaginé découvrir des tables métalliques coiffées par des cadavres sur lesquels auraient été soigneusement posés de grands plastiques semi-transparents.

L'experte en autopsie se dirigea vers un premier casier. Elle saisit la poignée à deux mains et le tira de toutes ses forces vers elle. Il s'ouvrit sur un premier cadavre. Celui de Tamara De Los Angeles, si je me fiais à la couleur sombre de sa peau. À ma grande stupéfaction, je n'éprouvai pas le malaise prévu, tel celui que j'avais ressenti sur les scènes de crime. Au contraire, une certaine froideur prenait place en moi.

Notre hôte continua sa manœuvre en ouvrant le casier voisin de celui qui était ouvert. Il dévoila le cadavre d'une deuxième jeune femme. Blanche cette fois-ci. Pamela Jefferson. Je ne fus pas trop bouleversée. Ce qui me soulagea, en ne pouvant toutefois m'empêcher de craindre une certaine perte d'empathie en moi. J'étais en pleine maîtrise de mon corps et de mes émotions. C'est ce qui comptait dans l'immédiat.

Nous passâmes quelque 20 minutes supplémentaires à écouter la spécialiste qui nous montrait du bout d'une baguette de plastique des endroits précis sur les corps tout en s'appuyant sur les notes de son dossier. J'enregistrais toujours. Nous écoutâmes attentivement ces derniers détails qui venaient clore l'analyse médico-légale d'Hannah Polanski. Nous détenions les principaux éléments, ce qui était primordial pour la suite de l'enquête. Ces éléments nous seraient cruciaux pour mettre la main sur L'Avorteur.

Nous sortîmes des locaux du FBI et nous marchâmes tranquillement dans la rue sans mot. Tous les trois, nous réfléchîmes à ce que l'on venait d'apprendre. Je brisai le silence en quémandant aux deux policiers ce qu'ils m'avaient promis : une sortie exclusive sur les faits dont j'étais au courant, mais « à micro fermé ». Et une entrevue sur les nouveaux détails qu'ils avaient découverts durant les derniers jours. Détails sur le second meurtre dont je n'avais pas été mise au courant puisqu'ils avaient été forcés de se taire selon les instructions du chef de police du NYPD. Des informations qu'aucun journaliste ne détenait.

Mes deux complices se regardèrent et me firent signe de la tête. Une entrevue se ferait incognito dans la voiture banalisée de l'enquêteur en chef du NYPD. Nous le suivîmes dans un minuscule stationnement extérieur réservé aux employés en service. Nous embarquâmes dans son véhicule.

Notre conducteur nous proposa d'effectuer l'entrevue en roulant pour éviter de se faire repérer. Il viendrait ensuite nous déposer devant le Federal District séparément. Ce qui me parut la meilleure des décisions dans les circonstances. Nous filâmes. Et les révélations se poursuivirent à mon grand contentement.

15 h. Je jubilais en fixant l'écran de mon portable durant le transfert de mes enregistrements. Avec les informations que je détenais, je pris la décision d'écrire un long reportage à partir de chez moi. Il n'était pas question qu'un journaliste flairant la bonne affaire me *scoope* sur le coup ou encore pire, qu'il me rapporte à un compétiteur dans le but de s'attirer de la sympathie. Il suffirait d'une simple distraction pour que l'on m'épie ou me vole mon dossier. Les plus mesquins d'entre nous pourraient même fouiller mon ordinateur à l'aide d'un collaborateur-informaticien du journal.

J'avais un peu trop d'imagination. Mais je me pardonnai ma divagation. D'une manière ou d'une autre, il était certain que je serais beaucoup plus concentrée dans le confort de mon foyer que dans le brouhaha de la salle de rédaction. Sans compter que je pourrais écouter de la musique à tue-tête. Ce qui allait contribuer à ma performance, contrairement à d'autres qui préfèrent le calme pour réfléchir et écrire.

19 h. Je pris la sage décision de prendre une pause de 30 minutes. Mon travail se révélait plus long que je ne l'avais prévu. Je décollai mes fesses de la chaise afin d'exécuter quelques exercices d'étirement et de respiration, avec en arrière-plan Nirvana. Je pensai alors que cela faisait quelques semaines que l'exercice se trouvait loin dans ma liste de priorités. Trop loin. La Kinect et le jogging semblaient voués aux oubliettes. Je devais m'y remettre pour me garder saine de corps et d'esprit.

Malgré cette réflexion, je laissai tomber les étirements brusquement pour une dégustation improvisée à la cuisine. Un peu de fromage frais et quelques morceaux de tomate me revigorèrent. Je me servis un verre de vin et laissai la bouteille sur l'îlot, afin de ne pas tomber dans l'abus. Je fixai l'heure sur mon four à micro-ondes. Trente minutes tapantes venaient de s'écouler. J'étais dans les temps. Je me dirigeai vers mon bureau et je me remis au travail. Il ne restait qu'à sélectionner quelques chansons mélancoliques à l'image de ce qu'il me restait à pondre.

20 h 30. Une autre pause s'imposait. Accompagnée d'un autre verre de vin et de quelques autres délicieux morceaux de fromage. J'étais de toute évidence affamée. La pause dura à peine quelques minutes. J'étais trop empressée de terminer l'écriture de mon texte. Pour une énième fois, j'écoutai les fragments d'entrevues qui m'intéressaient afin de poursuivre mon reportage. Puis, je feuilletai mes notes qui reflétaient des éléments non dits, mais des faits vus et ressentis.

Le temps filait trop vite. Beaucoup trop vite ! L'heure de tombée était 23 h. L'heure de tombée. J'avais complètement oublié d'avertir mon chef de pupitre de mes intentions ! John devait avoir cédé sa place à un apprenti de soirée. Quelle maladresse ! J'écrivis tout de même un courriel au chef de pupitre de soir en mettant l'accent sur l'urgence de la situation et sur le fait qu'il n'avait pas intérêt à passer à côté de la publication de mon reportage. Question de rigueur, je fis de même avec le webmestre. J'avais nettement l'impression que chaque fois que je devais faire publier un article en soirée, tout tournait au ralenti. Quelle merde ! hurlai-je à maintes reprises. Je me calmai lorsque deux réponses de ces derniers firent leur apparition dans ma boîte de réception de courriels. J'étais soulagée qu'ils aient finalement réagi assez rapidement.

J'accélérai ainsi la cadence et je donnai mon 100 %. J'allais y arriver. Je m'encourageai. Nos compétiteurs s'arracheraient les cheveux de la tête en prenant connaissance de mon dossier lors de la réunion matinale quotidienne. Réunion où l'équipe de direction en profitait pour faire le point et la planification. Combien de journalistes allaient se mordre les doigts !

22 h 54. Mes textes étaient maintenant entre les mains du chef de pupitre. Je m'accotai sur ma chaise en penchant ma tête vers l'arrière et je la fis tournoyer sur elle-même. J'étais tellement fière de ce devoir accompli ! J'avais envie de le crier à la terre entière. J'allais certainement avoir à l'instant l'occasion de m'exécuter puisque mon cellulaire sonna. Je l'attrapai et je regardai le numéro affiché. Ma mère. J'avais une mère. Je l'avais bêtement oubliée à travers toutes mes péripéties. J'éprouvai soudain un sentiment de culpabilité envers elle. Elle que j'aimais tant. Je répondis donc, même si je n'avais pas la tête à converser.

— Bonjour, ma chérie, est-ce que je te dérange ? J'admets qu'il se fait tard. Mais tu me connais, je fais de l'insomnie et lorsque je me pose des tas de questions avant de me coucher, cela n'est vraiment pas bon pour moi ! Alors pas du tout !

— Bonjour, maman, la coupai-je ! Tu sais que tu m'as pas laissée répondre. Tu pourrais être en train de parler à un inconnu. Ça va ! Et toi, ça va, hormis ton insomnie constante ? Des nouvelles du frère et de Zoé ?

— Ouais, bien là tu ne me surprends pas, jeune fille !

Tu ne te souviens pas que je t'ai invitée à passer du temps à la maison durant les vacances de Noël. Que ton frère sera présent avec sa petite famille. Et ta meilleure amie aussi avec ses deux enfants. Oui, car elle est séparée. Séparée, t'es au courant des malheurs de Zoé, ou t'es trop concentrée sur toi-même ? Trop absorbée pour se soucier d'eux ?

— Zoé est en eaux troubles et elle ne m'a pas appelée ! Elle ne m'a même pas écrit un courriel ! Elle s'en tire bien, dis-moi ? Je l'appelle demain, promis ! Mais tu sauras qu'elle se fout bien de moi elle aussi, tu sais ! Elle a pris de mes nouvelles qu'une seule fois depuis mon arrivée.

— Pauvre Lily ! Ne parle pas comme ça ! Je t'en prie, n'oublie jamais l'essentiel de la vie : l'amour de tes proches, me rappela-t-elle, alors que je me disais qu'elle avait pleinement raison. Donc, revenons à nos moutons. Noël, le temps des fêtes… tu seras des nôtres ?

— Assurément, ma petite maman. Ne crains pas. Disons le 23. Ça t'irait ça ? Du 23 au 2 janvier. Wow ! juste à y penser, je suis vraiment excitée ! J'irai me faire dorloter chez ma petite maman. Je profiterai au maximum des enfants. Eh, attends-moi pour faire le sapin, là ! Je sais que c'est tard pour toi, le 23, mais j'ai tant besoin de décorer un magnifique sapin !

— Bon ça va, ça va ! Écoute ma chérie, il se fait tard. Je dois me coucher à présent. On se rappelle sous peu, OK ?

— Je te signale que c'est toi qui viens de me téléphoner maman ! Allez, bon dodo !

— Bonne nuit, Lily-Rose ! Fais de beaux rêves ! Je t'aime. Tu sais ?

— Je sais. Je t'aime aussi ! Bye !

Littéralement, j'avais mis ma famille et mes amis de côté. Des amis, j'en avais peu. Pour moi, la qualité prévalait sur la quantité. Il y avait Zoé et son ex-conjoint. Marguerite, une ex-collègue, et Charlie, mon amie d'enfance. Je pensai aussi à mon frère Yan ainsi qu'à sa blonde Geneviève et leurs enfants, Ophélie, Simon et Chloé. Ça devait faire bientôt un an que je ne les avais pas côtoyés. On s'en tenait à quelques conversations téléphoniques et commentaires sur Facebook. Je devais me reprendre en mains. Immédiatement.

Je me rendis sur le site Web d'Air Transat afin de m'acheter un billet aller-retour pour le Québec pour toute la période des fêtes. Mon chef de pupitre m'ayant déjà indiqué que je pourrais me retirer pour les vacances si L'Avorteur ne faisait pas des siennes. Il pensait que j'aurais besoin de repos et d'un petit retour aux sources après tout le remue-ménage des dernières semaines. Une fois mon reçu imprimé, j'optai pour un bain chaud et un dodo bien mérité.

Chapitre 16

Contre-attaque

Je m'étais couchée sans attendre quelque commentaire que ce soit de la part du chef de pupitre de soirée concernant mon reportage. J'ouvris l'œil pour une première fois depuis que j'avais posé la tête sur l'oreiller. Ce qui était rare dans mon cas. Mon cadran affichait 6 h en ce mercredi 5 décembre. Je me levai sous le tintamarre de la circulation. Je traversai mon studio. J'ouvris la porte et saisis le journal sur le sol tout en jetant un œil dans le corridor afin de savoir si on m'observait dans mon pyjama. Je refermai la porte, le journal à la main.

Sans regarder la couverture, je me dirigeai vers la cuisine. Je le posai face sur le comptoir. Et je me préparai du café en l'examinant de loin. Mon reportage trônait-il en une ? Avait-il été publié en entier ? Les nouvelles photos de la scène de crime s'y trouvaient-elles ? Je ressentais une telle pression qu'un mal de tête me prit soudainement. Je saisis une tasse et je me versai du café. Je m'assis calmement. Puis, je retournai le journal.

Des photos de la scène de crime placardaient une partie de la une aux côtés d'une photo de Barack Obama annonçant un reportage lié aux menaces qu'il avait lancées, le lundi, à son homologue Bachar Al-Assad s'il utilisait des armes chimiques durant la guerre civile syrienne.

En gros titre, on y lisait : *Deux victimes au décompte de*

L'Avorteur. En primeur, le Journal vous dévoile les dessous de l'enquête. Les sous-titres attiraient aussi l'attention. *L'identité de la victime est dévoilée. Il y aurait concordance entre les deux meurtres. Tuées pour avoir voulu avorter. Il tue encore une fois pour livrer un message au nom de Dieu. Des sources policières anonymes se confient. Découvrez nos nouvelles photos.*

Moi-même, je me sentais excitée devant la spectaculaire mise en page. J'ouvris le journal et me mis à la lecture. Je passai rapidement sur le dévoilement de l'identité de la deuxième victime, puisque j'avais déjà lu mon texte à quelques reprises en une du portail du journal, la veille. J'avais été la première à diffuser l'information grâce aux révélations de Chrystine Johnson. Je ne m'attardai pas non plus aux nombreuses photos accompagnées de vignettes. Je me concentrai plutôt sur mes autres textes. J'espérais qu'ils étaient bien vulgarisés, concis et rigoureux, afin que le public puisse aider le NYPD et le FBI à démasquer ce satanique Avorteur ! Je sautai donc à ce que je considérais comme la pièce de résistance de mon reportage : un encadré divulguant le message tiré de la Bible trouvé dans le crucifix disposé près du corps de Pamela Jefferson.

NEW YORK TODAY JOURNAL   A 3

L'AVORTEUR FAIT UNE SECONDE VICTIME
Il tue encore une fois pour livrer un message au nom de Dieu
Reportage exclusif de Lily-Rose L'Espérance

Manhattan, le 5 décembre 2012 – Les objets retrouvés sur les deux corps concordent selon une source du FBI, et portent à croire que les deux victimes auraient été sacrifiées au nom de Dieu. En bon prophète, L'Avorteur semble vouloir passer un message clair : avorter est un acte satanique punissable.

« Le plus extraordinaire dans le *modus operandi* du deuxième meurtre, c'est qu'encore une fois, le crucifix contenait un message truffé de fautes, écrit à l'aide de lettres découpées dans des magazines et collées sur des feuilles blanches. En fait, tout comme pour la première victime, il s'agissait de versets tirés de la Bible », a soutenu notre source.

Après vous avoir révélé en primeur le premier message de L'Avorteur laissé sur la première victime, le Journal vous dévoile le second écrit pour sa deuxième victime.

« Malheur à ceux qui appellent le mal bien, et le bien mal, qui changent les ténèbres en lumière, et la lumière en ténèbres, qui changent l'amertume en douceur, et la douceur en amertume ! Malheur à ceux qui sont sages à leurs yeux, et qui se croient intelligents ! (Esaïe 5 : 20-21)

Donnerai-je pour mes transgressions mon premier-né, pour le péché de mon âme, le fruit de mes entrailles ? (Michée : 6-7)

C'est toi qui as formé mes reins, qui m'as tissé dans le sein de ma mère. Je te loue de ce que je suis une créature si merveilleuse. Tes œuvres sont admirables, et mon âme le reconnaît bien. (Psaume 139 : 13-14)

Mon corps n'était point caché devant toi, lorsque j'ai été fait dans un lieu secret, tissé dans les profondeurs de la terre. Quand je n'étais qu'une masse informe, tes yeux me voyaient ; et sur ton livre étaient tous inscrits les jours qui m'étaient destinés, avant qu'aucun d'eux existât. (Psaume 139 : 15-16).

La voie du méchant est en horreur à l'Éternel, mais il aime celui qui poursuit la justice. Une correction sévère menace celui qui abandonne le sentier ; celui qui hait la réprimande mourra. (Proverbes 15 : 9-10) »

Je revins sur les versets. Je ne pouvais m'empêcher de les lire et relire. Je ressentais une drôle d'impression. Comme si

L'Avorteur me parlait à moi. Moi ! Plus précisément dans son premier verset : « *Malheur à ceux qui appellent le mal bien, et le bien mal, qui changent les ténèbres en lumière, et la lumière en ténèbres, qui changent l'amertume en douceur, et la douceur en amertume ! Malheur à ceux qui sont sages à leurs yeux, et qui se croient intelligents !* » Me parlait-il donc ? Ou étais-je encore une fois totalement paranoïaque ? J'en eus la chair de poule.

Je repensai à la conversation des deux criminologues que j'avais surpris sur la scène de crime. Ils m'accusaient presque d'avoir provoqué L'Avorteur avec la publication de mon entrevue avec le père Julius Cristiano. Une goutte qui aurait fait déborder le vase, selon eux. J'aurais ainsi été le déclencheur du second meurtre. N'était-ce pas un peu tiré par les cheveux, venant de la police scientifique ?

Ryan Beckham et Larry Robinson avaient tenté de me rassurer et de me faire oublier tout ça. Mais en vain. Une certaine culpabilité m'étouffait à nouveau depuis que j'avais pris connaissance de ce verset. Et encore davantage en le lisant dans le journal. Était-ce possible que L'Avorteur ait réellement fait une autre victime en réponse à mon arrogance ? Seul lui détenait la réponse. Or, même si je me sentais quelque peu coupable, je ne regrettais rien. Si j'avais pu reculer dans le temps, j'aurais refait cette entrevue avec le prêtre et procédé de la même façon en tout point. Je n'avais fait que mon devoir.

Sur ces pensées, j'allai me servir une autre tasse de café et me faire rôtir un bagel. Je poursuivis ensuite ma lecture où j'en étais. Dans un autre article, j'avais énuméré les similitudes découvertes entre les meurtres de Pamela Jefferson et Tamara De Los Angeles, grâce à l'autopsie. Et j'avais mis en évidence le fait qu'il se pouvait fort bien que le tueur ait en sa possession les fœtus, qui n'avaient pas été retrouvés sur les scènes de crime. J'avais également brossé le portrait virtuel physique et psychologique du tueur, le déclencheur ainsi que les motifs de ses actes dressés par le FBI en collaboration avec le NYPD. J'étais assez satisfaite du résultat.

Je pris une gorgée de café et je croquai une énorme bouchée dans mon bagel aux pépites de chocolat avant de poursuivre avec un autre texte, sourire aux lèvres. Cette fois-ci, il était question de l'avancement d'éléments à considérer dans l'enquête : l'analyse du répertoire de l'archidiocèse de New York ainsi que le constat émis par l'expert en géographie à l'effet qu'il y avait des probabilités pour que le tueur réside ou travaille à Manhattan, ou tout près. J'y spécifiais aussi que d'infimes substances de moisissure, d'excréments d'insectes et de rongeurs avaient également été trouvées sur les crucifix et chapelets de la deuxième victime. Ce qui signifiait qu'ils provenaient d'un endroit anormalement humide et insalubre. Encore une fois, j'étais contente du travail que j'avais accompli.

Alors que je finissais mon petit-déjeuner, je tournai finalement la page afin de lire mon dernier article, et non le moindre.

NEW YORK TODAY JOURNAL A 3

VOL SUSPECT D'UN BISTOURI
L'Avorteur pourrait avoir un lien avec le milieu médical

Par Lily-Rose L'Espérance

Manhattan, le 5 décembre 2012 – Autre fait intéressant, le FBI et le NYPD enquêtent conjointement dans le milieu médical afin de savoir si des vols de bistouris, d'autres instruments médicaux et produits auraient été déclarés. À ce jour, on nous confirme qu'une découverte intéressante soulève des questionnements. Par ailleurs, bien que l'on soit en mesure de confirmer se rapprocher du meurtrier, aucun suspect n'aurait formellement été arrêté.

« Le vol suspect d'un bistouri a récemment été déclaré au Manhattan Women's Medical situé sur Park Avenue. Cela ne veut peut-être rien dire pour la population. Mais il faut savoir que c'est exactement à cet endroit que devait se faire avorter Pamela Jefferson », nous a révélé une source du NYPD. « Cette clinique pourrait représenter un lien "victimologique", c'est-à-dire un lien entre l'agresseur et la victime. Nous l'espérons. »

Le personnel et les patients ayant pu avoir un accès à l'endroit où le bistouri a été volé devront être interrogés, nous indique-t-on. Peu importe le temps que cela prendra, tant le FBI que le NYPD assurent qu'ils y consacreront les ressources nécessaires afin d'obtenir des réponses satisfaisantes. Les gens soupçonnés devront se soumettre au polygraphe sans pouvoir de contestation puisqu'un mandat a été lancé à cet effet.

Autre lien « victimologique »

Aussi, un médecin-légiste du FBI nous a indiqué avoir des raisons de croire que le sédatif administré aux deux victimes de L'Avorteur aurait été prescrit par un médecin. Là aussi, une enquête est en cours auprès des hôpitaux, cliniques et pharmacies de Manhattan afin de dresser une liste des patients qui ont pu avoir recours à une telle ordonnance au cours de la dernière année. Ce qui pourrait s'avérer un autre lien « victimologique » intéressant. On cherche également auprès des revendeurs de drogues connus du milieu policier. Mais cette piste semble être secondaire pour l'instant.

Aucune trace d'ADN

En conclusion, on nous a par ailleurs appris qu'aucun ADN appartenant au tueur n'a été retrouvé sur la scène du deuxième crime ni sur la victime ni sur les objets disposés sur celle-ci. Tout comme pour le premier meurtre. « Nous devrons donc continuer d'approfondir nos analyses médicales afin d'obtenir le plus d'indices possible et de croiser ceux-ci pour nous rapprocher du tueur. Il n'y a aucun doute que nous sommes sur une bonne piste », a émis notre source du FBI.

De son côté, le NYPD ne retient pas pour l'instant l'hypothèse selon laquelle L'Avorteur pourrait faire partie de l'entourage des victimes. « Si le tueur n'est pas un membre de l'entourage de la première victime, les chances sont très faibles, même nulles, pour que le tueur fasse partie de celui de la seconde victime. Nous ne négligerons point notre travail, mais nous allons concentrer nos effectifs sur une autre piste. Nous pouvons ainsi éliminer de possibles suspects, ce qui referme l'entonnoir et nous amène à progresser dans l'enquête », nous a-t-on expliqué.

« Nous connaissons déjà le mobile probable de chacun des meurtres : l'avortement. Nous connaissons le mode opératoire ainsi que les traits de personnalité et le profil du tueur. Nous avons une idée du secteur géographique où il opère. Nous détenons de nouveaux indices. Ce qui nous amène à avancer grandement dans notre enquête ! », a-t-il ajouté.

Le NYPD et le FBI invitent tout individu qui détiendrait des informations susceptibles de faire progresser l'enquête à contacter leurs services. Pour ce faire, consultez les coordonnées complètes dans l'encadré ci-joint.

À la fin de ma lecture, je réalisai que j'avais utilisé le genre masculin dans mes articles lorsque je citais Hannah Polanski comme médecin-légiste en tant que source anonyme du FBI. Ce qui me tracassait. Mais c'était la règle en journalisme pour alléger le texte ; le masculin l'emportait sur le féminin. Et plus j'y pensais, plus je me réjouissais puisque le masculin pouvait en quelque sorte camoufler légèrement son identité. Déjà que je savais très bien que cette dernière allait se faire sermonner par ses supérieurs qui devineraient sûrement d'où provenaient les informations… Il en serait de même pour Ryan Beckham et Larry Robinson. J'espérais qu'au moins, aux yeux de monsieur et madame Tout-le-Monde et des médias, l'anonymat régnerait. Ce qui était précieux pour mes collaborateurs. Tous les trois étaient prêts à se faire réprimander pour le bien de la communauté, mais pas à perdre leur travail.

7 h 30. Déjà. Je n'avais pas vu le temps filer. Je refermai le journal, et me précipitai vers la salle de bain afin de me préparer pour me rendre au bureau. Après cette grande sortie médiatique, la journée risquait de me paraître beaucoup moins palpitante que la précédente. Ainsi, je pensais que c'était le bon moment pour faire acte de présence tout en poursuivant ma lecture des nombreux commentaires des internautes.

Je pourrais aussi en profiter pour faire quelques recherches sur les associations pro-vie et pro-choix liées à des mouvements religieux afin de pondre un article sur leurs modes de pensée, leur mission ainsi que leurs actions et moyens de pression privilégiés. Mais je tenterais d'abord et avant tout d'obtenir une entrevue auprès de l'archidiocèse avec la religieuse responsable des communications, Angélique Stewart, ou avec ma source, le père Cristiano. La discrétion de l'organisation religieuse concernant le deuxième meurtre de L'Avorteur me paraissait trop suspecte.

9 h. Après avoir eu encore une fois le privilège d'être applaudie par mes collègues à mon arrivée, je m'assis à mon

bureau. Je fis une tournée des nouvelles sur L'Avorteur grâce
à un tri rapide que m'avait sélectionné Google Alert. Ce qui
me surprit fut le fait qu'aucun journaliste ne semblait avoir
obtenu une entrevue du côté de l'archidiocèse. Je tapai dans
la barre de recherche de l'actualité de Google *Archidiocèse de
New York + Avorteur.* Je fis défiler les liens qui apparurent
à l'écran. Là non plus, je ne trouvai aucun article d'intérêt.
C'était donc mon jour de chance !

Je pitonnai sur mon cellulaire afin de trouver le numéro
de téléphone d'Angélique Stewart que j'avais précieusement
sauvegardé.

— L'archidiocèse de New York, bonjour ? me répondit
une voix que je crus reconnaître.

— Madame Stewart ? demandai-je.

— Oui. Que puis-je pour vous ?

— Lily-Rose L'Espérance du *New York Today Journal.*
J'aimerais vous poser quelques questions à vous ou au père
Cristiano concernant la réaction de l'archidiocèse sur le
deuxième meurtre de L'Avorteur. J'étais sur les lieux du crime
et je n'ai vu aucun membre de votre communauté. Vous ne
semblez avoir fait aucune sortie publique non plus. Or, je
crois qu'il est important pour vous de profiter d'un droit de
parole afin de repousser tout commentaire négatif ou tout
préjugé de la population à votre endroit. M'accorderiez-vous
une entrevue en ce sens ?

— Une entrevue ? s'exclama la directrice des communications. Non, mais vous vous prenez pour qui ? Si vous n'avez
rien lu ni vu concernant les réactions de l'archidiocèse sur ce
meurtre, c'est que nous ne souhaitons faire aucun commentaire. Aucun ! Vous comprenez ça ? Tout ça en plus, c'est un
peu de votre faute, non ? Vous avez provoqué des différends

dans notre communauté avec votre entrevue avec le père Cristiano. Dans le soi-disant bienveillant objectif de démasquer L'Avorteur. J'avais prévenu mon père ! Je le savais que ça tournerait mal ! Vous voyez où cela nous a menés ? Non pas à la résolution d'un meurtre, mais à l'accomplissement d'un autre meurtre. L'Avorteur vous prévient. Il nous prévient ! Que voulez-vous de plus ? Un troisième meurtre sur la conscience ? Cessez donc toutes vos sottises ! Vos reportages idiots n'aideront en rien l'enquête ! Laissez les policiers faire leur travail. Et ne rappelez plus jamais ici ! Jamais ! termina-t-elle en me raccrochant la ligne au nez.

— Quelle imbécile ! rageai-je à voix haute, tout en fermant mon cellulaire.

Une autre qui croyait que j'étais en partie responsable du second meurtre de L'Avorteur. Mais qu'avaient-ils donc tous à vouloir me faire payer ? Je me retournai et je demandai à mon collègue qui travaillait dans le bureau voisin s'il pensait que j'étais responsable du meurtre de Pamela Jefferson. Il me répondit par la négative en haussant les épaules sans commenter. Il se retourna sans me prêter davantage d'attention. Ce qui me fit sourire. Je me préoccupais trop de ces accusations. Mais je n'avais pas dit mon dernier mot. Il n'était pas question que je baisse les bras. Je laisserais passer quelques jours afin de faire retomber la poussière et je me présenterais en personne à madame Stewart. Et peut-être même que j'oserais me diriger directement dans le bureau du père Cristiano, sans sa permission.

Comme je sentais la rage fulminer en moi, je décidai de m'adonner à une activité plutôt relaxante. Je repris donc ma lecture des commentaires des internautes, là où je l'avais laissée.

Contre-attaque

C'est moi L'Avorteur. Je détiens des preuves. Contactez-moi pour une entrevue par courriel : avorteur911@gmail.com.

Mon voisin dit que son collègue connaîtrait une personne qui serait un ami de Pamela Jefferson. Et qu'il serait louche. Il s'appelle Martin Thomas. Un gars pas d'ici, pas très net, qui est très agressif envers les femmes.

Je connais le joggeur qui a découvert le premier meurtre. Jamais il n'aurait pu commettre un acte aussi cruel. Il ne tuerait pas une mouche.

Je suis catholique très pratiquant. Je pourrais vous soutenir dans votre enquête. J'aimerais vous faire profiter de mon expertise. Contactez-moi. Robert au robertpuissant38@hotmail.com.

Je tiens à vous féliciter pour vos reportages sur L'Avorteur. Vous contribuez grandement à protéger notre population. Merci ! Beau travail ! Mary

Connasse ! C'est de la merde ton affaire d'Avorteur ! Anonyme

Tu penses que nous ne sommes pas au courant que tu collabores avec le NYPD et le FBI, salope ? N'oublie pas que nous sommes journalistes nous aussi. Tu nous prends pour des cons ? Pour ma part, je n'ai pas dit mon dernier mot.

Pas question que tu me voles la vedette encore longtemps!
Ton fervent compétiteur. Pute!

12 h 30. Alors que cela faisait déjà plus de trois heures que je m'arrachais les yeux à lire tous ces courriels remplis d'imbécillités, je tombai enfin sur un commentaire intéressant. Un commentaire signé par « James du Musée d'histoire naturelle ».

Le message ici présent s'adresse à Lily-Rose L'Espérance. Pouvez-vous le lui transmettre de toute urgence SVP? Bonjour Lily-Rose. James. Le meilleur ami d'enfance de Tamara, avec qui je travaillais également. Vous m'avez questionné au Musée d'histoire naturelle sur les circonstances du meurtre. À ce moment-là, je ne voyais sincèrement pas quels autres renseignements j'aurais pu vous donner, hormis ceux sur les controverses et chicanes du couple en rapport à l'éventuel avortement de Tamara. Mais au cours des dernières semaines, je me suis rappelé qu'un homme étrange avait attiré mon attention.

Cet homme, je l'avais vu discuter avec Tamara. En y réfléchissant sérieusement, je suis certain d'avoir surpris au moins deux conversations entre elle et cet inconnu. Par contre, rien d'impressionnant. L'homme demandait des renseignements sur les expositions en cours comme plusieurs le font. Mais quelques particularités physiques ont attiré mon attention. J'aimerais en discuter avec vous. Pouvez-vous me téléphoner au musée? J'y suis tous les jours de semaine de 8 h à 12 h, et de 13 h à 17 h. James.

Je n'en croyais pas mes yeux ! Je lus une autre fois le message avec des battements au cœur. Je me sentis subitement nerveuse. Étais-je sur une nouvelle piste ? Quelque chose de sérieux ? Sans réfléchir davantage, je cherchai le numéro de téléphone du musée sur Internet. Puis je le signalai rapidement. Je demandai à parler d'urgence à James Gardner lorsqu'une réceptionniste prit l'appel.

— Quoi ? Non, vous plaisantez ? En vacances ? Quand revient-il ? Et pour combien de temps est-il parti ? Serait-il possible d'avoir un numéro ou un courriel pour le joindre rapidement ? C'est une question de vie ou de mort ! Mon nom est Lily-Rose L'Espérance, je suis du *New York Today Journal*. C'est lui qui m'a contactée. Je dois le joindre dès que possible. Vous comprenez, hein ? Allo ?

— Oui Madame, je vous entends et je vous comprends. Or, les coordonnées de nos employés sont strictement confidentielles. James revient travailler après la période des fêtes. D'ici là, tout ce que je peux faire pour vous aider est de transférer un message à monsieur par courriel. Je mettrai la notion d'urgence dans l'objet. Est-ce que ça vous convient ?

Je n'avais d'autre choix que d'accepter l'offre en me croisant les doigts. James Gardner devait me rappeler avant que je ne parte moi-même pour les vacances le 23 décembre en direction du Québec. Je raccrochai avec une certaine déception. Avant de passer au commentaire suivant, je vérifiai la date de parution du message reçu. Il datait déjà de neuf jours. Je me sentis coupable en pensant que j'étais passée à côté d'une information primordiale.

— Merde ! hurlai-je, alors que mes voisins me faisaient signe de baisser le ton.

J'en avais ras le bol de scruter les commentaires sur le

portail. Ras le bol ! Mais je me donnai comme mission de lire les quelque 200 messages restants par acquit de conscience. Mais avant toute chose, il était temps de me goinfrer à la cafétéria du journal. Un bagel au saumon fumé, fromage à la crème me revigorerait.

13 h 20. Bien écrasée dans une inconfortable chaise en plastique de la cafétéria, je tournai les pages des quotidiens compétiteurs. Je n'appris rien de nouveau sur L'Avorteur. Ce qui me soulagea. Après une longue pause, je retournai à mes occupations dans mon bureau. Je me permis de poser une paire d'écouteurs sur mes oreilles afin d'agrémenter ma lecture.

La tête appuyée sur mon bras droit, je fixai l'heure sur mon écran. 16 h. Je venais enfin de lire le dernier commentaire des internautes.

> Je suis un fervent admirateur de L'Avorteur. Je vous hais ! Vous brûlerez en enfer comme toutes ces putains qui ont voulu donner la mort à leurs enfants !

Eh bien, merci ! dis-je à voix haute. Un autre fêlé qui se ramasserait entre les mains du NYPD. J'avais accumulé 39 messages de menaces. Je les avais classés dans un dossier et enregistrés sur un CD pour Larry Robinson. Je le lui laisserais au poste sur le chemin du retour à la maison. Même s'il était fort probable que ces malades ne soient pas dangereux, il n'y avait aucun risque à prendre. De toute façon, mon chef de pupitre m'aurait obligée à faire part de ces commentaires aux policiers.

Avant de partir, j'envoyai un message à John pour lui faire un compte rendu de ma lecture des commentaires des lecteurs. Je l'informai que je m'occuperais avec la plus grande des rigueurs de l'unique message qui nous intéressait. Je rajoutai un bonhomme sourire à la fin de mon courriel afin de l'attendrir à mon sujet.

16 h 45. J'effectuai un arrêt au poste du NYPD. Comme le policier Robinson n'y était pas, je laissai le CD de menaces dans une enveloppe à son intention. Puis, je poursuivis ma marche de santé en direction de mon studio tout en scrutant les vitrines.

Jeudi 13 décembre, 8 h du matin. Une journée de plus qui me déprimerait sûrement. La semaine qui s'achevait n'avait été en rien fructueuse. Même qu'elle avait été l'une des moins profitables depuis mon entrée au *New York Today Journal*. Larry Robinson et Ryan Beckham avaient besoin de temps pour examiner les tonnes de pistes en cours. Étrangement, je m'étais sentie seule sans mes nouveaux collaborateurs. Même que je m'ennuyais d'eux.

Je n'avais trouvé rien d'intéressant à publier sur L'Avorteur. Mes compétiteurs non plus, d'ailleurs. Et je n'avais pas été assez courageuse pour me rendre à la cathédrale Saint-Patrick afin de narguer la directrice des communications et le père Cristiano.

Même du côté de ma vie personnelle, c'était le néant. D'abord, Georges était parti comme prévu. Sans lui, il n'était pas question de me pointer au Pop Burger. Donc, le côté social avec les collègues avait été mis de côté. Je n'avais pas eu de nouvelles de ma famille non plus. Et j'étais si obnubilée par L'Avorteur que je passais des nuits blanches à penser, à réfléchir et à me retourner de tous les côtés. Mes seules distractions se résumaient à manger, écouter de la musique et faire un peu de vagabondage dans les boutiques avoisinantes. Même lire, regarder des films et aller au cinéma me demandaient trop d'attention. J'étais incapable de me concentrer. J'étais complètement découragée par cette affaire d'Avorteur !

Chapitre 17

Coup de théâtre

8 h 15. Allongée sur le sofa, je me fis déranger par la sonnerie de mon cellulaire pendant que je passais d'un poste de télévision à l'autre. J'allongeai le bras avec effort en me disant qu'il s'agissait sûrement d'un appel sans importance.

— Hellllooo !

— T'as lu tes courriels dernièrement ou non ? Je suis certain que non. Tu crois tout de même pas que je vais te couvrir tout le temps ? Réveille, chérie !

— Bonjour Ryan ! Tu aurais dû commencer la conversation par : Bonjour, Lily-Rose !

— Bonjour Lily ! Bonjour Lily-Rose ! Et encore bonjour ma chère Lily ! Ça te va, là ?

— Parfaitement Ryan, et aussi calmement que possible, je vais te répondre. Je n'ai eu aucun courriel croustillant depuis une semaine, ni de téléphone ou contact de quelque importance. Alors, exprime-toi ! Je n'attendais que ça que tu m'appelles. Je m'ennuyais tellement ! le taquinai-je tout en réalisant au fond de moi-même qu'il y avait une part de vérité dans cette dernière phrase. Je suis censée savoir quoi exactement, hein ?

— Lily-Rose, il y a cinq minutes, t'as pas reçu une invitation à une conférence de presse ? Sinon, ton chef de pupitre ne t'a pas appelée de toute urgence pour t'assigner une affectation ?

— Tu sauras que je ne regarde pas mes courriels toutes

les cinq minutes. Et non, John ne m'a pas contactée, du moins pas par téléphone. Alors, laisse-moi un instant pour ouvrir ma boîte de réception, comme ça fait au moins deux heures que je ne l'ai pas regardée. Mais quelle délinquante je fais à tes yeux, hein, Ryan !

— Hi, tu t'es ennuyée de moi, on dirait bien ! Calmez-vous jeune demoiselle ! Calmez-vous ! Alors ça y est, t'es devant ton écran là ?

— Oui, oui ! Ça y est, j'y suis. Laisse-moi un instant. Je vois effectivement un nouveau courriel de la part de John. Non ! Mais qu'est-ce que c'est que ce bordel ? La Fondation voir le jour invite les médias à assister à une conférence de presse ce jeudi 13 décembre, à 9 h 30, dans ses locaux. Le sujet sera le taux d'avortement dans la ville de New York. Non, mais je rêve ? C'est un hasard, ou tout ça est prévu et voulu ? répondis-je. C'est complètement impensable qu'un organisme puisse profiter des abominations de L'Avorteur pour gagner en cote de popularité auprès du public ! Parce que c'est de ça que ça a l'air ! Quand je pense qu'on m'a accusée d'avoir incité L'Avorteur à récidiver à cause de mon entrevue avec le père Cristiano. Cette sortie publique, elle n'aura aucune conséquence alors ? À première vue, je sens que les faits qui seront avancés donneront raison à L'Avorteur. Mais on vit dans un monde de fous ! Littéralement ! Tu connais cette fondation ? poursuivis-je.

— Ouais, un peu. C'est un organisme sans but lucratif qui cherche à réduire le nombre d'avortements à New York et à éduquer les femmes enceintes à ce propos, en leur faisant connaître les options possibles liées à leur grossesse. Cette fondation fait fréquemment des siennes, mais demeure paci-fique. Elle est composée d'hommes et de femmes provenant de milieux de recherche, d'affaires et d'entrepreneuriat, qui croient en la vie, la justice et la liberté, décrivit le criminologue du FBI.

— Tu crois qu'il pourrait y avoir un lien avec L'Avorteur, de près ou de loin ?

— Non, t'exagères là ! Ils n'oseraient jamais faire une telle sortie publique ! À moins d'être vraiment très cons. Ça voudrait carrément signifier qu'ils se jetteraient dans la gueule du loup. Non, je suis certain qu'il n'y a aucun lien possible. Mais nous vérifierons cette hypothèse. Ça va de soi.

— Et dans le répertoire de l'archidiocèse ? Il y a quelque chose sur eux ? continuai-je.

— Aucune idée ! Mais vous faites preuve d'une grande rigueur, mon cher Watson ! Je vérifie dès que j'ai raccroché. Pour ton info, à ce jour, sur les 8 520 membres des groupes répertoriés à surveiller, nous sommes passés à travers 3 820 d'entre eux. On a mis au jour 238 individus susceptibles de présenter un degré de dangerosité intéressant dans le cas qui nous concerne. Nous avons des logiciels conçus expressément pour croiser des données. On y entre les infos précises qui nous intéressent, celles que nous recherchons et celles que nous avons trouvées. Puis vlan, notre extraordinaire logiciel judiciaire fait le travail pour nous ! Il nous indique le degré de dangerosité et les aspects à considérer dans notre enquête. On l'a donc utilisé pour notre analyse du répertoire.

— Finalement, tout le mérite qu'on te prête ne te revient pas trop. Mais plutôt à un excellent logiciel, mon cher Sherlock Holmes ! Bon, OK, c'est une *joke* !

— Bon ça va ! Écoute, on se voit là-bas demain, OK ? Après, tu seras sûrement dans le jus tout comme moi. Alors si on allait souper ensemble ce soir, afin de faire la paix et le point ? Je te jure que je ne tenterai rien contre ton gré. J'ai une grande gueule, mais tu devines que je n'agis pas. Je suis bien plus terre à terre que la plupart des gens le croient. Et surtout, je suis très distingué, mon cher Watson !

— Ça va, Ryan ! Je te fais confiance et te remercie grandement pour tout ce que tu fais pour moi. Alors c'est oui. J'accepte. Tu me reviendras avec le resto choisi. Ça nous permettra aussi d'échanger sur l'enquête.

— J'ai bien entendu ? Tu acceptes mon invitation ? OK, alors je t'amène dans un endroit sympathique et simple. Un de mes endroits préférés, me rappelant l'Italie. J'adore l'Italie ! Donc, je passe te prendre à 16 h 30 chez toi. Et nous irons nous régaler chez Eataly. Tu connais ?

— Si je connais ? Plus que tu le penses ! Je suis toujours rendue là. Mais ça me fait plaisir de m'y réfugier avec une autre personne. Ça fera changement de mes habitudes.

— Bien ! Alors à bientôt, Lily-Rose !

— C'est ça à bientôt, Ryan !

9 h. 5ᵉ Avenue, Manhattan. « Fondation voir le jour » indiquait l'affichette sur la devanture de l'édifice. Affichette que des dizaines de journalistes scrutaient.

Les portes s'ouvrirent environ une demi-heure plus tard. Je pénétrai à l'intérieur en suivant mes compétiteurs qui se bousculaient. Des croix ornaient les corridors, sans compter les tas de cadres mettant en évidence la vie du Christ. Parfois à genoux auprès des chrétiens qu'il chérissait, tantôt crucifié sur une croix, ou assis avec ses apôtres à partager le pain, puis à tendre la main à Marie-Madeleine.

Je baissai les yeux d'indignation. Cette immense pièce murale me paraissait insensée. Mais où me trouvais-je ? Je longeai les corridors sombres derrière les autres journalistes. Nous étions guidés par un homme austère vêtu d'un habit qui devait valoir son pesant d'or, boutons de manchettes en or à l'appui. Il se retournait parfois subtilement vers nous, qui le suivions sans dire un mot.

Nous arrivâmes finalement à l'entrée de la pièce où allait se dérouler la conférence de presse. Une musique se faisait entendre du fond de la salle. Une mélodie religieuse. C'était encore plus inopportun que la pièce murale, ne pus-je m'empêcher de penser. Je trouvais cela véritablement étrange. Si ma mère avait su ce que je pensais en ce moment, elle qui était si pratiquante contrairement à moi, elle aurait eu honte de sa fille. J'étais plutôt du genre à me contenter de participer aux événements de vie tels que les mariages, baptêmes et Noël pour démontrer ma foi. Même si je n'avais rien contre la religion catholique, pas plus qu'une autre religion.

Nous finîmes notre ascension dans une immense chapelle. Immense, si l'on considérait l'édifice. Je n'aurais pas imaginé qu'un endroit du genre s'y cachait. L'odeur d'encens me monta au nez. Ce qui me fit lever le cœur. Je m'assis dans l'un des bancs, auprès des autres journalistes qui faisaient une drôle de tête tout comme moi. J'analysais la salle tout en cherchant du coin de l'œil mes deux complices du NYPD et du FBI. Personne à l'horizon. Mais ça n'allait sûrement pas tarder.

Or, quelle ne fut pas ma surprise lorsque j'aperçus Angélique Stewart, la responsable des communications de l'archidiocèse. Que venait-elle faire là ? me demandai-je. Elle se terrait dans un coin de la salle derrière une colonne. On aurait dit qu'elle tentait de se camoufler. Alors que je n'avais qu'une envie, celle de me lever pour aller l'affronter, je décidai de demeurer bien ancrée sur mon banc. Je me penchai plutôt discrètement afin de l'espionner d'un angle me dissimulant. Après seulement quelques minutes, elle disparut subtilement, comme si de rien n'était.

— Je vous prie de m'accorder votre attention. S'il vous plaît ! Votre attention, sommait un homme au microphone en gesticulant nerveusement. Nous allons maintenant procéder. Je vous demanderais de réserver vos questions pour la fin. Seules celles se rapportant au sujet du jour seront acceptées. Mon nom est Jamie Wilson, directeur des communications de la Fondation. Si vous souhaitez obtenir de plus amples renseignements sur le sujet du jour, c'est à moi que vous devrez vous adresser après l'allocution de nos invités principaux pour la période des questions. Sans plus tarder, nous accueillerons en premier lieu le directeur général de la Fondation voir le jour, Pedro Diaz.

Je sortis mon cellulaire afin d'enregistrer les allocutions et je le déposai sur mon banc. Comme je me situais à l'avant, il capterait amplement le son. Je saisis mon appareil-photo et je pris quelques clichés avant même l'arrivée du principal intéressé sur scène.

Un homme assez jeune, arborant un air conservateur avec sa tenue grisâtre et sa chevelure peignée sur le côté, fit son apparition aux côtés du maître de cérémonie.

— Je vous remercie d'être avec nous aujourd'hui. Grâce à la *Loi sur l'accès à l'information*, la Fondation voir le jour a mis la main sur les données du taux d'avortement enregistré par le Département de la statistique en santé de la Ville de New York. C'est pour cette raison que nous vous avons convoqués aujourd'hui. Pour vous dévoiler ces données étonnantes. En 2011, plus de 40 % de toutes les grossesses se sont terminées par un avortement dans la ville de New York. On parle de près d'une grossesse sur deux. Pour 203 514 grossesses, il y a eu 80 485 avortements. C'est presque le double de la moyenne nationale, qui est de 22 %.

L'homme leva les yeux vers l'assistance afin d'examiner les réactions des journalistes. Son sourcil droit se suréleva et son front se plissa. Il s'interrogeait à savoir si son intervention était efficace. Il replaça les feuilles qu'il tenait sur son lutrin, il rebaissa les yeux vers celles-ci et il poursuivit avec un air de satisfaction.

— Pire encore, New York est la capitale de l'avortement en Amérique ! hurla l'homme. Et le plus terrifiant, 63 % des adolescentes enceintes se font avorter à New York ! Sans compter que 60 à 70 % des femmes afro-américaines enceintes se font avorter ! Et si je vous disais que le taux d'avortement dans le quartier Chelsea-Clinton de Manhattan est de 67 %. Deux femmes sur trois se font avorter dans ce quartier. Le taux d'avortement est de 60 % dans le Queens et dans Greenwich ! dénonça le directeur général en continuant de crier à la grande surprise de tous. Selon certains experts que nous avons consultés afin d'interpréter ces résultats, le taux élevé de 40 % d'avortements serait lié à des facteurs comme la race, le faible revenu, le faible taux d'éducation, le taux de délinquance élevé, les problèmes de maladie mentale, ou encore le manque de soutien en cas de détresse. Mais il ne faut pas non plus négliger le fait qu'il y a des cas liés à des événements dont nous ne connaîtrons jamais la cause.

Quarante pour cent ! Quarante pour cent ! me répétai-je. En effet, il s'agissait d'un pourcentage étonnant. À bien y penser, si on m'avait posé la question pour connaître ma présomption sur le taux d'avortement dans la Grosse Pomme, j'aurais supposé 5 % ou encore 6 %. Par contre, j'étais vivement pour la liberté de choix. Et ce, peu importait le pourcentage d'avortements. Je ne comprenais pas pour quelles raisons une fondation, ou peu importe quel groupe, devait se mêler de la vie des femmes d'aujourd'hui. Nous détenions le droit primordial de choisir. Même si j'étais loin de m'identifier comme étant une féministe.

Mais quel était l'intérêt derrière ces statistiques, et pourquoi les présenter publiquement à ce moment précis ? Tout ce scénario pouvait-il réellement être lié aux meurtres de L'Avorteur ? Je ne pouvais y croire. Mon imagination devait être un peu trop fertile.

— À présent, j'aimerais vous dévoiler en grande primeur un sondage réalisé pour le compte de la Fondation voir le jour auprès de 600 New-Yorkais. Ce sondage fait directement référence aux 40 % d'avortements établis par le Département de la statistique en santé de New York, poursuivit le directeur général. Par ce sondage, la Fondation ne souhaite pas empêcher les femmes de choisir. Mais plutôt les inviter à le faire de façon éclairée. Nous désirons les soutenir en leur offrant une éducation, des alternatives à l'avortement et un milieu communautaire pouvant les encadrer. Bien sûr, nous voulons renforcer notre Église par rapport au phénomène de l'avortement dans le but de le freiner. Et nous espérons que l'État appuiera l'Église en ce sens ! Je cède maintenant la parole à l'un des plus précieux collaborateurs de notre fondation, qui vous exposera les données recensées dans notre sondage.

Ouf ! Je n'étais plus trop sûre de suivre de façon efficace le spectacle qui se déroulait sous mes yeux. J'en perdais ma concentration. Les dirigeants de cette fondation me paraissaient si loin de la réalité de notre monde et si perdus dans une triste propagande d'idées extrémistes insensées. Nous étions en 2012 !

— Je vous remercie Monsieur Diaz, reprit le maître de cérémonie, ce qui me fit sortir de mes sombres pensées. Afin d'appuyer les propos de notre directeur général, accueillons donc nul autre que le très respecté archevêque de New York, monseigneur Roberto Bardem.

Quoi ? La situation dégénérait complètement. Il venait de se dérouler un horrible meurtre dans son propre lieu de culte. Il n'avait effectué aucune sortie publique, accordé aucune entrevue. Ce qui lui conférait une certaine froideur. Et là, coup de théâtre, il venait clamer haut et fort son appui à la Fondation voir le jour contre l'avortement !

Je trouvais cela odieux. Comment une sommité religieuse, qui devait donner l'exemple, accepter son prochain, l'accueillir à bras ouverts, le comprendre, l'aimer et lui pardonner, pouvait-elle agir ainsi ? Cet homme enfonçait carrément un clou dans la main de Jésus-Christ sur la croix, en encourageant publiquement L'Avorteur à poursuivre sa tuerie. Une telle sommité, qui devait être dotée d'une grande intelligence, ne devait-elle pas anticiper le danger engendré par ses actions ?

— Bonjour, aujourd'hui je suis ici pour interpeller tous les leaders religieux à agir auprès de leur communauté pour contrer le phénomène de l'avortement. Le droit à la vie ne dépend d'aucun de nous. Mais de Dieu seul. La vie est un privilège divin. Dès la formation de l'embryon, il y a une vie. Il y a un être vivant. Un humain. Qui sommes-nous pour nous autoriser à arracher une vie des mains de Dieu ? Qui ? Avorter, c'est donner la mort ! Dieu nous interdit de donner la mort. Les meilleures lois pour un peuple sont celles qui reflètent la volonté de Dieu. Nous devons donc agir pour le bien de notre communauté en les respectant. En tant qu'archevêque de New York, je m'engage à prendre les moyens nécessaires pour contrer l'avortement.

L'archevêque prit une gorgée de la bouteille d'eau posée à ses côtés sans relever les yeux de son lutrin. Il semblait confiant. Il continua sur sa lancée calmement.

— D'ailleurs, permettez-moi de vous dévoiler les grandes lignes du sondage mené par la Fondation, dont monsieur Diaz vient de vous parler. Les résultats révèlent que 78,8 % des New-Yorkais trouvent qu'il y a suffisamment d'accès à l'avortement ; que 87 % sont en faveur que l'on fournisse davantage d'information aux mères enceintes sur les alternatives à l'avortement ; que 89 % s'opposent à l'avortement lié à des naissances multiples ; que 92 % sont contre l'avortement lié au sexe ; que 76 % croient que les mineures devraient avoir une autorisation parentale pour avorter ; que 68 % approuvent qu'on offre des soins de santé gratuits aux mères qui portent leur grossesse à terme ; et que 80 % s'opposent à des interruptions pouvant être pratiquées à n'importe quel stade de la grossesse. Finalement, 75 % sont contre la modification de la *Loi sur la santé reproductive* qui permettrait à d'autres professionnels de la santé que des médecins d'interrompre une grossesse, tel que le propose notre gouverneur, énuméra à un rythme effréné l'archevêque. Si vous me le permettez, je terminerai en soulignant que selon un sondage mené par Gallup en 2011, 21 % des Américains pensent que l'avortement devrait être illégal en toutes circonstances et 38 %, qu'il devrait être légal dans quelques cas seulement, contre 26 % qui croient qu'il devrait être légal dans tous les cas.

Des chiffres, des chiffres et encore des chiffres qui représenteraient tous les New-Yorkais et tous les Américains.
J'avais toujours eu du mal à accorder de l'importance, de la
crédibilité aux sondages. Certaines données démontraient
que les résultats étaient pratiquement identiques que l'on
sonde une infime partie représentant bien l'ensemble de la
population visée ou tous les gens qui la composent. Mais je
n'y croyais pas trop. Malgré ma réticence à le faire, j'allais
tout de même rapidement envoyer une brève au journal sur
tous ces chiffres, avec ma tablette numérique – mais j'allais
ajouter un petit bémol sur cette sortie publique.

Une connotation négative un peu sensationnaliste si on se
fiait à mon surtitre et à mon titre. *L'Avorteur tue une deuxième
innocente victime / La Fondation voir le jour et l'archevêque
de New York lancent une campagne antiavortement.* Il restait
simplement à espérer que mon chef de pupitre ait assez de
courage pour sortir mon texte dans son intégralité. Je tapai
enfin les derniers mots de cette brève. Je garderais la plupart
des statistiques pour ma version longue pour l'édition papier
du lendemain, qui ressemblerait plutôt à un tableau de données controversées.

— Je vous remercie de votre attention et j'espère que vous
saurez porter mon message à notre communauté au nom de
Dieu, termina monseigneur Bardem, en baissant la tête en
signe de salut, tout en se retirant discrètement.

« J'espère que vous saurez porter mon message à notre
communauté au nom de Dieu », me repassai-je dans ma tête.
« Mon message au nom de Dieu ». Il allait gagner son pari.
Non seulement son message passera auprès de sa communauté, mais à travers le monde entier, selon moi. Comment
pouvait-il en être autrement ? Comment pouvait-il ne pas se

rendre compte qu'il risquait d'attirer l'attention de la population de façon péjorative ? Cet homme était-il si convaincu de son message au point d'en oublier tout le reste ? Voire sa mission ? Je ressentais une réelle difficulté à cerner ce qui se passait. Je ne pouvais y croire.

— Nous allons maintenant procéder à la période de questions, enchaîna le responsable des communications de la Fondation. Je vous demanderais de bien vouloir vous présenter à tour de rôle au micro situé dans l'allée centrale. Et de vous nommer en mentionnant le média que vous représentez. Ensuite, identifiez à qui s'adresse votre question, soit à monsieur Diaz, soit à monseigneur Bardem. Une seule question sera acceptée par journaliste. Au total, nous prendrons 10 questions. Nous vous demandons de respecter ce processus. Si vous avez d'autres questions ou désirez obtenir une entrevue, adressez-vous à moi après la conférence de presse ou communiquez avec moi ultérieurement. Vous avez mes coordonnées dans votre pochette de presse. Merci !

Je courus sans attendre vers le microphone, sachant très bien la suite du déroulement. Il n'était pas question qu'un journaliste me vole la première place. Je bouillais de l'intérieur. Je sentis mes joues rougir. Mes mains se crispèrent sous la pression. Mes jambes se raidirent. J'avais envie de hurler mon incompréhension de la situation, d'envoyer valser tous les leaders religieux et extrémistes de ce monde.

— Oui, Mademoiselle, c'est pour vous la première question, me lança Jamie Wilson.

— Lily-Rose L'Espérance, du *New York Today Journal*. Ma question s'adresse tant à monsieur Diaz qu'à monseigneur Bardem. Êtes-vous conscients des répercussions que déclenchera cette sortie publique sur L'Avorteur ? On parle de meurtres effectués sur des femmes qui devaient se faire avorter. On parle d'une véritable boucherie au nom de Dieu, ayant pour objectif de décourager toute femme qui oserait interrompre sa grossesse. Avec tout le respect que je vous confère, pourquoi faites-vous cette sortie publique aujourd'hui ? terminai-je avec une voix calme remplie de pitié, sous le silence inquiétant de l'assistance.

En apercevant le regard noir de terreur du directeur général de la Fondation qui me scrutait et en voyant son visage s'empourprer, je devinai que j'allais y passer. Ce dernier s'approcha du microphone et le saisit brutalement. Il prit une profonde respiration avant de me répondre.

— La journaliste L'Espérance. Ah, c'est vous ça ! Quel plaisir de vous rencontrer ! Vous qui mettez en doute notre honnêteté et notre mission. Comment osez-vous affronter de la sorte notre archevêque ? Comment osez-vous remettre en question sa foi ? Je pense qu'il serait irrespectueux pour notre communauté religieuse de répondre à de telles obscénités. Je vais donc faire abstraction de vos questionnements. Je vais plutôt renvoyer la balle dans votre camp ! s'offusqua le dirigeant de la Fondation. Comment avez-vous pu manipuler un homme de grande foi de l'archidiocèse de New York ? Le convaincre de renier les siens qui se vouent corps et âme pour faire baisser le taux d'avortement chez les New-Yorkais ? Cette deuxième femme qui a été tuée froidement, vous tenez-vous pour responsable de sa mort ? Considérez-vous avoir choqué L'Avorteur au point qu'il commette un second meurtre ? Nous devons démontrer à L'Avorteur que nous sommes, tout comme lui, contre l'avortement pour contrer toute cette tuerie. Et non le contraire comme vous l'avez si bien démontré ! continua-t-il. Serez-vous responsable du troisième de ses meurtres ? Ou pencherez-vous plutôt du bon côté en suivant la voix de Dieu ? En livrant un message saint ? Je ne vous demande pas de répondre bien entendu, me défia-t-il. Passons à la prochaine question si vous le voulez bien Jamie, ordonna Pedro Diaz. Merci.

— Votre réponse, vous venez de me la livrer sur un plateau d'argent ! Tout comme aux dizaines de journalistes se trouvant dans cette salle. Si bien que je ne crois pas qu'il soit nécessaire d'assister à la suite de votre sortie publique. J'ai un message à livrer moi aussi. Sur ce, je vous souhaite bonne chance dans votre conquête ! débitai-je sèchement devant l'expression ahurie des journalistes, qui semblaient m'appuyer.

« Allez tous vous faire foutre ! », continuai-je dans ma tête, tout en ramassant mon bagage étalé sur un banc. Je marchai en direction de la sortie sans me retourner avec une confiance en moi qui me surprit.

Assise à mon bureau, je tapai avec engouement mon article de fond sur la conférence de presse à laquelle je venais d'assister.

Alors que je m'apprêtais à envoyer ma version finale à mon chef de pupitre, je reçus une visite inattendue. Je voyais le reflet dans mon écran de mon rédacteur en chef, une main posée sur mon épaule.

— Lily-Rose. Bonjour. Alors, vous vous lancez dans une croisade contre l'archidiocèse et la Fondation voir le jour à ce que j'ai lu ? On dirait bien que votre chef de pupitre vous a appuyée dans votre délire. John est beaucoup trop aimable avec son équipe ! Il devrait apprendre à être un peu plus autoritaire, comme moi ! Qu'en est-il de mon avis selon vous, hein ?

— Chris ! Quelle agréable surprise ! mentis-je. Écoutez, loin de moi l'idée de partir en croisade. Je veux simplement dénoncer la situation. Je ne pousserai pas la note trop loin, si c'est ce que vous aimeriez m'entendre vous dire.

— Vous n'avez probablement pas eu le moindre instant pour vous depuis ce matin. Alors j'imagine que vous n'avez pu vous permettre de lire ou d'écouter vos compétiteurs sur la conférence de presse de ce matin ? Ce n'est pas monseigneur Roberto Bardem ni Pedro Diaz qui font la une des médias. Non. Vous savez qui fait la une de nos compétiteurs au moment où je vous parle, Lily-Rose ?

— Eh, non. Qui ? mentis-je pour une seconde fois en imaginant le désastre.

— Vous. Oui, vous qui vous êtes lancée dans une croisade contre le christianisme, contre l'archevêque et l'archidiocèse de New York au complet et contre toute association dénonçant l'avortement, telle que la Fondation voir le jour. Oui, vous, Lily-Rose. Vous, vous, vous ! Savez-vous comment je me sens en ce moment ? Je suis enragé noir ! Vous n'avez aucune demi-mesure ou quoi ? Mais pourquoi avez-vous ce don ? Ce don de vous mettre les deux pieds dans les plats ? Dites-moi ! Expliquez-moi ! Souhaitez-vous d'autres vacances peut-être ? C'est ça ? Hein ? me gronda mon rédacteur en chef. Dorénavant, vous m'envoyez tous vos textes avant diffusion ! Avez-vous compris ? Tous ! Si John ou tout autre chef de pupitre ou webmestre de ce journal n'est pas capable de faire son travail comme il se doit, alors je vous prends en charge, Lily-Rose L'Espérance ! Tous vos textes ! Et vos photos également ! Ne vous inquiétez pas, cela n'affectera en rien la rapidité de vos publications ! Je serai aux aguets jour et nuit s'il le faut. On se doit tout de même d'être toujours sur la première ligne ! Ceci étant dit, il n'est pas question de nuire à cette réputation respectée pour être en tête d'affiche. Je n'ai pas besoin d'une vedette dans mon journal ! Est-ce que vous me comprenez bien, chère ? Sinon, je vous retourne d'où vous venez ! Au Québec ! déblatéra mon patron devant mes collègues qui m'observaient, à ma grande honte.

Je n'avais su trop quoi répondre aux reproches de mon rédacteur en chef. Je m'étais contentée de lui faire signe de la tête en baissant les yeux en signe de regret. Après tout, il n'avait pas tout à fait tort, je n'avais pas de demi-mesure et je faisais tout le temps à ma tête. Je méritais ses réprimandes, pensais-je pour une fois. Au moins, Chris avait lâché prise devant mon air défaitiste. Et la journée s'était somme toute bien déroulée dans le calme. Même mes collègues jouaient aux innocents comme si rien ne s'était passé. Ce qui signifiait que je gagnais en crédibilité et en réputation auprès d'eux, essayai-je de m'encourager. Je souris sur ces dernières pensées. J'étais indisciplinée, mais déterminée.

7 h du matin, vendredi **14 décembre**. Après avoir parcouru le journal, je me sentis encore plus valorisée, même si ce n'était pas le but de mon travail. Mon seul objectif étant de contribuer à arrêter L'Avorteur. Or, j'étais fière de faire encore partie de la une, à ma grande satisfaction. Mais cette fois-ci, je l'avais réellement crainte cette éventuelle une. Chris étant furieux concernant ma démarche journalistique, je m'étais imaginé qu'il aurait voulu me punir. Je m'étais convaincue qu'aucune attention ne serait portée sur mes écrits liés à la conférence de presse de la Fondation voir le jour en collaboration avec l'archidiocèse. Le contraire s'était produit. Et même si mon reportage se faisait dénonciateur, il avait été préservé de toute coupure ou modification. Cela signifiait sûrement pour Chris qu'il attirerait l'attention en faisant vendre des milliers de copies. Sinon, jamais il n'aurait pris de risques.

Je refermai le journal en me demandant à quoi ressemblerait ma journée. À chacune de mes grandes sorties médiatiques, je craignais le pire. Soit que je n'assure pas pour la suite de l'enquête, ou pire encore, que je ne puisse plus participer à freiner L'Avorteur.

Chapitre 18

L'heure de la dénonciation

8 h. Pendant que je terminais mon petit-déjeuner, mon cellulaire sonna. Je l'attrapai rapidement d'une main en souhaitant que Dieu ait entendu ma parole et qu'il me donne ainsi un second souffle. Je fixai l'afficheur. Il m'indiquait que le numéro était privé.

— Lily-Rose L'Espérance !

— Oui, bonjour ! Bonjour, Madame L'Espérance ! C'est Julius. Julius Cristiano.

Julius Cristiano ? Avais-je bien entendu ? Non seulement Dieu avait répondu à mon appel, mais me permettrait-il d'effectuer un miracle en ce jour ? À moins que ce dernier ne m'appelât que pour me dire des bêtises.

— Mon père ? Mais que me vaut l'honneur de votre appel, dites-moi ? Je dois vous dire que je suis un peu surprise, là !

— Écoutez, je préfère me taire au téléphone. Par mesure de prudence. Je pense que vous et moi avons amplement fait de remue-ménage auprès de notre entourage. Mais je crois que le devoir m'appelle. Je dois suivre mon instinct. Et mon instinct me dicte de collaborer avec vous pour éviter un troisième meurtre. Ou du moins, pour éviter que la population croie à tort que notre communauté est extrémiste. Vous savez, j'ai foi en notre archevêque. C'est un homme bon. J'ai confiance en la mission de la Fondation voir le jour. Mais j'ai la certitude qu'ils font fausse route dans le cas de L'Avorteur. Toute cette sortie médiatique, ce n'est que de la peur. Bref, où pourrions-nous nous rencontrer en dehors de la cathédrale et de votre bureau ?

Alors que je m'apprêtais à lui répondre qu'il pouvait choisir le lieu de rencontre, une idée saugrenue me passa à l'esprit. Et si je jouais le tout pour le tout ? Peut-être que cela nous ferait le plus grand des biens à tous les deux dans les circonstances.

— Mon père, que diriez-vous de venir souper chez moi ? Ce soir ? m'avançai-je.

— Hum, ce n'est pas un peu risqué, cette offre ?

— Risqué ? Bien sûr que c'est risqué ! C'est complète-ment fou, si vous me permettez ! Mais notre but n'est-il pas de freiner L'Avorteur ? À tous les deux ? Pour quelle raison devriez-vous donc refuser mon offre ? Dites-moi ?

— C'est d'accord, alors ! Je n'informerai personne ici de notre rendez-vous. Et je me présenterai chez vous bien camouflé tout de même afin de passer incognito. Où habitez-vous ?

17 h. D'une minute à l'autre, le père Cristiano ferait irruption chez moi.

J'entendis cogner à la porte. Les interphones n'existant pas dans mon immeuble, je me convainquis alors de la néces-sité de faire la demande au propriétaire d'en installer un afin que l'endroit soit plus fonctionnel. Si j'en avais eu un, j'aurais pu prendre sur moi afin de ne pas avoir l'air trop idiot devant mon invité. Un religieux rattaché à l'archidiocèse allait bientôt mettre les pieds dans mon studio, et pas n'importe lequel. Je ressentais une telle nervosité. Je pris une grande respiration et j'ouvris au prêtre.

— Ah, bonjour Lily-Rose ! laissa simplement tomber le père vêtu d'un énorme anorak.

— Bonjour ! Je vous remercie de votre visite ! Cela est fort apprécié, soulignai-je tout en lui faisant signe d'entrer.

— J'agis selon la voix de Dieu. Dieu existe. La foi existe. Elle est primordiale pour avancer dans ce monde sans merci. Elle est nécessaire. Croyez-en mon expérience ! Peu importe ce que la foi signifie pour vous. Pour moi. Pour les autres. Il faut croire. Peu importe en quoi vous croyez. Mais croyez. Ayez la foi. C'est ainsi que vous réussirez à arrêter L'Avorteur. En ayant la foi, évoqua nerveusement Julius Cristiano.

— Avoir la foi, oui ! Je dois vous avouer que j'ai un peu de difficulté avec ma foi en ce moment. Avec toutes ces monstruosités qui nous affligent ! Pas plus tard que ce matin, un jeune de 20 ans a tué sa mère et s'est rendu dans une école primaire à Newtown, au Connecticut, où il a tué 20 enfants et sept adultes ! Admettez, père Cristiano que notre foi est mise à l'épreuve trop souvent. Je n'aurais pas aimé faire partie de l'équipe du journal qui a dû se rendre sur les lieux du crime aujourd'hui ! Ça devait être horrifiant ! Au moins, les autorités n'auront pas à pourchasser le meurtrier comme L'Avorteur puisqu'il s'est donné la mort, m'exprimai-je.

— Je sais, je sais. Je comprends votre point de vue, répondit mon invité, avec un regard perplexe.

— Désolée mon père, allons-nous asseoir ! Suivez-moi ! proposai-je.

Je m'étais couchée tôt après le départ du père Cristiano. J'avais été stupéfaite par ses révélations. À un point tel que j'avais pris la sage décision de cogiter durant le reste de la soirée sur notre conversation, en remettant au lendemain la suite de mon enquête et l'écriture.

6 h. Mon sommeil avait été léger et perturbé. Depuis déjà 4 h du matin, je tournais dans mon lit en repensant aux révélations du père Cristiano et aux mots que je choisirais pour informer la population. Je devrais aussi contacter Ryan Beckham et Larry Robinson, un peu plus tard dans la matinée. Ils devaient être mis au courant de la situation avant la parution de mon article. Je m'en faisais un devoir. Ils auraient peut-être, eux aussi, une monnaie d'échange, pensai-je.

Je me levai. Comme à l'habitude, je me préparai quelques tasses de café. Puis, je m'assis devant mon portable pour lancer mon plan d'attaque. C'était primordial de pondre un article et de le faire parvenir à John et Chris en leur demandant de ne pas le publier avant lundi. Je devais d'abord m'avancer dans mes recherches afin de ne pas me faire devancer une fois ma primeur révélée.

Après un petit moment de réflexion, une illumination me vint à l'esprit. Je ferais une entrevue téléphonique avec des associations pro-choix et pro-vie. La sortie publique de la Fondation voir le jour en collaboration avec l'archidiocèse était une excellente occasion pour ce faire. Une bonne façon de compléter les révélations du père Cristiano. Il me faudrait juste m'armer de patience pour trouver des contacts un samedi matin. J'avais tellement de matière en tête que je ne savais plus par quel bout commencer.

14 h. Il y avait longtemps que je n'avais pas pris autant de temps à pondre deux articles. Au moins, à ma grande surprise, j'avais trouvé rapidement d'excellentes sources qui avaient accepté une entrevue immédiate.

Comme mes deux acolytes du NYPD et du FBI me prendraient au bas de mon immeuble à 15 h 30 pour une promenade nous permettant d'échanger sur les derniers éléments de l'enquête de façon anonyme, je devais me dépêcher. Les deux policiers avaient accepté rapidement mon offre de rencontre, car ils avaient eux aussi des faits croustillants à partager avec moi. Pour une première fois, je ressentis qu'on se rapprochait de façon marquée de L'Avorteur. Enfin ! Comme il me restait un peu de temps pour une septième et dernière lecture de révision avant d'enfiler quelques vêtements convenables, je passai à l'action. Je voulais m'assurer que mon reportage pour l'édition du lundi serait parfait.

NEW YORK TODAY JOURNAL   A 3

LA FONDATION VOIR LE JOUR ET L'ARCHEVÊQUE DE NEW YORK LUTTENT CONTRE L'AVORTEMENT
Une source dévoile ses craintes liées à L'Avorteur

Par Lily-Rose L'Espérance

Manhattan, le 17 décembre 2012 – Selon une source religieuse anonyme du journal, une menace qui pourrait provenir de L'Avorteur aurait forcé le directeur général de la Fondation voir le Jour, Pedro Diaz, et l'archevêque de New York, Roberto

Bardem, à dévoiler plus tôt que prévu les résultats d'un sondage et des données sur l'avortement à New York qu'ils ont obtenues grâce à la *Loi sur l'accès à l'information*.

Financement majeur

« La Fondation voir le jour est financée en majeure partie par un banquier richissime qui préfère demeurer dans l'ombre. En fait, il fournit aux alentours d'un million de dollars annuellement à l'organisme. Cet argent sert à éduquer les femmes enceintes souhaitant avorter. À les guider vers une autre option en offrant des soins de santé, de consultation, du soutien moral et physique, des ressources, etc. Qui s'occupe de toute cette éducation, selon vous? À qui la Fondation voir le jour s'en remet-elle? À la plus réputée et la plus prestigieuse communauté religieuse d'entre toutes : l'archidiocèse de New York. C'est donc par l'archidiocèse que la majeure partie de la promotion contre l'avortement de la Fondation voir le jour est promulguée », nous a informés notre source.

Cette collaboration aurait été privilégiée par la direction de la Fondation par manque de ressources humaines et physiques, mais aussi dans le but de profiter de la notoriété de l'archidiocèse pour accomplir sa mission. Du côté de l'archidiocèse, l'aide financière octroyée par la Fondation serait une ressource précieuse lui permettant de poursuivre sa grande bataille pour endiguer le recours à l'avortement et défendre ses convictions tout en étant présent auprès de la population.

Lutte contre l'avortement

« Cette lutte contre l'avortement est un geste louable, honnête et basé sur des éléments positifs. Par contre, elle me donne parfois l'impression d'un acharnement. D'une bataille quelque peu extrémiste. Même si je vous confirme que l'archevêque de New York est un homme bon, un homme d'honneur, qui ne souhaite que du bien pour sa communauté. Il ne s'agit pas là de soif de pouvoir, mais de traiter la situation avec une trop grande passion doublée d'une croyance gagnant en démesures », croit notre source.

En ce sens, plusieurs membres de l'archidiocèse, dont l'archevêque lui-même, Mgr Roberto Bardem, ont effectué maintes pressions tant auprès de la population, des politiciens, des services de santé et des services sociaux, qu'auprès des acteurs socio-économiques et communautaires de New York. Cette lutte serait beaucoup plus importante que le commun des mortels ne pourrait l'imaginer. Un comité a même été mis en place à New York, regroupant tous les évêques des huit diocèses de la ville, afin de travailler auprès du gouvernement pour établir des politiques et des lois. Ce comité est formé de divers groupuscules et mouvements de la droite religieuse qui jouent un rôle de conseillers auprès des évêques.

«L'Église est très présente auprès des New-Yorkais. C'est la seconde organisation la plus influente après l'État. Il y a beaucoup plus de pratiquants que l'on ne croit. Mais aussi beaucoup plus d'extrémistes potentiellement dangereux. L'Église doit se méfier d'eux, tel L'Avorteur. Il se pourrait fort bien qu'il fasse partie du groupe des pratiquants extrémistes», a déclaré notre interlocuteur.

Menace de L'Avorteur

Selon notre source, la sortie publique dont il est question dans cet article n'avait pas sa place dans les circonstances. «J'ai cherché à comprendre, à obtenir des réponses. Ce n'est pas dans les habitudes de notre archevêque de jouer d'imprudence ainsi. J'ai alors découvert un élément déterminant pour la suite de l'enquête sur L'Avorteur. Un courriel anonyme de menaces a été envoyé à la Fondation voir le jour. À trois reprises», a-t-elle révélé.

«On m'a indiqué qu'il renfermait le message suivant: "Si vous ne faites pas connaître les données que vous avez recueillies grâce à la *Loi sur l'accès à l'information* ainsi que les résultats de votre enquête sur l'avortement à New York d'ici trois jours, il y aura une troisième victime. En tant que fervent défenseur du droit à la vie, votre organisme doit se soumettre à la volonté de Dieu et répandre la bonne parole, en collaboration avec l'archevêque de New York, pour une meilleure crédibilité. L'archevêque se doit plus que tout autre de répandre la bonne nouvelle au nom de Dieu. Sinon, il y aura une troisième victime. Rappelez-vous!" Et c'était signé: "Votre plus grand admirateur. L'Avorteur. Aussi, l'un de vos précieux collaborateurs. ", a précisé notre informateur.

À force d'insister auprès d'un ami qui occupe l'un des postes de hauts conseillers de l'archevêque de New York, notre source a obtenu des réponses à ses questionnements. Les conseillers de Mgr Bardem et ceux de Pedro Diaz auraient décidé d'effectuer la sortie publique exigée en ne dévoilant pas la menace qui planait. Comme la communauté de l'archidiocèse de New York a été fortement touchée par le second meurtre de L'Avorteur, on a préféré ne pas informer le public ni le NYPD, afin de ne pas être encore une fois au cœur des tourmentes médiatiques de L'Avorteur.

« La communauté religieuse et la Fondation ont fait de l'avortement leur cheval de bataille. On y a mis beaucoup d'efforts et de travail. Plusieurs groupes, personnages publics et individus se sont ralliés à cette cause. Une mauvaise presse aurait pu faire s'effondrer leur structure. Mais je crois qu'il faut d'abord et avant tout se faire protecteur de la population. Et la meilleure solution, selon moi, n'était pas la sortie publique à laquelle nous avons eu droit, mais plutôt de réagir à la menace qui proviendrait de L'Avorteur. Non seulement de la mettre entre les mains des policiers, mais de la médiatiser afin que L'Avorteur sache que nous n'avons pas peur de l'affronter. Il est aussi important d'informer les femmes enceintes afin qu'elles demeurent sur leurs gardes et soient à l'affût », a conclu notre source pour expliquer les motivations qui l'ont poussée à faire appel au Journal.

NDLR Au moment où vous lisez ces lignes, les révélations de notre source anonyme ont été transmises au NYPD et au FBI.

Enfin satisfaite de mon article, je poursuivis ma correction avec un sourire qui s'accrochait tranquillement à mes lèvres.

LA FONDATION VOIR LE JOUR ET L'ARCHEVÊQUE DE NEW YORK LUTTENT CONTRE L'AVORTEMENT
L'Association pro-choix pour la liberté s'insurge

Par Lily-Rose L'Espérance

Manhattan, le 17 décembre 2012 – L'Association pro-choix pour la liberté s'insurge devant la sortie publique de la Fondation voir le jour et de l'archevêque de New York sur la question de l'avortement. Selon la direction, on fragilise la justice sociale et la santé publique. On croit également qu'il s'agit d'un jeu dangereux pouvant pousser les plus extrémistes des opposants à l'avortement à commettre des gestes violents, dont L'Avorteur.

« Qu'il y ait viol, inceste, troubles comportementaux, maladie chez la mère ou l'enfant à naître, que la mère soit trop jeune ou encore que la situation familiale représente le pire des obstacles, pour certaines femmes, l'avortement est la seule option possible. Et elles ont le droit de choisir, d'être libres », a lancé d'entrée de jeu Belinda Cooper, directrice de l'Association pro-choix pour la liberté, un organisme pacifique offrant des services de consultation et d'éducation aux femmes souhaitant interrompre une grossesse.

Mme Cooper a expliqué que certains médecins se sont battus et se battent toujours pour protéger les droits acquis par les femmes, alors que l'Église tente de les abolir. Elle nous a dressé entre autres le portrait d'un médecin pratiquant des avortements dans des cas de grossesses très avancées dans une clinique du Colorado. Cette clinique serait munie de vitres pare-balles, entourée de caméras et de barbelés et autres protections de haute surveillance.

« Un médecin qui n'a pas froid aux yeux et qui n'a pas peur d'affronter la droite religieuse américaine qui domine y pratique. Depuis plus de 40 ans, il vit au quotidien avec des menaces de mort. Il dort avec une carabine à la main. Il a peur pour sa famille. Mais par souci de justice sociale et de santé publique, il se bat en permettant aux femmes d'avorter au-delà de 22 semaines. Alors que l'on pratique généralement l'avortement en deçà de cette période. Je ne veux pas encourager ni promouvoir l'avortement au-delà de 22 semaines. Or, même si nous interdisions l'avortement au-delà de ce nombre de semaines, les femmes qui ont pris leur décision interrompraient de toute façon leur grossesse, envers et contre tous. Mais dans des lieux clandestins, insalubres, dangereux pour leur santé. Il ne faut pas les empêcher d'avorter, cela est irresponsable! Les femmes sont en mesure de décider ce qui est le mieux pour elle-même moralement», a décrit Mme Cooper.

Violence envers les médecins

Selon une enquête menée par le Journal, 13 médecins feraient partie d'une liste d'hommes à abattre. Cette liste aurait été dressée par des membres d'une coalition antiavortement très influente aux États-Unis. La Coalition des douze. Pour 12 apôtres. Cette coalition aurait une mission louable et ses actions sembleraient pacifiques. Par contre, certains de ses membres seraient de très dangereux extrémistes de la droite religieuse. Elle compte plus de 3 000 cohortes aux États-Unis.

« Ces extrémistes ne sont pas devenus ce qu'ils sont du jour au lendemain. Ils se sont nourris de bataille en bataille, en prenant une cause un peu trop au sérieux et puis une autre, jusqu'à ce que tout ça dégénère. En ce sens, les grands esprits, les grands leaders de ce monde devraient se taire. Et faire preuve de prudence. La liberté des uns s'arrête là où commence celle des autres! Tuer pour la vie: c'est complètement absurde! Les victimes de L'Avorteur ont-elles été tuées par un extrémiste religieux au nom de la vie? », a soulevé la directrice de l'Association pro-choix pour la liberté.

Rappelons que de nombreux actes de violence et d'intimidation ont été dénombrés de la part de certains militants extrémistes antiavortement; menaces, attentats, manifestations, agressions et meurtres. Aux États-Unis, huit médecins pratiquant l'avortement et ayant fait face à certaines controverses ont été assassinés à ce jour. Dont le dernier, il y a de ça seulement quatre ans, au Kansas.

Point de vue pro-vie

Par ailleurs, Sabrina Cornwall, coordonnatrice de l'Association ensemble, ne partage pas le point de vue de la directrice de l'Association pro-choix pour la liberté. « Il est vrai que la *Loi sur la santé* ne confère pas de personnalité juridique au fœtus ni de limites pour pratiquer l'avortement. Mais au-delà de 22 semaines, il ne faut pas oublier que le fœtus peut survivre. Il est viable. Pensez-y ! Il peut vivre en dehors du corps de la mère. À 25 semaines, le fœtus a un système nerveux fonctionnel, il reconnaît des sons et ressent de la douleur ! C'est un être humain. Un bébé ! », a-t-elle soulevé.

Elle a souligné qu'un ovule fécondé est une vie humaine selon l'Église catholique et l'Association ensemble. Mme Cornwall a aussi tenu à rappeler le processus entourant l'avortement après 22 semaines de grossesse pour sensibiliser la population à sa cause.

« Il faut compter quatre jours pour l'intervention. Il faut entre autres injecter un sérum intracardiaque pour arrêter le cœur du bébé. On doit poser des tiges métalliques appelées laminaires pour dilater le col pour permettre le passage du cadavre. Oui, du cadavre dont on vient d'arrêter le cœur ! Pour en arriver à le sortir, on doit déclencher de contractions artificielles. Et ensuite, au bout du processus, un bébé mort sort des entrailles de sa mère. On le place dans une magnifique petite boîte en carton. Puis on enterre cette boîte. Comment la société peut-elle accepter une telle horreur ? » a-t-elle raconté.

Aux États-Unis, l'avortement semble représenter une guerre à outrance. En comparaison, au Canada, l'avortement serait davantage respecté, même les frais engagés sont remboursés par le gouvernement. Cette victoire est encore loin d'être gagnée pour les Américains.

Existerait-il un parallèle entre le mouvement pro-vie et L'Avorteur ?

Pour tout commentaire, écrivez-nous à infos@nytodayjournal.com. Le NYPD et le FBI demandent aussi l'aide de la population pour retrouver L'Avorteur. Contactez le NYPD au 1 800 577-8477 ou le FBI au 1 800 225-5324, si vous pensez détenir un détail susceptible de faire avancer l'enquête.

Je m'affaissai sur ma chaise en lisant ces dernières lignes. Mission accomplie. Depuis le début de cette saga, je pouvais m'estimer fière de moi, essayai-je de me convaincre. Je n'avais rien laissé échapper, ou presque, malgré le manque de discipline que mes patrons me reprochaient.

Cela faisait déjà 20 minutes que je me détendais. Il était temps de reprendre mes esprits. Je ramassai le nécessaire pour l'entretien prévu avec mes deux acolytes, je mis un manteau et je descendis à vive allure l'escalier de mon immeuble.

15 h 31. Les deux policiers étaient pile à l'heure. C'était l'enquêteur Beckham qui se trouvait au volant d'une voiture de police banalisée noire. Il se gara à l'avant de l'entrée principale où je me trouvais. Je me baissai la tête pour tenter de voir à travers les vitres teintées. L'enquêteur Robinson ouvrit sa portière et débarqua pour ouvrir la mienne à l'arrière du véhicule, en me faisant signe de prendre place.

— Toujours aussi gentilhomme, Larry ! Je vous remercie, lui lançai-je tout en me glissant sur la banquette.

— Mais tout le plaisir est pour moi, gentille demoiselle ! me répondit-il en souriant.

— Allez, on n'a pas toute la journée ! Je suis attendu au bureau. Avec cette tuerie au Connecticut, plusieurs équipes du FBI ont été monopolisées afin de resserrer la sécurité nationale. On ne sait jamais, ce geste désespéré pourrait encourager d'autres demeurés à commettre l'irréparable ! J'imagine que le NYPD aussi est débordé avec ça, mon Larry ! Allez, embarque ! ordonna l'enquêteur du FBI.

Notre acolyte s'exécuta sans broncher. Puis, le criminologue appuya sur l'accélérateur. Et nous filâmes dans les rues de la Grosse Pomme. Nous étions prêts pour les confidences.

Je me sentais d'attaque. Après les quelques instants de

silence qui suivirent notre bla-bla général dans le but de prendre quelques nouvelles personnelles entre nous, je fis le grand saut. Sous les regards emplis de reconnaissance de mes complices, je déballai donc mon sac. Je débutai par l'appel étonnant de Julius Cristiano. Je poursuivis avec les péripéties de notre souper et les révélations de ce dernier. Puis, je terminai en leur détaillant les commentaires croustillants des associations pro-choix et pro-vie que j'avais recueillis.

Je parlais, parlais et parlais, sans m'arrêter, sans laisser le droit de parole aux deux policiers. Plus l'enquête avançait, plus je gagnais en confiance. Ni Ryan Beckham ni Larry Robinson n'entravèrent l'expression de mon enthousiasme. Ils se jetaient un regard un peu songeur de temps à autre, mais toujours avec cette lueur de contentement dans les yeux qui me rassasiait. L'enquêteur en chef du NYPD prenait des notes de façon assidue. Tandis que notre chauffeur demeurait attentif et vérifiait si son partenaire n'oubliait rien.

Je terminai enfin mon histoire, tout en réalisant que nous formions une équipe solide. Jamais je ne me serais imaginé une telle complicité, il y avait de cela pas si longtemps. J'espérai dans le fond de moi-même que les deux policiers ressentaient la même chose que moi. L'appartenance, l'esprit d'équipe et la confiance. Le criminologue du FBI me sortit de mes rêveries un peu trop à l'eau de rose pour l'occasion.

— Ouais, t'es efficace, toi, quand on te botte un peu le derrière, ma belle ! Félicitations ! Je félicite rarement les gens ! Alors, tâche de les enregistrer dans ta petite mémoire, me prévint-il. Je ne risque pas de te complimenter à nouveau sous peu !

— Ryan a raison Lily, vous faites de l'excellent travail ! Je crois que nous pouvons dire que nous formons une équipe à présent ! Qu'en penses-tu, Ryan ? L'important pour toi est-il encore de profiter l'un de l'autre pour son propre bénéfice ?

— Mon Larry, mon très cher Larry, t'essaies de m'avoir, là ! Et à voir la face de mad'moiselle assise derrière, elle est plus que satisfaite de ta réponse, souligna Ryan en me fixant dans le rétroviseur. OK, je laisse tomber les armes et je lève le drapeau blanc les amis ! Une équipe, une équipe ! Ça vous va ? admit-il en tournant son regard vers son partenaire.

Nous éclatâmes de rire tous les trois. Puis le policier Beckham nous dévoila les dernières trouvailles au sujet du répertoire de l'archidiocèse.

— D'abord Lily-Rose, je tiens à t'informer que je m'occuperai d'obtenir un mandat pour accéder aux courriels de menaces reçus par la Fondation voir le jour. Si nous mettons la main là-dessus, vous imaginez le pas de géant que nous ferions en direction de L'Avorteur. Nous pourrions découvrir à partir de quel ordinateur exactement le courriel a été envoyé. Mais déjà, en analysant la signature de ce courriel indiquant qu'il est un précieux collaborateur, on peut en déduire qu'il est soit membre de la Fondation voir le jour ou d'un groupe qui le soutient. En parlant de la Fondation, elle faisait bel et bien partie du répertoire de l'archidiocèse, tel que tu l'avais supposé. Mais il n'y a que de bons commentaires sur elle. J'ai tout de même sorti tous les noms, coordonnées et dates de naissance disponibles des membres. Puis, j'ai lancé une recherche sur chacun d'eux dans l'ensemble du répertoire. Sur quelque 300 membres d'importance, 177 étaient répertoriés ailleurs comme étant liés à un autre groupe. Quarante-trois auraient déjà posé des gestes discutables, et 18, des gestes violents, décrivit-il.

Ces propos devenaient de plus en plus palpitants. J'étais

intriguée. Je commençai à prendre des notes de façon concentrée. Mon complice du FBI poursuivit.

— Je voulais d'abord proposer à mes collègues qui analysaient le répertoire de passer les 18 cas dangereux au polygraphe. Mais plus j'analysais ces cas, plus je me disais qu'il s'agissait de gens cherchant à se faire remarquer parce qu'ils n'ont pas de vie. Ils commettent des gestes violents, puis voilà, ils attirent toute l'attention désirée sur eux ! Alors j'ai laissé tomber ; trop faible comme piste et pas assez élargie. J'ai ensuite voulu passer au polygraphe les 177 membres répertoriés ailleurs. Je me suis d'abord dit que cette piste paraissait également faible. J'avais élargi le champ de recherches, mais ça voulait tout de même dire que l'on déduisait que L'Avorteur avait un lien avec la Fondation. C'est gros comme supposition, non ? C'est jouer à la loterie. On espère que notre série de numéros sera tirée, expliqua le policier Beckham, qui prit une pause avant de poursuivre sur sa lancée.

— Or, ce n'était peut-être pas une supposition si stupide finalement ! Un indice surprenant m'a sauté aux yeux ! Comment ai-je pu passer à côté d'une telle évidence ? Lily-Rose, t'en croiras pas tes oreilles ! Je me suis aperçu que sur les 177 membres répertoriés ailleurs, 103 faisaient partie de la Coalition des douze, dont il est question dans ton dernier article. Et 64 de la section de Manhattan. Alors j'ai effectué des recherches subséquentes dans le répertoire sur cette coalition. Eh bien, sur les 8 520 individus répertoriés comme étant à surveiller, 2 731 ont un lien avec cette coalition ! Alors là, cette coalition a un énorme pouvoir d'influence à New York ! Bon, la suite est moins pertinente, mais elle vient corroborer ce que tu nous as raconté. Cette coalition est peut-être pacifique, mais plusieurs de ses membres semblent extrémistes, même dangereux. J'ai aussi mis la main sur cette fameuse liste de 13 médecins à abattre, en effectuant des recherches. Mais pas moyen de savoir qui est l'individu qui a dressé cette liste. Tout ce que je sais, c'est que la Coalition se dissocie bien sûr de cette approche violente, comme on pouvait s'en douter.

— Ouais, c'est bien, Ryan ! Mais où ça nous mène, toutes ces concordances ? Hein ? le coupa l'enquêteur en chef du NYPD, pendant que je me faisais de plus en plus attentive, en demeurant discrètement appuyée dans le fond de la banquette.

— Arrête, Larry ! Qu'est-ce que t'as entre les deux oreilles ? Allez !

— OK les gars ! Ryan est sur une piste extraordinaire, vous ne trouvez pas, Larry ?

— Donc, tu crois que nous devrions investiguer davantage sur cette coalition, Ryan ? Ce n'est pas un peu trop facile comme piste, il me semble ? reprit le policier du NYPD.

— Ouais, peut-être ! Mais c'est la meilleure qu'on ait en ce moment. Et qui t'a dit que toutes les pistes menant à un tueur doivent être complexes, hein ? Chaque tueur a ses faiblesses, Larry. Tu devrais savoir ça ! C'est pour cette raison qu'on a commencé à investiguer là-dessus au FBI. Mais bon, on ne peut pas interroger les 2 731 individus liés de près ou de loin à la Coalition des douze. Alors on a débuté par le bas, soit par nos 64 cas faisant partie de la section de New York qui sont aussi liés à la Fondation voir le jour. On commence par là avant de s'attarder au reste des 177 membres de la Fondation que l'on souhaite interroger.

— Ouais, désolé, je suis un peu trop négatif en cet après-midi noir de décembre, s'excusa Larry Robinson.

Nous ne répondîmes pas à ses excuses. Mais nous lui fîmes

un signe de tête en guise d'acceptation, accompagné d'un sourire. Il secoua la tête et leva les bras pour nous remercier. Il se tourna ensuite vers le criminologue du FBI et le questionna à savoir s'il avait d'autres points à apporter. Ce dernier mentionna le fait que le FBI consacrait actuellement beaucoup de temps à identifier les lieux pauvres et insalubres de New York où pourrait sévir le tueur selon les données d'enquête liées aux deux victimes. Le policier Robinson nous informa à son tour qu'il détenait des informations intéressantes à partager. Plus particulièrement concernant son enquête dans les deux cliniques où les victimes avaient consulté pour leur interruption de grossesse.

— Comme convenu avec Ryan, qui devait d'abord s'en occuper, j'ai obtenu deux mandats pour enquêter au Westside Women's Medical Pavilion situé sur Broadway, où Tamara De Los Angeles devait se faire avorter, puis au Manhattan Women's Medical situé sur Park Avenue, où Pamela Jefferson consultait, enchaîna-t-il. Je dois avouer que dans les deux cliniques, le niveau de sécurité est très élevé, que l'on parle de confidentialité, du personnel engagé, des gens qui y circulent, des protocoles à suivre pour que les lieux soient protégés, etc. Ce sont aussi deux endroits fort recommandables offrant des services de qualité tant au plan physique que psychologique. Non, de ce côté, rien à reprocher aux deux organisations ! Ce qui arrive les dépasse complètement. C'est une évidence. Ce qui a permis une excellente collaboration. Ainsi, j'ai mis la main sur des éléments cruciaux. Comme tout le monde le sait déjà, à la clinique de Park Avenue, on a déclaré un bistouri volé. Mais durant mon petit séjour là-bas, on a approfondi le sujet en faisant le décompte de l'inventaire. Eh bien, on a découvert que cinq instruments chirurgicaux ont été dérobés ! Nous avons répété l'opération à la clinique de Broadway. Vous n'y croirez pas ! Une boîte de carnets d'ordonnances a été volée. Et deux médecins ont déclaré avoir égaré des documents importants sur lesquels apparaissait leur signature !

— Un bistouri, des instruments chirurgicaux et un carnet d'ordonnances ? C'est donc dire qu'il n'y a là sûrement aucun hasard ! L'Avorteur pourrait bien y être pour quelque chose ! Tu crois pas, Larry ? résuma Ryan Beckham.

— Le carnet d'ordonnances, ça serait pour les sédatifs, donc ? Alors, ne reste qu'à perquisitionner dans toutes les pharmacies de Manhattan et des environs afin qu'on puisse sortir de leurs registres les ordonnances données aux patients en provenance du Westside Women's Medical Pavilion au cours des derniers mois ? ajoutai-je.

— Ouais, mais permettez-moi de vous corriger, Lily-Rose. Je dirais non seulement au cours des derniers mois, mais bien de la dernière année. La clinique fait un inventaire par année. Et dans celui de l'an passé, rien d'anormal n'a été soulevé. Le NYPD vient de finir de dresser la liste des pharmacies de Manhattan et des environs. Espérons que notre tueur n'est pas allé plus loin, car on sera sincèrement dans la merde. Il nous faudrait un siècle pour y arriver. Nous avons déjà plus de 1 700 pharmacies ou points de service où ce malade aurait pu se procurer les sédatifs. On n'a rien négligé ! Vous avez aussi oublié un fait important, mes amis ! Nous avons dû réquisitionner également la liste de tous les patients et membres du personnel temporaire, partiel et permanent des deux cliniques. Nous sommes à vérifier avec les directions chaque cas et employé afin de déterminer qui aurait pu avoir eu un accès privilégié aux bistouris, aux instruments chirurgicaux et aux carnets d'ordonnances.

— Nous parlons de combien de personnes là, Larry ? questionna son partenaire.

— Bien de 4 290 cas qui ont consulté au cours de la dernière année et de 267 employés ou contractuels, tels que les livreurs, qui y ont travaillé ou offert des services, exposa-t-il.

— Ouais, on n'est pas sortis de là ! T'imagines le temps que ça nous prendra pour investiguer sur tout ce beau monde, en plus des pharmacies ! Sans compter les 177 extrémistes religieux à rencontrer ! Du moins, les 64 pour commencer. J'espère que toutes ces pistes nous permettront de dresser une liste de suspects potentiels. Pour que ça soit efficace, il faudrait que ceux ayant reçu une ordonnance de sédatifs de la classe des benzodiazépines – dont on a trouvé des traces sur les deux victimes – soient des patients, employés ou contractuels de l'une des deux cliniques. Et aussi des membres de la Coalition des douze et pourquoi pas ceux de la Fondation voir le jour. Alors là, on assurerait ! affirma le criminologue du FBI.

— Sait-on jamais ! s'exclama l'enquêteur en chef du NYPD. Toi-même, tu viens de me rappeler que la résolution d'un crime peut se trouver grâce à une piste toute simple ou encore grâce à une erreur idiote commise par le meurtrier. Quand on y pense, combien de tueurs et de tueurs en série on a coincés en ce sens-là ? C'est vrai que notre meurtrier est habile pour mettre à exécution un bon plan, et faire disparaître habilement toute trace possible sur les lieux du crime. Mais il omet peut-être le plus important : brouiller les indices nous permettant de remonter à lui. Il est probablement trop concentré sur le présent. Sur les gestes qu'il commet et la mission qu'il se donne.

— Eh bien, Larry, je crois que vous misez juste, là ! approuvai-je. Et au point où on en est rendus, on pourrait même demander l'avis de Julia Lewis concernant nos derniers propos !

Les deux policiers acquiescèrent. Ils donnaient de plus en plus d'importance à ce qu'exposait la profileuse Lewis dans cette affaire. Je sentais que notre échange tirait à sa fin lorsque Larry Robinson nous informa que le NYPD n'avait malheureusement pas avancé sur la liste qui devait être effectuée des femmes âgées de 20 à 80 ans décédées au cours de la dernière année. L'objectif étant de mettre la main sur une ancienne petite amie ou la mère de L'Avorteur. Une telle mort étant susceptible d'avoir déclenché cette rage de tuer, selon notre chère profileuse.

— Écoute mon Larry, que dirais-tu que je mette le FBI là-dessus, hein ? proposa notre acolyte. On est habitués à ce genre de truc. On découvrira peut-être que l'une de ces femmes était membre de la Coalition des douze ou de la Fondation voir le jour, ou encore qu'elle avait un lien avec l'une des deux cliniques.

Le policier du NYPD accepta l'entente sans hésiter. Sur ces dernières paroles, je fixai l'extérieur du véhicule par la fenêtre située à ma droite. Je me rendis compte que je n'avais aucune idée du trajet que nous venions d'effectuer tant j'étais prise à noter les détails croustillants de notre conversation. Mais je reconnus facilement les lieux où nous nous trouvions. Alors que notre entretien tirait à sa fin, Ryan Beckham gara la voiture le long du trottoir bordant la façade de mon immeuble. Je regardai l'heure. 17 h 11. Je n'en revins pas que le temps ait filé si vite. Les deux enquêteurs se tournèrent vers moi afin de me remercier de ma collaboration et de me souhaiter un beau restant de week-end. Je fis de même.

— Eh Lily-Rose! lança Larry Robinson en ouvrant sa portière. Tout ce que l'on vient de vous livrer, vous pouvez l'écrire, le dévoiler à grandes pages ouvertes dans votre journal! Ryan et moi, on s'était mis d'accord avant notre rencontre. En démontrant à L'Avorteur que l'on s'approche de lui, ça risque de l'effrayer. Il cherchera sûrement à se cacher pour un moment. On gagnera du temps!

— Ouais, espérons-le! Bye les gars! conclus-je en levant la main dans les airs.

Le reste du week-end se déroula à 100 milles à l'heure. Je le passai à rédiger un troisième article sur les informations partagées par mes deux collaborateurs. Puis le lundi, je fis sensation. En plus de paraître en une, mon reportage occupait une dizaine de pages du journal avec les photos. Tout y était: mon article avec Julius Cristiano, celui sur les associations pro-choix et pro-vie et deux autres dédiés aux enquêtes policières du NYPD et du FBI.

Je dépassai toutes les attentes de mon rédacteur en chef, qui accepta de me redonner un soupçon de confiance en levant l'obligation de transiter par lui pour chaque ligne que j'écrivais. Finalement, je n'avais eu à lui demander que quelques permissions pour exécuter ma planification de tâches et pour la parution de mes articles et photos. Ce qui m'avait grandement soulagée, car cela me déplaisait d'être surveillée comme une enfant et de devoir me rapporter ainsi. Il y avait aussi eu les collègues, ma famille et mes amis qui m'avaient félicitée encore et encore. Ce lundi avait représenté pour moi un autre pas vers la gloire ! Mais j'étais consciente que la partie n'était pas gagnée. L'Avorteur errait toujours dans la nature.

Chapitre 19

Pour l'amour de Dieu

Ses pas étaient maladroits. Il glissait sur les hautes herbes et les débris ensevelis sous la neige et la glace. La noirceur ne lui facilitait en rien la tâche. Il avançait à l'aveuglette vers sa destination. Une destination qu'il empruntait presque quotidiennement depuis plusieurs mois. Il ne se rappelait plus combien exactement. Il avait laissé derrière lui son habitat. Son habitat lui portait malheur, ne l'inspirait plus. Il n'y entendait plus la voix du Seigneur. Il avait dû en quelque sorte l'abandonner afin de poursuivre sa mission. Celle de ramener à l'ordre les pécheresses de ce monde pour la vie. La vie éternelle.

Il trébucha sur une roche et tomba brusquement. Son sac à dos lui cogna la tête. La lanterne qu'il tenait se fracassa par terre. Son bidon d'eau se répandit sur le sol. Il sentit la rage monter en lui. Ses yeux se remplirent de sang. Les veines sur son front se gonflèrent. Il se releva. Il regarda froidement le ciel. Et se mit à pleurer comme un agneau. Il implora Dieu de toutes ses forces en hurlant. Il n'était pas un agneau. Il était le berger.

Le berger. Il hurla encore et encore. En se balançant sur lui-même. Il continua de plus belle. Tout en se balançant, il avait relevé sa manche droite. Il se gratta. Et se gratta sans s'arrêter. Il grattait sa plaie par laquelle le mal jaillissait de lui. Oui, il en était convaincu. En faisant jaillir le sang de ses veines, le mal disparaîtrait. Son sang coulait le long de son bras, sur ses vêtements souillés par la crasse et le sang séché de ses expériences passées.

Il tournoya. Tournoya. Tournoya. Puis s'affaissa. Les genoux au sol. Il cessa de pleurer. Il se sentit pur. Béni. Il inspira l'air froid dans ses poumons. Puis, souffla par la bouche. Il répéta l'opération durant quelques minutes. Puis, il se releva.

Dieu était là. Le Seigneur. Il se tenait à sa droite. Tel un père qui se tiendrait aux côtés de son fils afin de le soutenir dans les épreuves insurmontables. Il lui serrait la main délicatement. Il se tourna vers Dieu. Il le regarda au plus profond de ses yeux noirs brillants. Son cœur s'emballa. Il se mit à trembler de tout son corps. Puis, il jouit. Une jouissance d'une telle puissance que personne d'autre que lui n'était autorisé à la ressentir. À en être même témoin. Il était privilégié.

Il tenait toujours la main du Seigneur, qui lui souriait. Ce dernier lui adressa la parole. Il lui dicta douze mots.

« Quod damnatio et redemptio. Nam vitam. Ad vitam aeternam. In nomine Dei. »

Il ouvrit les yeux. Il avait froid. Très froid. Il tremblotait. Il était étendu dans la neige. Il avait dû perdre connaissance comme cela lui arrivait régulièrement lorsque l'adrénaline se faisait sentir de façon trop intense. Ses neurones explosèrent alors. Il se releva de terre brusquement. Et se ressaisit aussitôt. Il n'était pas un faible. Mais le berger de Dieu. Il regarda autour de lui. Son père avait disparu. Il était reparti, mais lui avait donné sa bénédiction. Il pouvait agir. Agir à nouveau. « La damnation pour la rédemption. Pour la vie. Pour la vie éternelle. Au nom de Dieu », lui avait ordonné son père. Il avait prononcé ces mots en latin. Mais il connaissait le latin. Il n'était pas l'idiot qu'on prétendait. Il avait appris le latin et bien d'autres choses auprès du mouvement religieux dans lequel il avait grandi aux côtés de sa maman.

Il se gratta nerveusement pour une énième fois. Il regarda le sang qu'il répandait. Il s'arrêta net. Il devait garder ses énergies. Il ramassa sa lanterne brisée. Il appuya sur le bouton d'allumage. Elle fonctionnait toujours. Il prit le bidon d'eau qui s'était à moitié vidé sur le côté et vissa fermement le bouchon. Il vérifia que son sac à dos était toujours accroché solidement à ses épaules et sa taille. Puis, il reprit sa marche en direction de l'eau.

Ses pas se faisaient lourds. Il tremblotait encore, gelé. Ses doigts crasseux et ensanglantés sortaient par les trous de ses mitaines défraîchies. Ses pantalons étaient en lambeaux. La peau de ses cuisses se figeait au contact du vent glacial. La fermeture éclair de son manteau ne fermait plus. Et les rongeurs avaient dévoré la doublure de celui-ci. Son gilet de laine aussi avait été victime des rongeurs. Il était si détrempé par la neige à la suite de son incident qu'il lui collait sur la peau et le frigorifiait.

Il n'y avait pas que le froid qui le faisait trembloter. Il le savait. Il était bien plus courageux. Il pouvait affronter cette neige et ce vent glacial. Il tremblotait de rage. Il se retenait pour crier cette rage, de peur de perdre connaissance à nouveau. Il devait se concentrer sur ses objectifs. Les deux dernières journées avaient été difficiles pour lui. Marquantes. La gloire lui appartenait. Dieu était fier de son berger. Il était le berger des pécheresses. Elles étaient ses brebis. Pour l'amour du Seigneur. Pour l'amour de la vie. Pour la rédemption. L'Église et ses prophètes avaient effectué un beau travail. On lui avait tracé le chemin. La voix. Pour mener à bien leur mission. Ils étaient si près du but ultime. Les femmes cesseraient de se faire pécheresses. Mais cette brebis maudite s'était égarée du troupeau une seconde fois. Il avait cru l'avoir ramenée à l'ordre. Mais elle était possédée par Satan. Satan s'emparait d'elle pour combattre son ennemi. Dieu.

Au cours des derniers jours, elle avait remis en doute le bien-fondé de la Fondation voir le jour. Le bien-fondé de ses études. Il aurait pu le tolérer. Mais elle ne s'était pas arrêtée là. Elle avait fait un pacte avec le diable. Le diable l'avait convaincue que la lutte de l'Église, de la Fondation et de leurs prophètes contre l'avortement représentait le mal. Ils étaient dangereux, nocifs, meurtriers pour le peuple. Satan lui avait dicté que l'avortement était sain pour la pécheresse. Et elle. Elle. Elle avait transcrit les mots de Satan dans son journal. Ceux du diable. Elle avait osé. Osé le défier. Osé révéler au grand jour des allégations et faits injustes, intolérables. Pour convaincre le peuple, les pécheresses de la suivre, de suivre Satan en enfer.

En tant que messager de Dieu, il était en furie. Au cours de ces deux pénibles jours, il avait fulminé de l'intérieur jusqu'à en devenir cinglé. Enfin, ce soir, cette nuit, durant les soirs et nuits à venir, il poursuivrait sa mission : l'élaboration, le développement de son plan. Il travaillerait fort, à la sueur de son front. Il réviserait ce plan, encore et encore. Il ne devait rien laisser au hasard. Il devait être minutieux, astucieux. Mais tout serait bientôt prêt.

Il vit au loin sa barque. Une barque à l'abandon qu'il avait trouvée dans le quartier industriel non loin de son habitat officiel. Il y avait de ça plusieurs mois. Il l'avait remise en état. Ce qui lui avait permis de retrouver le coin de paradis de sa maman. Et de s'en emparer. Pour mettre son plan à exécution. Cela lui avait demandé du temps. Beaucoup de temps. De l'argent. Énormément d'argent. Des recherches. Des recherches et encore des recherches. Et de l'intelligence. Il se trouvait intelligent. Brillant. On le disait immonde, répugnant et idiot. Mais il était un génie.

Arrivé à sa barque, il lança son équipement au fond de celle-ci. Elle se balançait au gré du vent sous une brume épaisse s'étendant au-dessus de l'eau. Il passa une jambe par-dessus bord, puis l'autre. Il saisit les rames qui reposaient dans l'embarcation. Il s'assit. Il jeta un œil autour de lui et écouta attentivement. Rien à l'horizon. Ni son. Seul le bruit de l'eau se faisait entendre. Il pouvait procéder.

Oui, Satan brûlerait. Satan brûlerait en enfer. Pour la damnation. Pour la rédemption. Pour la vie. Pour la vie éternelle. Au nom de Dieu.

Chapitre 20

Le troisième acte

Mardi 25 décembre, 7 h 30.

— Oui, Lily-Rose L'Espérance !

— Allo, c'est moi, en direct de Vegas ! Du moins pour quelques jours. Après, je file auprès de Ben à Washington. Toujours pas finie, cette saga ! Eh, joyeux Noël mon amie et à ta famille aussi ! Je voulais être l'un des premiers à te le souhaiter. Dis-moi, tu profites de ton congé ? Tu te la coules douce ? Quelle température fait-il au Québec ? Il fait sûrement « frette en maudit » ! comme tu dis.

— Georges ! Je suis tellement contente d'entendre ta voix ! Tu me manques ! Tu mets un peu de baume sur ma journée. J'étais en train de tuer le temps, assise à l'aéroport John F. Kennedy. Eh non, je ne suis pas au Québec en train de me faire dorloter par ma mère ! Elle a même dû faire l'arbre de Noël sans moi. Il y a eu une énorme tempête ici vendredi et samedi. On peut dire que je me sentais comme au Québec, ouais ! Tous les vols ont été annulés. Tu peux me croire, j'étais déçue comme ça se peut pas quand j'ai constaté qu'il n'y avait aucune lueur d'espoir pour que je m'envole. C'est juste à moi que ça peut arriver, des trucs emmerdants du genre ! Au moins, ma mère m'a appris que le réveillon se tiendrait ce soir avec amis et famille. Ils ont tout remis pour moi. Quelle chance !

— Ouain, j'avoue que c'est pas trop le *fun,* ma belle !

Ça va aller, faut pas trop t'en faire avec ça, t'auras bien le temps de fêter ! En parlant de fêter, le party du journal, grandiose ou non ?

— Le party du journal était le dernier de mes soucis, disons, si tu veux savoir ! L'Avorteur a pris tout mon temps et mes énergies.

— T'as pris un coup avec la bande dernièrement au moins ?

— Ouais, j'ai flâné un peu au Pop Burger ici et là ! On y a passé plus de temps qu'à l'habitude pour regarder des matchs des Rangers pour se détendre un peu à la veille des fêtes. Dommage qu'il n'y en a pas eu un contre les Canadiens dernièrement. Même si je ne suis pas une fanatique, j'ai quand même un petit parti pris. Bref, ça m'a un peu changé les idées. Et avant que tu ne demandes, je suis toujours retournée seule à la maison, et en taxi bien sûr.

— En parlant de L'Avorteur, t'es une véritable vedette ! Tu bats des records de parution en une et de révélations en primeur ! T'as de quoi être fière ! Je suis tous tes exploits à distance sur le Web et dans l'édition papier. On reçoit le *New York Today Journal* à l'appartement de Josie. Elle s'est abonnée. J'ai confiance, Lily. Tu contribueras à arrêter ce dégénéré ! Crois-moi ! Depuis ta parution de mardi, rien de neuf dans l'enquête ?

— Merci, t'es trop gentil ! Pour ce qui est de l'enquête, bien, ce sont les vacances des fêtes pour tout le monde ! Donc tant au FBI qu'au NYPD, c'est le point mort depuis. Mais comme t'as lu, il y a plusieurs belles pistes en cours. Tout se remettra en branle dès le 3 janvier, m'a-t-on assuré.

— Et Ryan ?

— Et Ryan, quoi ?

— T'as baisé avec ? Vous sortez ensemble ? Sinon, tu brûles de désir pour lui, avoue ?

— Ça va pas la tête ! Ryan est peut-être l'un des plus beaux gars que j'ai rencontrés, à part toi bien sûr, mais c'est un séducteur de première ! Et tu me connais assez à présent pour savoir que mon cœur appartient encore à Émile ! Et je ne baise pas avec les gars de son espèce ! Même pas pour une nuit. De toute façon, ça entacherait l'enquête en cours ! On ne couche pas avec des collaborateurs.

— Mais avec les collègues de travail, oui ?

— Tais-toi, Georges ! Tu as fait exception à la règle, disons. Mais assez parlé de moi. Raconte-moi ! Pour toi, qu'est-ce qu'il se passe de neuf ?

— Bien, je me la coule douce ici ! Je ne me lasse pas de voir Josie en spectacle soir après soir. Bien qu'elle fasse des heures de fou et doive faire preuve d'une grande discipline, on réussit à prendre un peu de bon temps ensemble. Je l'aime, tu sais. Vraiment. On a quelques jours de répit jusqu'au 31 décembre. Donc, on pense faire un saut à Boston, dans sa famille. C'est le temps que je la rencontre. Je lui ai déjà présenté la mienne. Après les fêtes, j'espère ne pas devoir rester à Washington trop longtemps. C'est un beau coup, l'affaire Keystone, mais pas le mien. La fille que Josie remplace devrait revenir vers la fin de janvier. Mais on lui a offert un rôle dans un nouveau spectacle qu'on est en train de monter. Elle sera prise entre New York et Vegas au cours des prochaines années. Elle a signé pour deux ans. Bref, je suis rendu loin là dans mes histoires ! Alors, disons qu'on se tient au courant, Lily. Je t'embrasse ! Fais attention à toi ! On se paie une traite à New York dès mon retour !

— Je t'embrasse moi aussi, Georges ! Ça y est, on vient

de faire un dernier appel pour mon vol, et on me fait de gros yeux là ! Alors je me dépêche de procéder à mon embarquement avant que l'hôtesse ne perde patience. Bye !

Après avoir dévalé la passerelle, j'embarquai dans l'avion, pimpante. J'y étais enfin ! Je saluai gaiement au passage les hôtesses de l'air qui dirigeaient les passagers vers leurs sièges. Chaque fois que je voyageais à bord d'un transporteur avec une grande capacité d'accueil, je sélectionnais un siège dans la queue de l'avion près des salles de bain. L'avantage étant de n'avoir qu'un seul voisin plutôt que deux. Et d'éviter le risque d'être coincée entre deux passagers. Comme les gens voyageant seuls ne représentaient pas non plus une grande part de marché, souvent, je profitais de deux sièges. Aussi, je préférais que l'on me serve breuvages, collations et repas en dernier plutôt qu'en premier. Les voyages me paraissaient moins longs ainsi. Le temps que le service se rende aux passagers assis à l'arrière pouvait facilement représenter une bonne heure.

J'arrivai à mon siège. Je déposai dans le porte-bagages au-dessus de ma tête mon porte-documents, contenant mon portable et autres bricoles, ainsi que mon sac à bandoulière protégeant mon appareil-photo. Puis je me laissai tomber confortablement dans mon siège, tout en déposant mon sac à main sous le siège devant moi. Alors que je fixais la neige qui tombait par le hublot, une jeune femme vint s'asseoir à mes côtés. Pas de chance ! Elle me salua. Je la saluai à mon tour. J'espérais dans le fond de moi-même que je n'étais pas tombée sur une pie. Je n'avais nullement le goût de discuter, mais alors là, pas du tout. Je retournai ainsi rapidement ma tête vers le hublot et je m'accotai sur la paroi de l'avion pour démontrer à ma voisine que je me reposais paisiblement.

Une hôtesse me fit sortir de mes pensées lorsqu'elle annonça que tous les passagers étaient à bord. La porte d'accès avait été verrouillée. Nous allions décoller dans environ 30 minutes, après que l'avion soit passé à la station de dégivrage. Nous étions en attente. Elle prévoyait que notre tour viendrait d'ici une dizaine de minutes. Elle termina en demandant aux passagers debout de bien vouloir regagner leurs sièges. Je me recalai dans le mien.

Soudainement, j'entendis une sonnerie de cellulaire. Je n'y prêtai d'abord aucune attention. La sonnerie cessa. Puis elle reprit de plus belle. Ma voisine me tapa sur l'épaule pour m'indiquer qu'elle semblait provenir de sous le siège devant moi. Je me ressaisis en agrippant rapidement mon sac à main. C'était bien mon cellulaire. Je fouillai dans mon sac à sa recherche. La sonnerie s'arrêta. Je mis enfin la main dessus après une dizaine de secondes. C'était le désordre là-dedans. Alors que je regardais l'écran m'indiquant que j'avais raté trois appels et que je m'apprêtais à vérifier de qui il s'agissait, il se mit à sonner à nouveau. Numéro et nom confidentiel étaient inscrits à l'écran. Je répondis en me questionnant sur la provenance de cet appel.

— Lily ? entendis-je à l'autre bout du fil avant même que je n'aie le temps de répondre. Lily-Rose ? Écoutez-moi. Écoutez-moi bien. D'abord, où êtes-vous là ?

Je reconnus la voix de mon rédacteur en chef.

— Je suis assise confortablement dans un avion à l'aéroport John F. Kennedy, et j'attends qu'on décolle. C'est Noël, vous savez, cette fête que l'on célèbre en famille ? Je devais partir le 23, mais avec la tempête, me voilà encore à

New York. Y a un problème, dites-moi, Chris, pour m'appeler le jour de Noël ?

— Dieu soit loué ! Dieu soit loué ! Et croyez-moi, les mots choisis sont faibles ! Là, vous vous levez et vous sortez de l'avion à toute vitesse immédiatement, sur-le-champ ma petite ! Et sans poser de questions. Allez, immédiatement, j'ai dit ! Je reste sur la ligne et vous expliquerai dès que vous aurez obtenu l'autorisation de débarquer.

— Chris, mais vous n'êtes pas sérieux là, ça n'a pas de sens, voyons !

— Immédiatement, vous m'avez bien compris cette fois ! hurla-t-il dans mon oreille.

— Ça va, ça va !

Sans réfléchir, je me levai brusquement en m'excusant auprès de ma voisine pour qu'elle me laisse passer. Je ramassai mes trucs dans le porte-bagages, tout en tenant fermement mon cellulaire. J'avançai dans l'allée d'un rythme effréné. Une hôtesse fit son apparition et me bloqua le chemin en me demandant gentiment de retourner m'asseoir.

— Je dois quitter immédiatement l'appareil ! Vous m'entendez ? Immédiatement ! Je dois débarquer. Là, maintenant ! C'est une question de vie ou de mort ! criai-je, en me doutant de la raison qui devait pousser mon rédacteur en chef à m'obliger de quitter l'avion en panique.

— Madame, vous perturbez les voyageurs. Vous ne pouvez pas sortir de l'avion une fois que l'accès a été verrouillé. Cela est strictement interdit. Je dois appliquer le règlement. Et comme vous le remarquerez, nous sommes en train de rouler sur la piste vers la station de dégivrage.

— Arrêtez l'avion ! Je veux voir le commandant tout de suite ! continuai-je en regardant par les hublots afin de vérifier si l'avion roulait bel et bien. Allez chercher le commandant !

— Pour votre sécurité, veuillez vous asseoir, enchaîna un agent de bord qui vint à la rescousse de sa collègue. Veuillez vous asseoir à votre siège, répéta-t-il en posant calmement une main sur mon épaule.

— Chris, je suis dans le trouble ! Je vais me faire arrêter par la sécurité si je continue ! l'informai-je en me virant la tête sur le côté pour éviter que l'on m'entende. Vous avez une solution, on ne veut pas me laisser partir, là ! Je vais leur montrer ma carte de presse en leur spécifiant qu'il y a urgence, mais je doute des résultats escomptés.

— Passez-moi l'hôtesse de l'air !

— Mais Chris !

— J'ai dit, passez-moi l'hôtesse de l'air !

Je m'exécutai tout en cherchant ma carte de presse dans mon sac. Je surveillai la réaction de l'hôtesse. À voir ses yeux baissés, je sentis que j'allais bientôt sortir de cet avion. Et savoir de quoi il en retournait pour que je doive négliger ma famille ainsi le jour de Noël. Mais dans le fond de moi-même, je devinais. J'essayais simplement de me convaincre que j'avais tort. Et que comme à l'habitude, mon imagination était trop débordante. Oui, j'espérais dans le plus profond de mon être que j'avais tort. L'Avorteur ne pouvait pas être en cause. Du moins, s'il l'était, cela devait être pour des motifs positifs. Sur ces pensées, un drôle de pressentiment m'envahit.

— Madame ? Madame, je vous parle ! Tenez votre cellulaire. Votre rédacteur en chef souhaite vous reparler. Je vais avertir le commandant en chef et le personnel de la situation. Nous demanderons à un agent de la sûreté aéroportuaire de venir vous chercher avec un véhicule autorisé. Il vous conduira à l'entrée de l'aérogare des passagers. Puis il vous fera signer un document donnant l'autorisation à la sécurité de vérifier les faits nous obligeant à vous laisser débarquer ainsi. S'ils s'avèrent véridiques, il n'y aura aucune poursuite. Mais j'imagine que tout ce cirque l'est, n'est-ce pas ? À présent, je vous demanderais de me suivre à l'avant de l'appareil, termina l'hôtesse avec un air hautain.

— Oui, oui, bien sûr ! Merci de votre compréhension ! Je vous suis de ce pas. Et désolée pour tout le dérangement. Mais croyez-moi, tout ce cirque a des raisons d'être. Ah, et voici ma carte de presse que je cherchais ! Je suis Lily-Rose L'Espérance du *New York Today Journal*, comme vous venez sûrement de l'apprendre de mon rédacteur en chef, lui répondis-je sous son regard plutôt sceptique.

— Chris, vous êtes toujours là ? Chris ?

— Oui ! Écoutez-moi bien d'accord. Sans dire un mot. Vous m'écoutez à présent !

— Attendez ! le coupai-je. Que lui avez-vous dit ?

— Rien de très extraordinaire. Que c'était le rédacteur en chef du *New York Today Journal* qui lui parlait. Je réquisition-nais les services de notre journaliste Lily-Rose L'Espérance se trouvant à ses côtés. Qu'il y avait urgence et que si elle ou un membre de l'équipage entravaient notre enquête, nous nous retrouverions devant les tribunaux. Et que j'allais tout faire pour que chaque responsable soit suspendu et paie une amende exorbitante. Je lui ai suggéré de me prendre au sérieux, car j'avais d'excellents avocats.

— Wow ! eh bien, ça a été plutôt efficace !

— Taisez-vous à présent et écoutez-moi ! Le 911 vient de contacter le NYPD et le FBI en mode haute sécurité et en mode de non-divulgation. L'interdiction de transmettre les infos partagées sera levée à 11 h. Mais j'ai été mis au courant par notre collaborateur Larry du NYPD. Pensant que vous étiez au Québec, il voulait informer le journal en primeur d'un fait important. Et nous offrir une autorisation de couverture pour l'un de nos journalistes afin de respecter nos bonnes coutumes. Bref, je crois que vous devinez de quoi il s'agit. L'Avorteur. Eh bien désolé de vous apprendre qu'il a récidivé au cours des dernières heures, laissa tomber Chris. Jour de la naissance du Christ ! Larry et Ryan du FBI sont en route vers le Westside Women's Medical Pavilion. Leur médecin-légiste et son équipe devraient se trouver sur les lieux sous peu. Le cadavre éventré d'une femme enceinte a été retrouvé à l'arrière de l'édifice vers 7 h 45 par une employée qui rentrait au travail. En ce jour de festivités, la clinique doit tout de même demeurer ouverte, mais de 9 h à 13 h seulement. Encore chanceux que la victime n'ait pas été retrouvée par un passant. Paraît que son corps était dissimulé derrière une benne à ordures située dans le fond de la cour. L'employée qui a fait la macabre découverte demeure non loin de là. Alors elle se rend à pied au travail et entre toujours par la porte arrière, me révéla mon rédacteur en chef.

— Le temps des fêtes, c'est raté pour moi ! Et ce qui me met encore plus en colère, c'est de savoir que même si nous couvrons ce meurtre, l'enquête demeurera en mode stagnation jusqu'au retour des équipes d'analyses scientifiques tant au FBI qu'au NYPD. Les directions ne feront pas travailler du personnel payé à temps triple pour gagner une semaine ou deux dans l'enquête, je suppose. Bon, je raccroche là, c'est le temps pour moi de débarquer de l'avion, me fait-on signe, conclus-je.

— Je compte sur vous Lily ! Allez, on se reparle très bientôt !

Alors que je m'apprêtais à rassurer mon patron sur ma collaboration, il avait déjà raccroché sans attendre de réponse de ma part. J'étais stupéfaite, complètement désorientée par ce que je venais d'apprendre. Un mélange de colère, de peur, de tristesse et de découragement envahit tout mon être. Avec ce troisième meurtre, L'Avorteur était devenu un tueur en série. Le jour de la naissance du Christ. J'étais effrayée par ce qui m'attendait.

Heureusement, j'eus peu de temps pour songer à tout ce désespoir. Le pilote de l'avion, l'hôtesse de l'air et l'agent de bord qui m'avaient prise en charge m'expliquèrent qu'un gardien de sécurité m'attendait à l'extérieur à bord d'une fourgonnette. L'agent de bord s'approcha de la porte de sortie afin de l'ouvrir. L'hôtesse me demanda de me reculer derrière elle. Je m'exécutai avec un signe de satisfaction. Un coup de vent violent pénétra à l'intérieur. Ce qui nous décoiffa et nous fit plisser des yeux. Je me tournai rapidement vers les membres du personnel de bord et je les remerciai de leur collaboration. Je n'eus que de faibles signes de tête et des sourires forcés en retour.

Je regardai à l'extérieur. Un escalier métallique sur roues était disposé près de la porte. Je le descendis tout en cachant mon visage pour me protéger de la neige et du vent qui sévissaient. Je remarquai qu'un groupe d'hommes était affairé à vider la soute à bagages. Ils devaient chercher ma valise afin de l'extirper de l'avion. En me retournant vers l'avant, je vis un homme habillé d'un long manteau feutré noir et coiffé d'une casquette blanche qui m'attendait. Il me tendit la main. Je la saisis. Il me dirigea vers la fourgonnette qui était garée à quelques mètres de l'avion. Il m'ouvrit gentiment la portière. J'embarquai du côté passager. Puis, il me rejoignit dans l'habitacle.

Je le remerciai de ses services. Il me fit un signe de tête sans répondre. Il n'avait pas l'air d'apprécier toute cette mascarade lui non plus. Je me tus donc. Il dirigea la fourgonnette vers la soute à bagages. Il la gara. Puis, il me lança une tablette rigide sur laquelle était retenu par une pince un formulaire d'autorisation. Il me demanda de le remplir et de le signer, de sortir ensuite mon passeport et mes cartes d'identité. En attendant que je remplisse le tout, il m'informa qu'il allait ramasser ma valise. Il sortit du véhicule en claquant la porte.

Une fois ma valise placée à l'intérieur de la fourgonnette, nous nous dirigeâmes à l'entrée de l'aérogare, comme convenu. L'homme se gara avec empressement, m'arracha des mains la tablette, que je tenais toujours, et me demanda de lui montrer mes pièces d'identité. Il me signifia que mes allégations et celles de mon patron allaient être sérieusement contre-vérifiées. Nous avions tout intérêt à ne pas avoir menti. Cette façon autoritaire de contrôler la situation me divertissait, ce qui m'aida à oublier l'espace d'un court moment L'Avorteur et sa troisième victime. Je sortis du véhicule et récupérai mon bagage en remerciant l'homme dont je ne connaissais pas le nom. Il ne me répondit pas, rembarqua dans son véhicule et disparut aussitôt.

Je me précipitai sur le premier taxi. J'ouvris la portière arrière et lançai mon bagage à l'intérieur. Je m'assis rapidement avant que le chauffeur sorte du taxi pour m'offrir son aide, ce qui m'aurait fait perdre du temps. Comme je ne connaissais pas l'adresse de ma destination, je lui donnai simplement le nom. La chance était avec moi puisque le chauffeur connaissait l'endroit.

Le Westside Women's Medical Pavilion se trouvait à environ 25 kilomètres de l'aéroport. Avec un peu de chance, en ce 25 décembre, le trafic serait moindre. Mon chauffeur m'indiqua que nous serions à destination dans 20 à 45 minutes, selon le trafic. Ce qui me parut une éternité, étant donné la situation. Je me glissai donc la tête près de la vitre de sécurité qui nous séparait et lui promis 40 dollars de pourboire en plus de la course s'il faisait tout ce qui était en son pouvoir pour accélérer la cadence. Il accepta mon pot-de-vin sans aucune hésitation en me faisant un sourire dans le rétroviseur.

Avant de sombrer dans mes pensées, je téléphonai à ma mère pour la prévenir de mon absence pour le reste des fêtes. Tel que je m'y attendais, elle fut d'abord en furie. La famille devait passer avant tout ! Puis sa colère fit rapidement place à des sentiments de fierté, de compréhension et de peur. Elle était tout de même heureuse que ma vie reprenne son cours normal. Et son cours normal voulait dire que je sois plongée dans le travail par-dessus la tête pour le meilleur et pour le pire. Je la remerciai et lui fit savoir combien j'étais désolée. J'aurais donné n'importe quoi pour me retrouver avec les miens. Mais le devoir m'appelait.

Après cet appel qui m'attrista, j'envoyai un courriel à mon rédacteur en chef, en copie conforme à mon chef de pupitre principal ainsi qu'au chef de pupitre et au webmestre de service en cette période des fêtes. Je les avertis que je me dirigeais vers le Westside Women's Medical Pavilion, et que j'étais prête à passer à l'action. Sans trop de détails. Je me rassurai en pensant que Chris devait avoir averti la galerie. Je m'engageais à leur faire parvenir photos, brèves et articles avant tout média, puisque j'étais la seule sur l'affaire pour le moment. Mais je soulignai qu'on ne pourrait publier avant que j'aie reçu l'autorisation du FBI et du NYPD. Moins d'une minute plus tard, tous m'avaient promis d'assurer sur le coup. Chris et John se faisaient même un devoir de mettre de côté leurs fêtes de famille pour être présents au journal. Ils seraient disponibles en tout temps si j'avais besoin de quoi que ce soit.

Je terminai mes communications d'urgence en contactant Larry Robinson afin de lui apprendre que j'étais sur la route, et pour lui expliquer brièvement les événements qui avaient suivi son appel à mon rédacteur en chef. Il me confirma qu'il était sur place avec Ryan Beckham, qu'il avertirait ses collègues de ma venue et il me rassura en me soulignant qu'il me guiderait à mon arrivée.

8 h 40. Le temps qui filait me paraissait une éternité. Mais cela faisait à peine une dizaine de minutes que nous avions quitté l'aéroport, et au rythme effréné auquel le chauffeur conduisait, je ne pouvais me plaindre. Je me penchai la tête vers l'arrière et l'appuyai sur le siège. Je fermai les yeux et je sombrai rapidement dans mes pensées. Je vis défiler dans ma tête d'horribles images des scènes de crime de Tamara De Los Angeles et Pamela Jefferson. Je repensai à cette éprouvante visite au laboratoire de médecine légale où Hannah Polanski s'affairait à mettre en place certains morceaux du puzzle. Je repassai en boucle les nombreuses pistes sur lesquelles je travaillais avec mes deux acolytes du NYPD et du FBI. J'étais découragée, désespérée. Mais je ne devais pas me laisser abattre. À quel terrifiant spectacle assisterais-je bientôt ? Que nous réservait encore L'Avorteur ?

Quinze minutes plus tard, nous arrivâmes non loin du Westside Women's Medical Pavilion. Une partie de Broadway et de la 60e Rue étaient délimitées par un périmètre de sécurité. Le chauffeur gara le taxi le plus près possible de ces limites. Il se retourna vers moi pour réclamer la somme due.

Je lui payai la course en plus des 40 dollars promis. Il avait filé rapidement en empruntant les meilleurs raccourcis qui soient. Je me rappelai soudain que j'avais une énorme valise à mes côtés. Quelle embûche ! Je la tirai avec moi à l'extérieur du véhicule en saluant le chauffeur, qui me salua à son tour.

Je regardai au loin, mais je ne reconnus aucun visage familier. Je sortis donc ma carte de presse que j'enfilai autour de mon cou. Puis, je fis de même avec mon appareil-photo. Je préparai mon cellulaire en mode d'enregistrement. J'étais prête. J'avançai vers un groupe de policiers du NYPD qui surveillaient les lieux. Je m'identifiai à l'un d'eux en précisant que j'étais attendue par les policiers Beckham du FBI et Robinson du NYPD. Il contacta un collègue qui semblait être responsable d'autoriser les entrées sur le site de la scène de crime. Quelques minutes plus tard, il me laissa passer en me précisant que Ryan Beckham venait d'autoriser mon intrusion à son collègue. « Mon intrusion » ? Drôle d'expression. Voulait-il me faire sentir de trop ? Probablement, si je me fiais à son air bête et autoritaire. Alors que j'allais bientôt franchir le périmètre, je me retournai vers le policier et lui pointai ma valise des yeux en lui demandant s'il était possible de la ranger dans un véhicule du NYPD durant ma présence sur le terrain. Ce qui fit en sorte que son air bête se prolongea. Ce n'était pas très professionnel, pensai-je. Mais avais-je une autre solution ? L'homme se vira les yeux à l'envers en saisissant fortement la poignée de ma valise, sans me répondre. Il la fit rouler jusqu'à son véhicule et la lança brusquement sur le siège arrière. Je m'empressai de pénétrer enfin dans le périmètre de sécurité d'un pas rapide avant qu'il ne change d'idée.

La place était bondée de policiers qui se tenaient bien droits le long des rubans de sécurité jaunes. Tous plus sérieux les uns que les autres. Les gyrophares des véhicules de police m'éblouissaient sous la neige étincelante. Je distinguai deux ambulances, des véhicules banalisés et deux postes de commandement mobiles sur lesquels étaient inscrits FBI et NYPD. Je me demandai alors à quoi pouvait bien servir la non-divulgation publique que le 911 et les policiers devaient respecter. N'importe quel journaliste ou photographe qui passait non loin de cette scène, ou qui en était averti, flairerait la bonne affaire. La troisième scène de crime de L'Avorteur était traitée de façon beaucoup moins discrète que la deuxième. Alors là, beaucoup moins !

J'arrivai rapidement devant l'entrée principale du Columbus Circus Building. Bizarrement situé sur la 60e Rue, l'édifice de béton n'avait rien d'exceptionnel, hormis sa devanture en angle. Curieusement, je ne ressentis pas autant de stress qu'attendu. Par contre, mon pouls s'accéléra. Je constatai que mes mains et mes jambes tremblaient. Une certaine chaleur envahissait aussi mon corps alors que j'étais gelée. Mes yeux sautillaient. Et mon souffle était court. Mais je me sentais en contrôle. Je n'allais pas m'évanouir, ni vomir et encore moins me mettre à pleurer. Tranquillement, je parvenais à retenir mes émotions à l'intérieur.

— Madame ? Madame, je vous demande de vous identifier immédiatement, vous m'entendez ?

J'étais si concentrée sur mes états d'âme que je n'avais pas porté attention au policier surveillant l'entrée qui me questionnait. Il me sortit de mes pensées en me rappelant à l'ordre. Je répondis à sa demande. Il me laissa passer en soulignant que le policier Robinson m'attendait à l'intérieur. J'entrai dans le bâtiment.

Il faisait sombre. Là aussi, l'endroit était envahi par les

policiers. S'ajoutaient criminologues et quelques civils qui devaient être de la direction de la clinique ou encore des témoins importants de la scène de crime. Le brouhaha généré par tous ces gens m'étourdit soudainement. Une vague de chaleur s'empara de mon corps. Alors que j'enlevais mon bonnet, mon foulard et mes mitaines et que j'ouvrais mon manteau, les bruits me parurent de plus en plus lointains. Je respirai profondément, puis j'inspirai. Encore et encore, tout en prenant garde de ne rien laisser transparaître. Même si je me sentais en contrôle, j'étais un être humain. Un être sensible et fragile. Mes émotions n'avaient pas changé, songeai-je. Je ne faisais que les contrôler.

Je me promenai tranquillement dans la foule à la recherche de mon sauveur. Il m'apparut quelques secondes plus tard.

— Lily-Rose, ça va ? Ouain, j'admets que c'est une drôle de question étant donné les circonstances. D'autant plus pour un 25 décembre, un jour saint, m'apostropha l'enquêteur en chef du NYPD.

— Ouain, disons que c'est bien la dernière chose à laquelle je m'attendais aujourd'hui. En vérité, je croyais naïvement que nous avions peut-être fait peur à ce salaud ! Et qu'on réussirait à lui mettre la main dessus avant qu'il ne commette encore une fois l'irréparable. C'est trop cruel ! Quand tout ça va-t-il cesser, merde ? m'exprimai-je un peu trop fort, à voir le regard de mon acolyte.

— Calmez-vous, Lily-Rose ! Gardez vos énergies. Vous en aurez bien besoin. Croyez-moi. Ce n'est pas joli là-bas, me signala-t-il en pointant l'arrière du bâtiment. Vous n'avez pas fini d'en vouloir à la terre entière, à la vie, à Dieu, de permettre de tels crimes. Mais nous sommes des justiciers.

On lui mettra la main au collet et on lui foutra une bonne raclée sous peu, faites-moi confiance ! Il pourrira à perpétuité dans le fond d'un cachot, si on ne l'abat pas avant. Mais lui donner la mort serait trop facile. Il doit connaître l'enfer sur terre avant l'enfer au ciel.

— Vous avez raison, Larry. Vous avez raison. Je me tais. Alors, décrivez-moi un peu la scène si vous n'y voyez pas trop d'inconvénients, avant que je ne mette le nez dehors. Mais d'abord, comment L'Avorteur a-t-il pu pénétrer à l'intérieur de ce cercle d'édifices ? De l'extérieur, je n'ai vu ni ruelle ni passage donnant accès à la cour du bâtiment.

— Il y a un accès bien caché, mais à l'arrière de l'édifice. Pour ce qui est de la situation, je vous dresse un portrait rapide. Une femme enceinte, bien sûr. Une très jeune femme. Pas certain qu'elle est majeure. Je dirais qu'à première vue, elle a 16 ou 17 ans. Après la bonne mère de famille qui portait un enfant trisomique, l'étudiante révoltée provenant d'une famille riche se prostituant, là, semble-t-il qu'on a affaire à une toxicomane marginale. C'est une Hispanique. Une Hispanique très tatouée, les bras couverts d'ecchymoses laissées par des seringues. Sinon, bien, vous vous doutez que la scène est aussi cauchemardesque que les autres. Le *modus operandi* est le même à première vue. Ryan et Hannah sont près du corps. Il y a une équipe de techniciens en scène de crime aussi. Pour ce qui est des médias, nous les autoriserons à s'approcher plus près de la victime vers 11 h, comme prévu. Et nous tiendrons un point de presse à 11 h 15 pour éviter qu'ils ne nous envahissent trop longtemps. En parlant des journalistes, en avez-vous vus qui fouinaient dehors ?

— Non ! C'est Noël après tout ! Mais ça ne va sûrement pas tarder. Bon, alors je crois que je suis prête à plonger.

Prête, c'est un bien grand mot dans de telles circonstances. Personne ne souhaite devoir affronter ça.

— D'accord. Alors, suivez-moi, Lily-Rose. Je suis votre guide. J'ai averti la troupe de votre venue. Je ne vous dis pas qu'ils étaient enthousiastes, mais ça ira. D'ailleurs, nos patrons à Ryan et moi n'aiment toujours pas que nous vous privilégiions ainsi, vous vous en doutez ! Mais bon, on a l'habitude des réprimandes. Par ailleurs, je resterai à vos côtés. Si vous avez des questions, je vous demanderais donc de vous en tenir à Ryan ou moi, s'il n'est pas occupé. Je compte sur vous pour être discrète.

— C'est promis Larry. Je me ferai très, très discrète !

— Et je pense à ça là, vous n'arrivez pas de l'aéroport ? Et votre bagage ?

— Je l'ai laissé entre les mains de vos collègues qui surveillent l'extrémité du périmètre sur Broadway. Je peux leur faire confiance, vous croyez ?

— Tout un numéro cette Lily-Rose L'Espérance ! s'esclaffa le policier. Bien sûr que vous pouvez leur faire confiance ! Par contre, je vous parie qu'ils ne devaient pas être trop enchantés. Allez, passons aux choses sérieuses à présent.

Larry Robinson me tourna le dos et se dirigea d'un pas lent vers l'une des sorties à l'arrière de l'édifice. Le connaissant, il devait prendre son temps afin que je puisse me préparer mentalement au cauchemar qui m'attendait. Le court moment que je venais de passer avec mon acolyte m'avait déjà, à l'évidence, permis de me détendre.

Tout en marchant derrière lui, j'essayais de me convaincre que j'allais surmonter encore une fois cette effroyable épreuve. Plus nous avancions, plus mon souffle se faisait court. À chacun de mes pas, mon pouls recommençait à s'accélérer.

Mes membres tremblotaient à nouveau. Et le sang me montait à la tête. Je sentais mon visage s'empourprer. Un mal de crâne soudain me frappa de plein fouet. La pression était à son comble. Respire, Lily. Respire, me répétai-je. Larry Robinson se retourna vers moi. En voyant mon air apeuré, il me rassura en posant une main sur mon épaule. Il s'arrêta quelques secondes sans parler. J'inspirai, j'expirai. J'inspirai, j'expirai. Puis, je lui indiquai qu'on pouvait poursuivre notre marche vers l'enfer.

J'aperçus deux portes vitrées, entourées de policiers du FBI et du NYPD. Elles se situaient à une vingtaine de mètres tout au plus. Je frissonnai. Nous y étions. Je ne pouvais plus faire marche arrière. Je devais garder la tête froide. Nous arrivâmes près des portes. L'enquêteur en chef du NYPD mentionna à l'un des policiers que j'étais avec lui et autorisée à mettre les pieds sur la scène de crime. Le policier approuva et fit signe aux autres de nous laisser passer. Ils s'éloignèrent de la porte. Il regarda vers moi et il acquiesça de la tête pour me signaler qu'on allait foncer. De ses mains fortes, il poussa sur les deux portes simultanément. Un coup de vent violent et une vague de froid soudaine jaillirent sur nous.

Alors que mon guide continuait d'avancer jusqu'à la fourmilière de criminologues qui s'affairaient à analyser le meurtre, je demeurai figée sur les marches du perron à observer au loin l'action. Les images qui se présentaient à moi tournèrent en boucle au ralenti dans ma tête. Comme si j'étais absente de la scène. Le bruit m'assourdit pour ensuite me paraître inaudible et faire place à un bourdonnement aigu dans mes oreilles. J'avais l'impression de me retrouver au fin fond d'un précipice sans issue, dans lequel les événements recommençaient à s'enchaîner sans fin. La scène de crime de L'Avorteur qui apparaissait devant moi était presque identique aux deux précédentes. Hormis le décor naturel des lieux.

Je descendis les quelques marches qui me menèrent sur le sol enneigé. Je m'appuyai sur le côté de l'escalier le temps de reprendre mes esprits. Une ombre à droite attira mon attention. Le policier Robinson se tenait à mes côtés.

— Ça va ? Lily-Rose, dites-moi ? s'inquiéta-t-il.

— Ouais, je crois que ça ira !

— Souhaitez-vous vous approcher plus près ou préférez-vous vous abstenir cette fois-ci ? Vous savez, je peux vous décrire la scène. De toute façon, je vais vous demander de rester à l'écart pour éviter de contaminer l'espace à proximité de la victime. Vous voyez, où il y a un dernier périmètre, montra-t-il avec sa main. Restez en dehors de celui-ci.

— Je ne veux pas m'en approcher. Mais je dois le faire. Merci, Larry, mais c'est mon travail ! C'est mon devoir de journaliste de rapporter les faits, d'autant plus que dans ce cas-ci, ça contribue à la sécurité de la population. Mais je respecterai la consigne.

Je me levai de mon accoudoir et je poursuivis mon chemin vers le cadavre. Je me concentrai sur chacun de mes pas en gardant la tête bien droite et le regard fixe afin de démontrer un peu d'assurance. Nous rejoignîmes enfin l'équipe de la police scientifique qui entourait la victime. Même si nous nous trouvions près du corps, je ne le voyais toujours pas. Il était caché par des policiers debout devant moi. Mon acolyte leur demanda de se disperser en indiquant qu'il était enquêteur en chef, tout en brandissant sa carte du NYPD accrochée à son cou. Il leur dit que j'étais avec lui, pour calmer leurs airs de mécontentement. Au fur et à mesure qu'ils se tassaient, j'apercevais les experts qui me fixaient tous avec un regard perplexe, ce qui me rendit mal à l'aise. Je n'étais pas la bienvenue.

Les *flashes* des appareils-photo retentissaient de tous bords tous côtés. Ce qui m'aveugla un instant et me fit cligner des yeux. Lorsqu'ils cessèrent, mes yeux s'écarquillèrent sur le cadavre. Ou du moins, sur ce qu'il en restait. Je fus saisie par des serrements à la poitrine. Mon cœur s'emballa. Je posai ma main droite entre mes deux seins et frottai fermement afin de soulager la douleur qui me compressait. Je manquais littéralement de souffle. Je cherchais de l'air. J'ouvris mécaniquement ma bouche pour aspirer tout l'air possible dans mes poumons. Des étoiles me brouillèrent la vue. Puis ce fut au tour de ma jambe gauche de s'affaisser sous le choc de l'émotion. Je faillis tomber au sol. Mais Larry Robinson m'attrapa par les bras et me retint. Une larme coula. Et une autre. Puis une troisième. Heureusement, personne ne semblait remarquer mon malaise.

— Courage, Lily-Rose ! Calmez-vous ! Calmez-vous ! Reprenez vos esprits ! me chuchota mon sauveur.

J'essuyai mes larmes du revers de la main et je me ressaisis sous les regards furieux des policiers. J'avais honte. Au lieu de m'attarder sur la scène monstrueuse qui m'effrayait, je pris rapidement mon appareil-photo, l'activai et l'ajustai. Sans réfléchir, je posai mon œil droit dans le viseur afin de prendre le plus de clichés possible en rafale. J'espérais que cette tactique m'aiderait à remonter la pente.

Mais des images cruelles, glaciales défilèrent dans l'objectif de mon appareil. Elles avaient beau s'afficher en format réduit à travers une lentille, cela ne créait aucune barrière émotionnelle efficace. Des larmes recommencèrent à glisser sur mes joues. Je ne m'arrêtai pas. Mon appareil les camouflait. Je pris des plans rapprochés et éloignés sous tous les angles pendant quelques minutes. Puis, ce fut assez. Je le fermai et le laissai pendre au bout de son cordon sur ma poitrine. Je devais affronter la mort dans les yeux. Je devais m'imprégner de ce drame sordide afin de pondre le meilleur rendu possible dans le but d'accomplir mon devoir auprès de la société. Pour contribuer à coincer celui qui hantait mes jours et mes nuits. L'Avorteur.

Je m'approchai en dirigeant mes yeux sur la victime. De longues mèches mauves baignaient dans une flaque rouge écarlate. On aurait dit des tentacules de pieuvres cherchant à se déployer dans le courant fort de l'eau. Il y avait tellement de sang. Tellement, qu'à force de marcher autour du cadavre et de s'agenouiller afin de prélever des indices, les longs habits de plastique et bottes de caoutchouc des criminologues en étaient imbibés. Le sang qui n'était pas encore gelé dégoulinait le long de leurs survêtements, malgré les précautions qu'ils tentaient de prendre pour ne pas altérer les lieux du crime. Leurs mains et leurs avant-bras gantés n'étaient pas épargnés non plus, même s'ils s'essuyaient soigneusement le plus souvent qu'ils le pouvaient. Tous avaient le visage protégé par un masque et d'énormes lunettes, ainsi que la tête recouverte par une espèce de bonnet de plastique. Hannah devait se trouver parmi eux. Mais comment la reconnaître sous de tels accoutrements ?

Je m'attardai volontairement aux gestes méticuleux des experts pour me permettre une pause. Je me sentais faiblir. Les maux de la peur se pointaient à nouveau. À commencer par les serrements dans ma poitrine. Je me frottai encore et encore. Puis je relevai les yeux. Ils fixaient les siens, en s'introduisant sans permission au plus profond de son être. De son âme. Il était là. Encore. L'Avorteur. Imprégné dans ses yeux. Comme pour les deux autres victimes, je confrontais le visage d'une mort cruellement sadique. Barbare, odieuse et hideuse. Une mort insupportable, suffocante et répugnante. Désolante, impardonnable. Une mort funeste, fatale. Cela générait des émotions indescriptibles en moi, qui vacillaient entre l'effroi, l'incompréhension, la désolation, la souffrance et l'esprit de vengeance.

Son visage était rond et lisse, sans ridules. Ses lèvres pulpeuses. Et ses joues, saillantes. Malgré les nombreuses boursouflures sur son visage, on devinait qu'elle était jeune, très jeune. Bien qu'on ne pouvait supposer qu'elle aurait eu un avenir prometteur à voir les multiples marques violettes dans le creux de ses bras, elle détenait le droit de vivre. D'être libre. Mais L'Avorteur lui avait volé la vie.

Droguée comme les autres victimes de L'Avorteur, elle devait avoir assisté à sa propre mort sans pouvoir lutter, ni même se débattre, réagir ou bouger. Qui méritait de mourir ainsi dans les bras de Satan ? Mourir dans une telle souffrance ? Mes yeux s'abaissèrent sur son ventre. Il était encore rond et surélevé, même s'il avait été découpé comme un vulgaire morceau de viande. L'Avorteur l'avait vidé de ses entrailles. De son fœtus. Des lambeaux de chair bleutée, des bouts d'intestins, d'utérus, de placenta et autres matières biologiques non identifiables s'entremêlaient et envahissaient son corps.

Le chapelet. Le crucifix. Des images se succédèrent dans ma tête tel un diaporama. Ils étaient là, baignant dans le sang entremêlé de terre. Tout comme pour les deux autres victimes. D'autres images des crucifix et des chapelets laissés sur elles me bombardèrent la tête. Je sentais que j'étais en train de m'effondrer. Je pris mon appareil-photo et fis un zoom sur les deux objets.

Le chapelet semblait étrangler la victime. Une partie serrait son cou tandis que le reste de l'objet était dissimulé dans une flaque de sang. Le crucifix, lui, était fermement maintenu par sa main droite. Seul un petit coin de plastique blanc avait été épargné par le sang et la terre. Comment les victimes pouvaient-elles tenir si fermement le crucifix dans leur main ? Je m'imaginai la terrible scène. L'Avorteur tenant la main droite de chacune de ses proies bien écrasée dans la sienne, jusqu'à ce que mort s'ensuive, et que leur corps soit assez raide pour qu'il puisse la relâcher. Je laissai tomber mon appareil-photo tant je tremblais. Je n'en pouvais plus. C'en était trop pour moi.

Je détournai le visage du massacre et je posai rapidement ma main sur ma bouche pour retenir les nausées qui montaient dans mon estomac. La volonté de me retenir ne fut pas d'une grande aide. Je me reculai rapidement en bousculant quelques policiers. Je courus me réfugier loin du corps sur le bord de l'édifice. Je me penchai pour vomir le long du mur qui me servait d'appui. Je m'agenouillai tout en demeurant accotée pour me faire discrète devant les quelques policiers curieux qui m'observaient du balcon. Malgré les regards qui me gênaient, il n'y avait rien à faire pour stopper mon malaise. Je continuai de vomir. Si longtemps que je crus que j'allais perdre connaissance.

Je frissonnais. Des marteaux-piqueurs résonnaient dans ma tête. Et des milliers d'étoiles scintillaient sous mes yeux. Alors que la peur prenait le dessus sur mon courage, je m'effondrai sur mon postérieur, toujours accotée contre le mur. Je penchai la tête vers l'arrière pour l'appuyer. Mon souffle intense formait un nuage blanc devant moi. Des larmes glissèrent sur mes joues. Je m'essuyai le visage d'un geste brusque avant que l'on ne remarque trop que mon malaise était en train de se transformer en effondrement total. Quelle honte ! Quelle médiocre journaliste étais-je !

— Bonjour, Mademoiselle L'Espérance. Vous me reconnaissez ? Hannah Polanski. Est-ce que ça va, Mademoiselle ?

Je ne m'étais même pas rendu compte de sa présence. Ni même qu'une personne s'approchait de moi. J'étais littéralement plongée dans une confusion inexplicable. Il n'y avait pas de mots pour décrire ce que je ressentais à ce moment précis. Mais la médecin-légiste venait de me sortir de cet enfer. Du moins en partie. Je tournai mon regard vers elle. Et je feignis un sourire afin de ne pas paraître trop perdue. Elle me répondit en silence en me souriant à son tour. Elle s'agenouilla et elle posa une main sur mon genou en maintenant son regard dans le mien en guise de réconfort. Quelques secondes passèrent. Je pris mon courage à deux mains et je me levai du sol. Elle m'imita. Toujours en silence.

— J'ai l'air complètement ridicule, n'est-ce pas ? lui répondis-je.

— Je peux faire quelque chose pour vous ? Vous voulez que j'avertisse Larry ou Ryan que vous n'allez pas bien ? m'offrit la médecin-légiste.

— Non, ça ira, merci ! Vous vous demandez sûrement comment j'ai bien pu me retrouver comme journaliste dans les crimes et enquêtes. Quelle conne ! Pardonnez-moi ! terminai-je en replaçant mes vêtements et mes effets personnels, avec une mine déconfite.

— Vous vous en faites trop pour rien. Voilà ce que je crois ! C'est tout à fait normal et justifié de réagir ainsi. C'est avec le temps qu'on réussit à mieux se contrôler. Mais intérieurement, vous réagirez toujours de la même façon et même dans 100 ans ! Rien ne changera. J'ai l'habitude de traiter des crimes sordides, mais rien ne change. Allez, il est peut-être temps de prendre une pause ! 10 h. Le point de presse devrait avoir lieu vers midi finalement. Vous n'apprendrez rien de plus dont vous n'êtes pas déjà au courant. Il n'y aura pas d'identification de la victime. Le témoin demeurera dans l'anonymat. Pour ce qui est de L'Avorteur, même *modus operandi* comme vous avez constaté, décrivit Hannah Polanski.

Elle cessa de parler en me faisant signe d'attendre un instant. Elle fouilla dans le fond d'une poche intérieure de son long manteau beige feutré. Ce qui piqua ma curiosité et détourna mon attention de mes maux. Elle sortit une feuille pliée en quatre. Elle la garda précieusement pliée au fond de sa main droite. Et elle me fit ensuite signe de la suivre. Elle marcha dans le stationnement sans s'arrêter. Je la suivis, intriguée.

— Écoutez, Larry et Ryan m'ont convaincue qu'une part du mérite vous revient concernant les derniers développements nous rapprochant de L'Avorteur. Pour votre rigueur irréprochable et votre acharnement incomparable dans l'enquête, je vais vous dévoiler en primeur un élément crucial trouvé sur la scène de crime. Parlez-en dans…

— Merci Madame Polanski ! l'interrompis-je. Mais c'est davantage grâce à vous, Ryan, Larry et tous vos précieux collaborateurs du NYPD et du FBI que l'enquête avance si rapidement.

— Bon, allez, tenez ! Prenez ceci, m'ordonna-t-elle en rapprochant sa main discrètement de la mienne pour me tendre la feuille pliée en quatre. N'ayez l'air de rien s'il vous plaît.

Je saisis le papier et je le cachai rapidement dans une poche extérieure de mon manteau. Je la refermai aussitôt. Et je vérifiai deux fois plutôt qu'une qu'elle était bien refermée. Je regardai la médecin-légiste d'un air interrogateur. Elle me répondit par un faible signe de négation les yeux baissés. Je compris que le document qu'elle venait de me transmettre devait contenir des informations primordiales. Voire compromettantes dans le sens où je ne devais pas les détenir de sitôt, en tant que journaliste. Je remerciai discrètement la médecin-légiste d'un signe de tête accompagné d'un sourire.

— Eh Lily-Rose, ça va ? nous surprit Larry Robinson. Désolé si je vous ai laissée à l'abandon ! Mais je vois que vous êtes entre bonnes mains.

— Ça va Larry ! Vous n'avez pas juste ça à faire me chaperonner. Et je suis une grande fille. Je devrais m'en sortir. Écoutez, je crois que j'ai assez d'infos pour pondre un article. Et comme votre partenaire me disait que ni l'identité de la victime ni celle du témoin ne seraient dévoilées, je crois qu'il est temps pour moi d'y aller à présent. Je vous remercie tous les deux pour votre bonne collaboration ! Sincèrement ! Je suis privilégiée. J'y vais à présent, conclus-je en me retournant tout en levant la main pour les saluer.

— À une prochaine, Lily-Rose ! Bonne rédaction ! glissa la médecin-légiste.

— Vous ne souhaitez pas que je vous raccompagne, Lily-Rose ? m'offrit l'enquêteur en chef du NYPD.

Je me retournai pour lui signifier que je m'arrangerais.

Je continuai ma marche vers le balcon menant à l'intérieur du Westside Women's Medical Pavilion. Je traversai sans trop de difficulté les différents postes de sécurité jusqu'à la sortie se trouvant sur le devant de l'édifice. Je sortis à l'extérieur. Une fois dans la rue, je me dépêchai de franchir le périmètre de sécurité afin de héler un taxi. J'étais si empressée que je ne portai même pas attention à savoir si des médias se trouvaient sur place.

Quelques minutes plus tard, je me dirigeais enfin vers le confort de mon foyer. Malgré les émotions fortes que je venais de traverser, je me sentais d'attaque. Et fébrile à la pensée que je détenais peut-être une bonne primeur au fond d'une de mes poches de manteau.

Chapitre 21

Présomptions

10 h 25. Je débarrai la porte de mon studio. Je me débarrassai de mes vêtements d'extérieur en vitesse. Je ramassai mon appareil-photo et mon cellulaire avec lequel j'avais pris quelques notes audibles. Pour une rare fois, je n'avais pris aucune note écrite. Ce qui me rappela que je n'avais posé aucune question à mes collaborateurs sur le meurtre. Je me culpabilisai quelque peu en ce qui concernait ma rigueur journalistique. Mais après courte réflexion, je me dis qu'ils n'auraient pas pu m'apprendre beaucoup plus que je ne savais pas déjà. Je me rassurai en pensant à la feuille cachée au fond d'une de mes poches de manteau. J'ouvris cette poche et la pris. Elle était demeurée pliée en quatre. Je ne la dépliai pas. Je voulais être assise confortablement à mon bureau pour ce faire.

Mais avant de m'installer, je me dirigeai à la cuisine me préparer un bol de céréales et un pot de café, en pensant à mon plan d'attaque. J'allais publier une brève pour le Web, suivie d'un texte plus long et d'une version approfondie pour le journal en format papier. Chacune des versions serait accompagnée de multiples photos, comme à l'habitude.

Il me restait peu de temps avant que les journalistes n'apprennent ce qui s'était passé par le service d'urgence et les policiers. Ils devaient déjà être plusieurs à faire le pied de grue le long du périmètre de sécurité après avoir été informés de celui-ci par des passants. Un point de presse se tiendrait vers midi. Mais j'étais autorisée à diffuser les informations que je détenais.

Je ne perdis donc aucune seconde. J'écrivis une brève en moins de deux et l'accompagnai de trois photos. J'envoyai le tout au webmestre et au chef de pupitre de remplacement. Je mis en copie conforme mon rédacteur en chef et mon chef de pupitre habituels, qui devaient attendre impatiemment le suivi de ma couverture.

10 h 45. Pile dans les temps. Je m'affairai à allonger ma brève en ajoutant des détails croustillants pour le lectorat, et une dizaine de photos supplémentaires, afin d'ajouter un peu d'éléments sensationnalistes. Concurrence obligeait.

Une fois le tout envoyé, je pris une petite pause pour me replacer les idées et souffler un peu. J'avais encore les émotions à fleur de peau. Je m'effondrai dans mon fauteuil, puis mon regard se dirigea vers la fameuse feuille pliée qui contenait un secret. Je la saisis et la dépliai. J'espérais détenir la clé qui me permettrait de publier une primeur pour la version papier, car j'avais déjà dévoilé l'ensemble des détails que j'avais concernant le troisième meurtre dans l'édition Web. Je ne m'étais gardé aucun détail croustillant.

J'espérais aussi que durant le point de presse, on ne dévoilerait pas de nouveaux éléments, ce qui me permettrait de devancer la concurrence. Bien sûr, je possédais un plan B. Julia Lewis. Mais les chances pour qu'elle m'accorde une entrevue le jour de Noël étaient faibles, voire inexistantes, songeai-je. Je devrais peut-être remettre mon plan B au lendemain ou au surlendemain.

Je cessai de m'en faire et j'entamai la lecture du mystérieux document. Tout d'un coup, mes yeux s'écarquillèrent et la chair de poule me prit. Je m'aperçus qu'il me manquait une pièce du puzzle. Une partie de la signature de L'Avorteur. J'avais complètement omis cet élément, pourtant si indispensable. Je détenais entre les mains les passages bibliques laissés par L'Avorteur dans le crucifix que tenait la dernière victime.

Il y avait une note écrite par Hannah Polanski expliquant qu'elle avait analysé rapidement les objets religieux posés sur la victime. Son collègue avait immédiatement ouvert le crucifix afin de savoir s'il contenait un message, comme ceux cachés dans les crucifix laissés sur les deux autres victimes. Un message s'y cachait bel et bien. Un message encore une fois truffé de fautes d'orthographe et transcrit à l'aide de lettres découpées dans des magazines. Il semblait aussi imbibé d'agents nettoyants.

Par ailleurs, la médecin-légiste me soulignait que moi seule avais eu l'occasion de prendre des photos de la victime avec le crucifix et le chapelet. On allait mentionner leur présence sur le corps lors du point de presse, mais ils ne seraient pas montrés aux journalistes. Pour ce qui était du message, il ne serait pas révélé non plus. En plus, elle m'avait griffonné quelques notes indiquant que les deux objets religieux semblaient être physiquement identiques à ceux trouvés précédemment sur les deux autres victimes. Le chapelet étant un chapelet des morts favorisant les âmes du purgatoire. Une pièce rare. Et le crucifix semblait être un vulgaire objet de plastique déniché dans un magasin à aubaines.

Pour terminer, elle avait indiqué que je pouvais publier le message avec son autorisation, et celles de mes deux acolytes du NYPD et du FBI. Je ne pouvais m'empêcher de penser aux troubles qui découleraient de la publication de celui-ci. Les patrons de mes trois collaborateurs seraient encore une fois en colère. Tandis que les miens me féliciteraient. C'était injuste. Mais j'allais saisir la perche qu'on me tendait. Après tout, ils devaient croire que cela pourrait représenter un affront puissant contre L'Avorteur. Je ramenai mon attention sur les passages bibliques et les lus à voix haute :

« Dieu n'est point servi par des mains humaines, comme s'il avait besoin de quoi que ce soit, lui qui donne à tous la vie, la respiration, et toutes choses. » (Actes 17 : 25)

« Ouvrirais-je le sein maternel pour ne pas laisser enfanter ? dit L'Éternel. Moi qui fais naître, empêcherais-je d'enfanter, dit ton Dieu. » (Esaïe 66 : 9)

« La femme, lorsqu'elle enfante, éprouve de la tristesse, parce que son heure est venue ; mais, lorsqu'elle a donné le jour à l'enfant, elle ne se souvient plus de la souffrance, à cause de la joie qu'elle a de ce qu'un homme est né dans le monde. » (Jean 16 : 21)

« Car Dieu a tant aimé le monde qu'il a donné son Fils unique afin que quiconque croit en lui ne périsse pas, mais qu'il ait la vie éternelle. » (Jean 3 : 16)

« Car, comme le Père ressuscite les morts et donne la vie, ainsi le Fils donne la vie à qui il veut. » (Jean 5 : 21)

Je lus et relus ces versets de la Bible. Je ne pouvais y croire. Il fallait être complètement cinglé pour lutter contre l'avortement de cette façon. Je m'apprêtais à lire une troisième fois ces passages, quand mon cellulaire sonna.

Mon chef de pupitre. Il me félicita, puis il me souligna l'importance de mettre mes vacances des fêtes aux oubliettes. Je devais me sacrifier pour la justice. Mais il ajouta que je pourrais être récompensée pour mes efforts avec de belles et longues vacances payées à la fin de cette enquête. Il convaincrait notre rédacteur en chef à cet effet. Et bien sûr, il souhaitait connaître mes intentions pour la suite des choses. Je lui appris la primeur que je détenais entre les mains. Je lui proposai de garder mon texte pour l'édition papier du lendemain en y ajoutant une vingtaine de photos additionnelles. Dans l'immédiat, je souhaitais également obtenir une entrevue avec la profileuse Julia Lewis dès que possible. Puis, je terminai en lui assurant que je ferais des suivis serrés auprès de Ryan Beckham et Larry Robinson afin que le journal soit toujours au premier rang concernant les nouveaux développements liés à L'Avorteur. Mes réponses semblèrent le satisfaire. Il m'ordonna gentiment de reprendre le travail. Et il m'avisa que l'heure de tombée était 16 h au lieu de 23 h en ce jour de Noël.

En raccrochant avec John, j'entendis cogner à la porte. Je regardai l'heure. 11 h 50. Qui cela pouvait-il bien être en ce temps de festivités ? Alors que je me levais, les coups retentirent de nouveau. Je me hâtai. Arrivée à la porte, je glissai un regard dans le judas avant de l'ouvrir. J'aperçus Ryan Beckham qui s'impatientait. Sans trop me poser de questions, je lui ouvris.

— T'as pas oublié quelque chose sur la scène de crime par hasard ? me questionna le policier sans même me saluer, tout en pointant ma valise de son menton. T'exagères ! Ta valise sur la scène de crime !

— Ma valise était bien rangée dans une voiture du

NYPD. Elle ne nuisait en rien à l'enquête, quand même ! me défendis-je en le laissant passer devant moi.

— Ouain, bien j'exagère à peine. Tu n'imagines pas combien le policier à qui t'as confié ton bagage était enragé. Il a fait toute une scène à Larry devant la galerie. Bien sûr, notre cher ami l'a envoyé paître. J'ai offert à Larry de m'en occuper. Il a une famille après tout, alors il s'est retiré jusqu'à demain pour profiter de ses enfants et des joies féériques de Noël.

— Merci Ryan ! Très apprécié ! Je sais pas trop où j'avais la tête. Mais ce troisième meurtre m'a visiblement bouleversée. Tu t'es libéré tôt. Le point de presse est terminé ? Je croyais qu'il devait se tenir à midi. Quoi de neuf, pas de pistes sur l'identité de la victime ?

— Wow! encore de belles questions ! Tu n'arrêtes jamais, toi ! Toujours des questions ! Ouais, on dirait bien qu'il s'est tenu plus tôt. Les journalistes étaient trop assoiffés. Mais le point de presse ne t'aurait rien appris de neuf, même si tu y avais assisté. Pour ce qui est de la victime, aucune idée de son identité. Trop tôt pour savoir. Tu sais, c'est souvent par le partage d'infos dans les médias que les proches reconnaissent la victime. Alors, on attend. Pas le choix, comme aucune disparition n'a été signalée au NYPD qui correspond à sa description.

— Comment comptez-vous réagir en cette période des fêtes ?

— Période des fêtes ou non, on doit remettre la machine en marche. J'ai rappelé mon équipe. Larry et Hannah ont fait de même. On va s'affairer à reprendre nos recherches et analyses là où on en était, tout en enquêtant sur le nouveau meurtre. Mais nos équipes seront réduites et probablement au ralenti. Et toi, de ton côté ?

— Bien, tu sais sûrement que madame Polanski m'a livré une primeur sur un plateau d'argent. Alors, j'écrirai quelque chose là-dessus pour notre édition papier. Ensuite, je pensais tenter ma chance auprès de Julia Lewis pour une troisième entrevue. Je t'informerai de tout nouveau développement. Mais rien pour l'instant. On se tient au courant. Quelle foutue merde ! On se souviendra longtemps de ce Noël 2012 !

— Tu devrais lâcher prise pour aujourd'hui. Fête un peu Noël, même si j'en déduis que c'est raté avec ta famille. Pour moi aussi d'ailleurs, comme ma famille est à l'extérieur. Je devais prendre la route ce matin tôt pour revenir dans quelques jours. On oublie le projet. Donc, que dirais-tu d'un souper en tête-à-tête avec ton cher Sherlock Holmes ? proposa le criminologue du FBI.

— C'est vrai que c'est Noël. Et que je dois mettre aux oubliettes mes projets familiaux. Alors, pourquoi pas ? Ai-je une meilleure option ? J'accepte. OK. Mais je dois d'abord travailler encore quelques heures. Disons que je serais disponible vers 17 h. Où est-ce qu'on va se régaler ?

— Dans le quartier de la petite Italie, ça te dit ? Je suis un excellent cuisinier. Je t'inviterais volontiers chez moi, mais tu vois, je trouve que ça fait un peu trop jeu de séduction, disons. C'est après tout qu'une invitation entre collaborateurs sans arrière-pensée. Alors à 17 h, je viens te chercher ! Ça te convient ?

— Ouais, ça me convient parfaitement un bon repas italien ! Donc à bientôt, mon cher Sherlock Holmes ! Et joyeux Noël !

— À bientôt, mon cher Watson ! Joyeux Noël à toi aussi !

Je me débarrassai de ma valise dans ma chambre. Et je repris le travail aussitôt. Je décidai de risquer de déranger

Julia Lewis, afin de lui soutirer une entrevue pour le lendemain. Je la joignis facilement, à mon grand étonnement.

Elle ne me parut pas surprise par mon appel. Elle m'expliqua qu'elle venait de recevoir une alerte Google sur son
cellulaire lui signalant deux nouvelles de L'Avorteur du *New
York Today Journal*. Après en avoir pris connaissance, elle
avait gardé son cellulaire à ses côtés, alors qu'elle se trouvait
en plein repas des fêtes avec sa famille. Elle se doutait que
Larry, Ryan ou moi ou un autre journaliste tenterions de la
contacter.

Elle accepta sans hésitation mon invitation pour une troisième entrevue. Je lui donnai rendez-vous le lendemain à
11 h au Eataly, afin de travailler tout en prenant un peu de
bon temps. C'étaient les fêtes après tout ! Pourquoi ne pas
agrémenter l'entrevue d'un petit verre de vin rouge ainsi que
d'une belle assiette de charcuteries et fromages fins, pensai-je.

Après avoir averti mon équipe au journal de mes intentions, je me remis à l'écriture. J'espérais faire un tabac avec
les passages bibliques et mes photos uniques du crucifix et du
chapelet disposés sur la victime.

Le 27 décembre, 10 h. Déjà jeudi, la semaine s'achèverait
bientôt. Je souhaitais pouvoir prendre une pause pour le
week-end. Je me trouvais au journal depuis une demi-heure
tout au plus afin de faire acte de présence une fois de temps en
temps. C'était mort dans la salle de rédaction. On aurait pu
entendre une mouche voler. La plupart des visages m'étaient
inconnus. Des remplaçants.

Je tournoyais sur ma chaise, journal en mains. Un café

et un muffin m'attendaient sur mon bureau. Je fixais la une qui affichait une photo d'une partie du corps mettant à l'avant-plan le chapelet et le crucifix. C'était très bien, sensationnaliste, mais pas trop, comme prévu. Je pris quelques bouchées de mon muffin avant de m'attaquer au principal, soit mon entrevue de la veille avec Julia Lewis. Chaque fois, mon plaisir était renouvelé de pouvoir lire mes articles dans le journal le plus vendu de la Grosse Pomme. Il y avait un petit je-ne-sais-quoi de plus excitant que les lectures et relectures de mes articles avant parution. Je pris une gorgée de café pour faire passer ma bouchée. Je cessai de tournoyer et je m'appuyai les pieds sur le bureau, tout en me penchant vers l'arrière sur ma chaise pour lire.

NEW YORK TODAY JOURNAL   A7

ENTREVUE AVEC LA RENOMMÉE PROFILEUSE JULIA LEWIS
L'Avorteur : pour la damnation de ses pécheresses

Par Lily-Rose L'Espérance

Manhattan, le 27 décembre 2012

Q : Au cours des deux entrevues précédentes, il a été question de possibilités de récidive chez L'Avorteur. Avec une troisième victime à son actif, il devient un tueur en série. D'autres meurtres risquent donc d'être commis. Mais pourquoi agir ainsi ?

R : Tel qu'expliqué lors de notre dernier entretien, l'accoutumance au crime violent rend beaucoup moins sensible et beaucoup plus puissant. À présent, chaque meurtre constitue une pièce de puzzle pour L'Avorteur. Qu'est-ce qui conduit à la régulation d'une telle conduite délinquante ? Tout porte à croire qu'il faut chercher du côté social. Le NYPD et le FBI

sont sur de bonnes pistes. L'Avorteur a un attachement surréa-
liste à la religion et à Dieu. D'où cela lui vient-il ? Probablement
de l'identification à un groupe. De celui-ci doit être né son attachement extrême. Il croit qu'il a un engagement de moralité
envers lui.

L'une des nombreuses règles morales doit être qu'une femme
enceinte doit donner vie. Il y a là une contrainte qui impose
restrictions et limites à la conduite d'une personne. Elle ne
peut interrompre sa grossesse. C'est contre les valeurs et
les croyances inculquées par Dieu. La femme qui interrompt
sa grossesse va à l'encontre des principes de Dieu, donc du
groupe. Ce qui devrait être puni. Puni par une personne qui en
a le pouvoir, l'autorité au nom de son groupe. Au nom du Tout-
Puissant. Selon moi, L'Avorteur a été éduqué dans la foi de Dieu
auprès d'une association religieuse très influente. Et il croit
qu'il a le devoir et le pouvoir moraux de punir les pécheresses.

**Q : Vous aviez aussi évoqué l'hypothèse que L'Avorteur fasse partie
d'un groupe religieux extrémiste lors de notre dernière entrevue. Entre
autres grâce à votre supposition, le NYPD et le FBI se sont mis sur
cette piste. Il semblerait qu'on aura des développements sous peu.
Nous avons déjà énuméré les multiples facteurs qui pourraient avoir
poussé L'Avorteur à tuer. Mais comment réussit-il à commettre de tels
crimes encore et encore sans qu'on puisse l'en empêcher ?**

R : Quelle est sa stratégie qui le rend si fort dans sa façon de
procéder ? Là est la question ! Je vous répondrai en commen-
çant par vous relater la théorie de Freud à propos du « moi » du
« ça » et du « surmoi », selon laquelle la vie mentale dépendrait
de l'interaction entre trois instances psychiques. Le « ça », qui
constitue le réservoir des pulsions et des instincts. Il y a le
« moi », avec ses niveaux conscients et inconscients régissant
les fonctions mentales et assurant la gestion des pulsions en
permettant l'adaptation de la personne à la réalité extérieure.
Et il y a le « surmoi », une structure morale définissant le bien
et le mal, les aspirations et les interdits. L'interaction entre
ces trois instances régularise les instincts antisociaux des cri-
minels. On parle alors de faible maîtrise de soi, d'impulsivité,
d'insensibilité.

On parle aussi de régulations sociale et psychologique

néfastes, auxquelles s'ajoutent des éléments, augmentant le risque de délinquance, de passage à l'acte. Il peut s'agir d'activités routinières mettant en contact L'Avorteur avec le public, donc avec ses victimes, les occasions de commettre l'acte, la possibilité de surveiller ses cibles, l'accessibilité aux outils nécessaires pour commettre un meurtre, la disponibilité des lieux pour ses meurtres, etc. Les ingrédients gagnants sont des facteurs physiques. Ces facteurs profitent au délinquant organisé et intelligent tel que L'Avorteur. On est face à une véritable équation psychologique tordue.

Q : Pourquoi L'Avorteur veut-il crier haut et fort son message, selon vous ? C'est bien de cela qu'il est question si on pense à l'ensemble de sa signature : l'avortement, le chapelet, le crucifix et les passages bibliques.

R : Les extrémistes luttant contre les interruptions de grossesse utilisent régulièrement des passages de la Bible dans lesquels Dieu semble évoquer le fait qu'il est contre l'avortement. On revient à l'engagement, l'appartenance à un groupe. À l'attachement. L'Avorteur est un catholique engagé. Il ne peut faire de l'avortement une question de conscience individuelle. Il doit même croire qu'il n'est pas seul dans son combat. Ceux qui font partie de son association ou qui s'y identifient devraient prôner le respect de la vie dès qu'il y a conception, croire que l'interruption de grossesse est un meurtre. Ainsi, ils devraient l'accompagner dans sa mission, et vont finir par le faire un jour ou l'autre, croit-il fermement. Aucun catholique digne de ce nom ne douterait de l'importance de sa mission ! Les bons catholiques croyants et pratiquants prêcheront par la damnation. Tout comme lui prêche par la damnation au nom de Dieu. De là le crucifix et le chapelet des morts. Il appelle ses disciples à prêcher par la damnation auprès des femmes qui ont péché.

Q : Merci pour ces précisions. Le profil psychologique d'un tueur est très complexe pour le commun des mortels, mais vos descriptions nous aident à mieux cerner la personnalité criminelle de L'Avorteur. Pour terminer, pouvez-vous nous expliquer la signification de la damnation dans ce cas-ci ?

R : La damnation est un terme catholique ou chrétien selon ce que l'on préfère. Elle représente un jugement défavorable, une condamnation pour un grave péché et le châtiment, la punition qui en résulte. Le châtiment, la punition peuvent provenir de Dieu ou d'un être humain en son nom. La damnation est irréversible. Pour le chrétien, ou le catholique, la damnation est une exclusion du salut éternel et une condamnation en enfer. C'est un peu l'opposé de la rédemption. Un concept du christianisme, catholique. Dans la rédemption, Dieu offre le salut à l'homme qui a péché. Il ramène l'homme vers le bien, et le libère du mal. Il lui permet de se racheter face à son péché. Ce rachat est définitif, final.

En lisant ces derniers mots, je me sentis satisfaite du travail accompli, même si je trouvais que mon entrevue était un peu complexe. Était-ce assez vulgarisé pour le lectorat ? Il était vrai que mes entrevues avec Julia Lewis relevaient d'un aspect assez technique de l'enquête. Que de telles entrevues se faisaient rares dans les médias s'adressant à un large public. Mais j'avais toujours aimé faire appel à des experts expliquant le côté plus scientifique d'une affaire.

Lors de mes affectations dans des pays où les droits de l'homme étaient bafoués, où la situation politique et socio-économique était injuste et corrompue, je faisais régulièrement intervenir des spécialistes en politique ou en anthropologie. Les experts scientifiques ne faisaient pas partie des sources les plus populaires auprès du lectorat, étant donné la complexité de leurs propos. Mais j'étais persuadée qu'il ne fallait pas prendre les lecteurs pour des imbéciles. Il fallait leur en donner un peu plus. L'objectif étant qu'ils aient l'impression d'être au cœur de l'enquête, spectateurs de près. De si près qu'ils sentent qu'eux aussi, ils pouvaient accéder à des spécialistes de cette trempe.

J'entendis mon cellulaire vibrer. Ce qui me sortit de mes pensées. Georges. Il venait de lire le journal. Il m'encourageait dans mes démarches en m'assurant qu'il m'enverrait des tonnes de pensées positives d'ici son retour à New York. Je m'aperçus alors que j'avais d'autres messages textes s'étant accumulés au cours des dernières heures : de ma grande amie Zoé, de mon frère et de ma mère. Eux aussi m'avaient fait parvenir un mot d'encouragement. Une certaine tristesse m'envahit en pensant que j'aurais dû me trouver auprès d'eux pour passer de bons moments. Alors que j'étais plutôt prisonnière à New York à cause de L'Avorteur.

Mon cellulaire sonna à nouveau. C'était un appel de Larry Robinson. Je m'empressai de répondre.

— Bonjour, Lily-Rose, vous vous en sortez bien. Bravo pour votre dernière couverture ! Aucun journaliste n'a mieux assuré que votre sortie en primeur sur la signature du tueur et votre entrevue avec notre merveilleuse profileuse. Écoutez, je ne vous appelle pas pour vous lancer des fleurs. Vous vous en doutez sûrement. Je voulais vous avertir que le NYPD tiendra un point de presse dans ses locaux à 15 h cet après-midi. Dévoilement de l'identité de la victime au programme ! Les parents attendaient la jeune fille pour le souper de Noël. Bien qu'elle était toxicomane et qu'elle traînait dans les rues, elle ne manquait jamais un repas en famille apparemment.

— Vous pouvez me donner les infos sur son identité ? Si je vous promets que ça restera « à micro fermé » jusqu'au début du point de presse ? quémandai-je.

— À une seule et unique condition, jeune fille. Vous devez être présente au point de presse sans faute. Et y assister jusqu'à la fin. Et je vous avertis, je n'ai rien de plus à vous dévoiler, je vous ferai signe quand on aura de nouveaux éléments d'enquête intéressants. Disons que la majeure partie de l'enquête est maintenant entre les mains du FBI. De notre côté, nous comparons la liste des patients et membres du personnel des deux cliniques et la liste des ordonnances de benzodiazépines données dans les pharmacies de Manhattan. Espérons que le tueur a bel et bien reçu son ordonnance dans Manhattan et à son nom. Sinon, on oublie cette piste. Ça nous demanderait trop de temps et d'effectifs. On parle de quelques semaines encore avant d'obtenir des réponses.

Je me redressai sur ma chaise pour prendre quelques notes de notre conversation. Mon interlocuteur prit une courte pose avant de poursuivre sur sa lancée :

— Pour ce qui est de nos interrogatoires avec les membres du personnel, on en a effectué une vingtaine sans résultats probants. En plus, ils ont tous réussi le test du polygraphe haut la main. On avait décidé de cesser les interrogatoires durant les fêtes et de s'y remettre avec plus de policiers sur le coup dès le 3 janvier. Mais j'ai devancé l'opération. Ils seront remis en branle dès demain. Pour ce qui est du FBI, Ryan m'a dit qu'il avait repris toutes les opérations, comme prévu. Pour l'instant, lui et son équipe s'acharnent sur les 64 membres de la Coalition des douze faisant partie de la section de New York, qui sont aussi liés à la Fondation voir le jour. Ensuite, on examinera les autres membres de la Fondation. Les interrogatoires commenceront demain. Jusqu'à ce jour, seul le plan d'attaque avait été préparé, et le FBI s'était assuré d'obtenir les mandats nécessaires pour ce faire. En parlant de ce mandat, une équipe de techniciens informatiques du FBI pourra aussi dès demain saisir les ordinateurs des dirigeants de la Fondation, en plus de pouvoir accéder à leurs courriels. La direction a affirmé avoir supprimé les courriels de menaces de L'Avorteur ayant déclenché la sortie publique controversée sur l'avortement, et en avoir gardé des copies papier seulement. Mais il devrait être possible de retrouver des indices nous guidant vers sa provenance.

— Ouais, bien c'est encourageant tout ça, Larry! Merci pour les infos, enchaînai-je pendant qu'il semblait reprendre son souffle.

Le policier poursuivit son compte rendu.

— Alors voilà qui termine le portrait de nos priorités. Pour le reste, tout suit son cours normal. Donc, on travaille encore à dresser une carte géographique des lieux pauvres et insalubres de New York où pourrait sévir le tueur. On monte aussi une liste des femmes âgées de 20 à 80 ans décédées au cours de la dernière année. En espérant que l'une d'elles aura un lien avec les cliniques, la Fondation ou la Coalition des douze. Un lien avec L'Avorteur, quoi! Pour ce qui est d'Hannah, elle effectue un travail minutieux d'investigation sur les indices trouvés sur les scènes de crime, dont les crucifix, chapelets et messages bibliques. Si on retraçait leur provenance, on ferait un pas de géant. Ça nous a avancés grandement quand elle a découvert que l'objet ayant servi à éventrer les victimes était un véritable bistouri dont on se servait entre autres en gynécologie. Et lorsqu'elle a trouvé des parcelles d'excréments sur les objets, ça nous a permis de resserrer notre espace géographique. Sans compter que c'est elle qui a découvert que les victimes avaient été droguées par un sédatif puissant. D'où notre enquête auprès des pharmacies. Oui, Hannah nous sera encore fort utile! Qui sait, elle découvrira peut-être d'autres indices intéressants provenant de la troisième victime. Bref, me voilà parti en grande avec mon portrait de la situation! Revenons à nos moutons. Si je vous dévoile l'identité de la troisième victime, vous serez au point de presse ?

— Marché conclu Larry ! Je vous écoute attentivement ! Très attentivement.

Vers 13 h, je quittai le journal pour aller casser la croûte à mon studio et pour me rafraîchir un peu. Lorsque j'ouvris la porte du taxi qui m'attendait à la sortie du journal, j'eus l'agréable surprise de découvrir Bob Miller. Cela me paraissait une éternité que je ne l'avais pas vu. Nous prîmes un moment pour nous raconter nos dernières nouvelles. Pour sa part, elles étaient fort réconfortantes : de bons moments passés en famille pour Noël. Mon chauffeur me laissa chez moi. Puis il revint me rechercher 40 minutes plus tard.

14 h 40. Nous nous trouvâmes devant le poste général du NYPD. Sachant que le point de presse ne serait guère long, je demandai à Bob Miller de laisser tourner le compteur. Je retournerais à la maison après. Je débarquai du taxi et me précipitai vers les escaliers du poste que je montai avec empressement. Je ne savais pas si j'étais victime de mon imagination, mais j'avais vraiment l'impression que plusieurs journalistes me dévisageaient. Deux d'entre eux me brusquèrent même au passage. Je souris en me disant que je devais prendre ça comme un compliment. Comme je m'y attendais, le point de presse du NYPD était fort populaire. C'était la cohue totale. Journalistes, photographes, caméramans et réalisateurs faisaient la file à l'entrée de la salle de presse pour être identifiés.

Une quinzaine de minutes plus tard, j'étais enfin assise à l'arrière de la salle, coincée entre deux journalistes affichant un air antipathique. 14 h 55. J'aperçus Chrystine Johnson monter sur le podium, celle qui m'avait donné un filon lors du dernier point de presse. Même si elle avait gagné des points dans mon estime, je ne pouvais m'empêcher de trouver qu'elle avait l'air aussi bête que les fois précédentes. Elle garderait sans doute cet air agaçant pour le restant de ses jours. Larry Robinson la rejoignit et lui fit un signe de tête afin de lui signifier que l'événement pouvait débuter.

J'ouvris mon sac et je ramassai ma tablette numérique. Je la démarrai, puis j'ouvris ma boîte de courriels du journal. Comme je me trouvais dans la dernière rangée, je reculai ma chaise afin d'éviter d'attirer la curiosité de mes voisins sur ce que je m'apprêtais à faire. Chrystine Johnson commença la première allocution. 15 h 05. Comme convenu avec mon collaborateur du NYPD, j'envoyai mon texte qui était déjà prêt au webmestre afin qu'il le mette en ligne sur-le-champ. Je ne le lui avais pas envoyé trop à l'avance au cas où il y aurait eu des ajouts à effectuer, ou encore qu'il aurait diffusé la nouvelle en ligne avant l'heure permise. Moins de cinq minutes plus tard, mon article était sur le portail du journal. Et la période de questions débutait. Tout était parfait ! me félicitai-je. Afin de passer le temps durant la période de questions, je lus mon texte.

TROISIÈME VICTIME DE L'AVORTEUR
Une adolescente de 14 ans de Brooklyn qui devait se faire avorter

Par Lily-Rose L'Espérance

Manhattan, le 27 décembre 2012 – Rose Maguire. C'est le nom de la troisième victime de L'Avorteur. La jeune adolescente de Brooklyn était à peine âgée de 14 ans. Prise avec des problèmes d'alcool et de drogues, elle avait décidé, avec l'accord de ses parents, de se faire avorter. Elle était tombée enceinte quatre mois plus tôt. L'avortement était prévu le 7 janvier.

« C'est la mère de la victime qui a signalé la disparition de sa fille le 26 décembre au matin. Après avoir appris dans les médias que L'Avorteur avait sévi une troisième fois et n'ayant eu aucune nouvelle de sa fille, elle a contacté le 911. Selon cette dernière, Rose Maguire ne manquait jamais une réunion de famille, malgré ses multiples absences liées aux difficultés qu'elle traversait. Elle devait fêter Noël en famille le 25 décembre », a lancé d'entrée de jeu Larry Robinson, directeur des communications et enquêteur en chef, lors d'un point de presse qui s'est tenu ce jeudi au poste général du NYPD.

Tout comme Tamara De Los Angeles, la première victime de L'Avorteur, l'adolescente était une patiente du Westside Women's Medical Pavilion. C'est à cet endroit qu'une infirmière s'apprêtant à rentrer au travail a fait la macabre découverte sur le terrain arrière de l'édifice.

Selon le NYPD, les proches de la victime n'auraient remarqué aucune personne suspecte rôdant autour de Rose Maguire, au cours des dernières semaines. Tout comme pour les deux autres victimes, rien ne porte à croire que L'Avorteur fasse partie de l'entourage de l'adolescente. Aucun des proches n'a été identifié comme étant suspect jusqu'à présent.

Pour l'instant, le NYPD ne souhaite pas commenter l'enquête en cours. Aucun nouveau fait n'a donc été révélé. Pour en savoir davantage sur les circonstances entourant le troisième meurtre de L'Avorteur, consultez notre dossier complet au www.nytodayjournal/lavorteur.com. Nous vous invitons également à faire part de tout détail pouvant aider le NYPD et le FBI dans leur enquête en communiquant avec le NYPD au 1 800 577-8477 ou le FBI au 1 800 225-5324. Pour tout commentaire, écrivez-nous à infos@nytodayjournal.com.

Rappelons que la première victime de L'Avorteur, Tamara De Los Angeles, une jeune mère de sept enfants, a été tuée le 22 novembre dernier et retrouvée morte dans Central Park. La seconde victime, Pamela Jefferson, a été retrouvée morte le 2 décembre à la cathédrale Saint-Patrick, siège de l'archidiocèse de New York. À peine âgée de 21 ans, la jeune femme, provenant d'une riche famille new-yorkaise, était considérée comme une prostituée de luxe.

Mon texte n'avait rien de bien excitant comparativement aux derniers articles que j'avais rédigés, mais il avait sûrement été diffusé avant celui de mes compétiteurs. C'est ce qui comptait. Bien sûr, il ne s'agissait là que de quelques minutes gagnées, mais c'était ça la compétition du direct.

La période de questions venait à peine de se terminer que la salle était pratiquement vide. Il ne restait plus que quelques journalistes qui faisaient des entrevues avec Larry Robinson. Je sortis de la salle à mon tour. Plusieurs journalistes de la radio et de la télévision s'affairaient à sortir les dernières nouvelles en direct. Tandis que d'autres étaient accroupis le long des murs en train de taper les derniers mots de leurs textes pour le Web. J'arrivai à l'extérieur. Là aussi, d'autres journalistes apprenaient la nouvelle à leurs auditeurs en direct. La rue était bondée de véhicules médiatiques. Je cherchai le taxi de Bob Miller à travers la cohue. Je l'aperçus enfin.

Mon chauffeur me reconduisit chez moi. Bien que ma conversation avec lui était fort intéressante, la promenade me parut une éternité à travers tout le trafic de l'heure de pointe. J'avais un de ces maux de tête encore une fois et j'étais fatiguée, épuisée même. Complètement assommée par toute cette affaire. J'avais besoin de repos.

Une fois arrivée chez moi, j'allumai le téléviseur et sélectionnai une chaîne rock alternative. Elliott Smith chantait *Between the Bars*. Quelle mélancolie parfaite pour le moment intense que je vivais ! Toute cette pression des derniers jours qui redescendait. Je me fis couler un bain et j'y plongeai rapidement. Tout en relaxant, je repensai aux trois profils des victimes de L'Avorteur. Il n'y avait sûrement là rien d'anodin dans ses choix. Cela n'était peut-être pas un hasard que les trois femmes aient un profil aussi différent et que leurs motifs d'avortement soient si dissemblables. Son choix devait faire partie de sa stratégie. La mère bienveillante portant un enfant trisomique dans son ventre, la femme portant un enfant né du péché et une adolescente s'apprêtant à mettre au monde un enfant. Le message était clair. L'avortement était un péché punissable, peu importaient les motifs et les conditions entourant la décision. Toute femme qui s'opposerait à la volonté de Dieu se verrait damnée.

Lundi 7 janvier 2013, 6 h. Rien n'avait progressé au NYPD et au FBI au cours des deux dernières semaines. De mon côté, c'était le point mort également. Je n'avais écrit aucun article supplémentaire sur L'Avorteur. À quoi bon faire du rattrapage avec un ramassis d'imbécillités telles que j'en avais tellement vues dans les médias au cours des derniers jours ? Mon rédacteur en chef m'avait proposé de prendre le reste de mon congé prévu jusqu'au 7 janvier. Mais je n'avais eu tout de même d'autre choix que celui de rester sagement dans le confort de mon foyer au cas où les choses auraient bougé. Ce que je comprenais parfaitement.

Mon congé avait été plutôt long et sans intérêt. Je n'avais vraiment pas la tête à la fête. J'aurais aimé que ma mère, mon frère et ma meilleure amie viennent passer quelques jours à mes côtés. Mais cela n'avait pas été possible. Ils avaient déjà des tonnes d'engagements. Même ma mère. Elle venait de rencontrer un homme. Un homme ! Cela me faisait drôle. Je n'avais pas envisagé que cela puisse arriver un jour : voir ma mère au bras d'un autre homme que mon père. Mais bon, l'important était son bonheur. Bien que je n'eusse pu passer du bon temps avec elle durant la période des fêtes, ses appels avaient été nombreux et réconfortants. Elle s'ennuyait de sa fille. Et elle avait besoin de plusieurs conseils concernant sa nouvelle relation. Elle me faisait penser à une adolescente en amour pour la première fois. Cela m'avait quelque peu divertie. Sinon, c'était le repos total. Mes activités s'étaient résumées à cuisiner, lire, écouter de la musique et des films, faire des promenades, m'entraîner et courir les magasins.

Je me préparais à présent pour le retour au travail. Je n'avais pas la moindre idée de ce qui m'attendait. Je devrais probablement couvrir des affectations de faits divers ou collaborer avec la section des tendances mode et beauté, où j'avais fait mes débuts. Du moins, en attendant de nouveaux développements d'enquête ou un quatrième meurtre, ce qui n'était pas souhaitable. Tout en me préparant pour me rendre au travail, je pensais à Larry Robinson et Ryan Beckham. Aucun signal radio d'eux. Ah si, le 1er janvier, ils m'avaient tous deux téléphoné pour me souhaiter une bonne et heureuse année ! Et pour me signaler que leurs enquêtes avançaient rondement.

Je devrais avoir d'autres nouvelles sous peu. Mais quand ?
Que se passait-il dans les bureaux du NYPD et du FBI ?

15 h 30. Je venais de terminer une affectation sur un
incendie accidentel d'un immeuble à appartements situé
dans Brooklyn. Aucun blessé, aucun mort. L'incendie avait
été maîtrisé, mais les pertes frôlaient un million de dollars.
Je travaillais là-dessus depuis 8 h. Je m'y étais rendue directement après avoir reçu un appel de mon chef de pupitre.
C'était le point mort aux tendances mode et beauté, il m'avait
donc affectée aux faits divers. Entrevues avec pompiers, rési-
dents et voisins et plusieurs photos m'avaient permis d'effectuer somme toute une bonne couverture. Mais rien d'aussi
palpitant que celle de L'Avorteur.

Assise à mon bureau, je terminais donc mon article pour
l'édition papier du lendemain. La faim m'amena ensuite à
me rendre à la cafétéria du journal. Je décidai de prendre le
temps de déguster ma salade de chèvre chaud, assise confortablement. Je rendrais ensuite une visite de courtoisie à mon
chef de pupitre afin de parler du programme du lendemain
et de la semaine. Sur ces réflexions, la sonnerie de mon cellulaire se fit entendre. Excitée, je décrochai sans même regarder
l'afficheur.

— Lily-Rose. Ça va ? Je te dérange ?

— Ryan, eh bien pas du tout non ! Je suis au journal.
C'est un peu le point mort pour moi comme tu peux t'en
douter. En fait, je souhaitais vraiment que ce soit toi ou Larry
qui m'appeliez. Il y a des développements ? Ah pardon, dis-
moi, ça va toi ? répondis-je, énervée.

— Ça va, ça va ! Disons que j'ai pas trop chômé au cours de ces deux dernières semaines ni trop dormi. Mais ça va. Ça va très bien, je te dirais même. Lily-Rose, la fin approche pour L'Avorteur. Nous le tenons presque. Incroyable, mais vrai ! Nous avons énormément progressé. Jamais nous n'au-rions pu imaginer que les pistes sur lesquelles nous travail-lions nous dévoileraient tant de choses, tant pour le FBI que pour le NYPD. Nous ne ferons aucune sortie publique pour l'instant. Pas question que notre tueur disparaisse ou pire, se suicide ! Nous le tenons presque, Lily-Rose ! J'en suis cer-tain ! Le seul problème, c'est que nous sommes incapables d'obtenir un mandat d'arrestation ! Pas de preuves tangibles ! Y a rien à faire pour l'instant à part surveiller notre prin-cipal suspect et les suspects secondaires. Au moins, si on peut éviter un autre meurtre d'ici à ce que l'on trouve une preuve incriminante.

— Ryan, tu ne plaisantes pas là ? T'es sérieux ? L'Avorteur. Tu l'as vu ? Tu lui as fait face ? Ça me paraît trop beau pour être vrai. Depuis le temps que nous tournons en rond ! le coupai-je.

— Tu peux me croire, mon cher Watson ! Nos pistes sont excellentes ! Écoute, pour te remercier de ta précieuse collaboration, Larry, Hannah et moi avons décidé de t'offrir un dernier tour de table. On te dévoile les derniers dévelop-pements de l'enquête « à micro fermé ». Et tu pourras sortir l'info quand nous aurons arrêté ce salaud d'Avorteur ! D'ici là, qui sait, tu nous seras peut-être encore utile. Tout d'un coup que t'as une illumination nous permettant de procéder à l'arrestation de ce maniaque !

— Wow! mon cher Sherlock Holmes ! Mon rédacteur en chef et mon chef de pupitre seront en extase devant moi !

Je vous en devrai une encore une fois ! Alors tu proposes quoi ? Je n'en reviens pas ! J'ai mille et une questions qui me défilent dans la tête. Je sens l'adrénaline grimper dans mes veines. Je ne tiens plus en place, c'est pas compliqué !

— Bon, allez, ça va ! On se calme les hormones ! C'est pas très original, mais voilà ce qu'on a pensé. Il faut demeurer dans l'anonymat. Si par malheur Larry et moi étions pris en flagrant délit avec toi, t'imagines le drame ! Donc, j'emprunte un véhicule banalisé. Larry vient me rejoindre devant le Musée d'histoire naturelle, là où tout a commencé. Il y sera à 18 h. Je fais un tour avec lui. Et à 18 h 30, je repasse devant le musée et je te prends à ton tour. Tiens-toi près de l'escalier principal. Je me garerai à l'avant. La voiture est blanche. Un vieux modèle de marque Ford. Tu devrais pas le manquer. On s'en sert pour se promener incognito dans les ghettos et autres places paumées. Alors, ça te convient ?

— Si ça me convient ? C'est un cadeau tombé du ciel ! Vous pouvez compter sur moi ! J'y serai.

Chapitre 22

Pour la rédemption

« *Notre Père qui est aux cieux, que ton nom soit sanctifié, que ton règne vienne, que ta volonté soit faite sur la terre comme au ciel. Donne-nous aujourd'hui notre pain de ce jour. Pardonne-nous nos offenses, comme nous pardonnons aussi à ceux qui nous ont offensés. Et ne nous soumets pas à la tentation, mais délivre-nous du mal. Amen.* »

Il priait et priait. Encore et encore. Agenouillé depuis des heures sur le ciment du cachot. Il se balançait. Et se balançait. Tant, que ses genoux en étaient écorchés vifs. Une sueur intense l'envahissait. Une odeur nauséabonde se dégageait de son corps négligé. Il était couvert de blessures, de sang séché, de crasse imprégnée dans les pores de sa peau, de morsures de bestioles et de boutons purulents. Ses vêtements étaient en lambeaux. Mais cela ne l'affectait pas. Il se rendait à peine compte de sa situation physique répugnante.

Ce qui le faisait souffrir, c'étaient les pauvres brebis égarées. Il n'avait pas été un bon berger. Pas au sens que Dieu lui avait demandé. Il avait failli à sa mission. Il n'avait pas rassemblé les brebis égarées. Il n'avait pas assez prêché par l'exemple. Il aurait dû se montrer plus courageux, plus audacieux. Il aurait ainsi été assez brave pour achever plusieurs autres brebis égarées. Les autres auraient été apeurées. Elles auraient suivi le chemin de la rédemption. Elles n'auraient pas eu à brûler en enfer. À présent, elles seraient toutes damnées. Rien ni personne n'empêcherait

Dieu d'agir selon sa volonté. Bien qu'il ne serait bientôt plus là pour veiller à la damnation des brebis égarées, un autre messager s'en chargerait. Dieu était en colère. Il avait failli dans sa mission, mais Dieu ne céderait pas.

Il ne lui restait plus qu'à prier. Encore et encore. Il voulait le pardon du Seigneur. Il se lamentait dans ses prières. Il se lamentait en pleurant de rage. Il sentait les veines de son front se durcir. Il sentait son cœur battre dans sa poitrine. Il pencha la tête sur le sol. Et il la frappa contre le ciment en persévérant dans la prière. Il la frappa encore et encore en hurlant de douleur. En pleurant toutes les larmes de son corps. Son père ne lui répondait pas. Son Seigneur n'était plus là pour le soutenir. Il frappa sa tête une autre fois. Puis, il s'effondra sur le sol souillé par la moisissure.

Il essaya d'ouvrir ses yeux collés par le sang qui avait coulé de son crâne. Il y parvint. Le globe suspendu au-dessus de sa tête l'aveuglait. Il l'aveuglait tant qu'il n'avait pas remarqué la présence de Dieu auprès de ses enfants. Il retourna doucement la tête pour éviter les lueurs éblouissantes. Il aperçut alors son père. Son père qui tenait par la main ses chers enfants. Ceux qu'il avait sauvés de la damnation.

Il se souleva de terre pour se retrouver en position assise. Il était là. Dieu. Son père. Entouré d'un voile lumineux. Il lui souriait tendrement. Il comprit alors. Il comprit que Dieu était là pour sauver les pauvres âmes de ses enfants. Dieu savait que son berger ne pourrait bientôt plus prendre soin d'eux. Lui-même le savait. Et ça le rendait fou de rage. Mais sa rage lui parut soudainement moins intense en constatant que Dieu était là pour prendre la relève.

Son temps était compté. Il baissa les yeux à cette pensée. Et implora Dieu de toutes ses forces de lui pardonner. Il hurla. Il hurla encore. La lumière entourant Dieu devint d'une intensité surprenante. *Il posa une main devant ses yeux éblouis. Son maître leva les bras et les yeux vers le ciel. Et libéra les âmes de ses enfants. Son regard se dirigea pour une dernière fois vers lui. Il le fixa en lui tendant la main. Il se leva du sol et s'approcha de son père afin de lui tenir la main. Il espérait que Dieu prendrait son âme. Pour sa rédemption. Mais il n'en fut rien. Alors qu'il touchait à peine le bout des doigts de son père, ce dernier disparut dans la pénombre.*

Il se trouvait de nouveau seul. Seul devant la terrible épreuve qui l'attendait. Tel Jésus-Christ cloué sur la croix. Il fit quelques pas vers les trois bocaux posés sur l'étagère. Il contempla son travail. Un travail de maître. Sa mère aurait été fière de lui. Les trois petits fœtus flottaient en toute quiétude dans les limbes. Ils étaient si beaux, parfaitement conservés. Leur chair rosée et leurs formes rondes en témoignaient. Il avait réussi à maintenir leurs corps sains jusqu'à ce que Dieu s'empare de leurs âmes. Ils n'avaient pas d'esprit. Ils n'avaient pas eu ce privilège. Ils étaient morts par le péché. Il ne restait donc que leur corps.

Alors qu'il jouissait pleinement de sa réussite, un craquement le ramena à la raison. Son règne serait bientôt fini. Il le sentait. Un second craquement l'apeura. Il se cacha derrière l'étagère, se blottit contre le mur et cessa de bouger.

Chapitre 23

Dernier tour de piste

18 h 34. Je posai le pied à l'arrière du véhicule banalisé du FBI que conduisait Ryan Beckham. Larry Robinson se trouvait à ses côtés. Je me sentais si énervée. Mais je contenais cet énervement à l'intérieur de moi. Je sentais que mes deux collaborateurs étaient fébriles eux aussi. Nous nous saluâmes tous les trois en même temps avec un sourire fendu jusqu'aux oreilles. Le criminologue du FBI pesa sur l'accélérateur, et nous filâmes droit devant dans la noirceur de Manhattan.

C'est Ryan Beckham qui commença par les moins bonnes nouvelles. Pedro Diaz, directeur général de la Fondation voir le jour, avait finalement offert son entière collaboration pour retracer la provenance des trois courriels de menaces qu'il avait reçus de L'Avorteur. Malgré tout, cette collaboration n'avait pas porté ses fruits. L'équipe des techniques informatiques du FBI les avait bien récupérés, même si ceux-ci avaient été supprimés. Il s'agissait de courriels provenant d'un nouvel utilisateur gmail.com. Cet utilisateur avait utilisé son compte une seule fois. Pour l'envoi de ses trois courriels de menaces. Mais ils provenaient de l'un des ordinateurs d'un café Internet situé dans le quartier de Port Morris. Un quartier qui m'était inconnu, situé dans le Bronx. Les recherches avaient pris fin là.

Il poursuivit avec une meilleure nouvelle. Il me rappela que dans ses courriels de menaces, L'Avorteur avait signé en mentionnant qu'il était un précieux collaborateur de la Fondation voir le jour. De ce fait, le policier du FBI avait supposé qu'il était peut-être membre de la Fondation ou encore membre d'un groupe lié à cette dernière. Il me rappela alors sa découverte des quelque 300 membres d'importance de la Fondation, des 177 cas étant répertoriés comme liés à un autre groupe, des 103 faisant partie de la Coalition des douze et des 64 de la section de Manhattan.

Comme prévu, le policier et son équipe avaient rencontré un à un chacun des 64 membres de la Fondation faisant partie de la section de New York de la Coalition des douze. Et il avait eu raison d'investiguer longuement sur cette piste, m'expliqua-t-il. Des 64 personnes interrogées, il avait eu la grande surprise de découvrir que quatre d'entre elles avaient déjà été des patientes du Westside Women's Medical Pavilion ou du Manhattan Women's Medical. Aux endroits mêmes où L'Avorteur avait choisi ses victimes. Et encore plus terrifiant, cinq autres personnes faisaient partie des membres du personnel, dont quatre qui étaient des contractuels externes travaillant aux deux cliniques.

On avait donc neuf personnes suspectes membres de la Fondation voir le jour et de la Coalition des douze ayant un lien direct avec les deux cliniques. Prenant en considération que L'Avorteur était un homme robuste, les femmes devaient être éliminées hors de tout doute raisonnable pour le moment. En ce sens, si on éliminait les quatre patientes et la femme qui était employée, il restait quatre hommes suspectés. Les quatre contractuels.

Larry Robinson enchaîna en me soulignant que c'était grâce à sa liste de patients et membres du personnel des deux cliniques, qu'il avait dressée pour la dernière année, que le criminologue avait pu croiser ces données. Et découvrir ainsi cette information précieuse. Une liste de 4 290 cas et 277 employés, précisa-t-il afin que j'accorde davantage d'importance à son travail. Ce qui me m'accrocha un sourire.

Larry Robinson poursuivit sans laisser son partenaire reprendre les cordons. Il me rappela qu'il avait découvert qu'au Manhattan Women's Medical, un bistouri et cinq instruments chirurgicaux avaient été dérobés. Qu'au Westside Women's Medical Pavilion, une boîte de carnets d'ordonnances avait été volée. Et que deux médecins avaient déclaré avoir égaré des documents importants sur lesquels apparaissait leur signature. Ce qui signifiait que les chances pour que les vols proviennent d'un patient ou d'un employé étaient de plus en plus grandes.

En ce sens, il se vanta donc d'avoir eu l'idée de faire écrire plusieurs textes et signatures aux quatre suspects. En plus de leur demander des documents officiels où apparaissaient leurs signatures pour comparaison d'expertise afin de s'assurer qu'il n'y avait pas de tricherie. L'objectif étant de comparer leur écriture à celle des ordonnances de sédatifs de benzodiazépines, provenant d'une ordonnance du Westside Women's Medical Pavilion donnée au cours de la dernière année.

Pour ce faire, il avait fourni à Ryan Beckham des copies des 164 ordonnances retenues des 1 700 pharmacies et points de service de Manhattan et des environs.

L'enquêteur du FBI reprit le flambeau en indiquant que la comparaison des écritures était l'affaire de son service. Ainsi, il avait remis le tout entre les mains d'un expert en vérification automatisée des écritures et signatures. L'écriture de deux suspects concordait. Pour l'un d'eux, la concordance était faible. Il était question d'une probabilité qu'il s'agisse de la même à 14 %. Pour le second, les probabilités grimpaient à 88 %. Mais ce chiffre n'était pas assez significatif pour obtenir un mandat de la cour permettant d'approfondir l'enquête auprès du suspect numéro un.

Et ce, même si le suspect correspondait parfaitement au profil identifié par Julia Lewis. Il n'y avait pas de mandat possible non plus, même si le suspect demeurait dans une résidence insalubre d'un quartier pauvre situé dans la carte géographique établie des crimes. À Port Morris. Et que sa résidence se situait à quelques pas du café d'où avaient été envoyés les courriels de menaces à la Fondation voir le jour. Peter Ramsay, homme à tout faire, ne pouvait donc pas être arrêté faute de preuves accablantes, avait jugé le procureur de la couronne.

Peter Ramsay. Peter Ramsay. Ce nom résonnait dans ma tête. L'Avorteur avait un nom, une identité. Peter Ramsay. Je frémis rien qu'à y penser. Mes deux acolytes se rendirent compte de mon malaise. Ils cessèrent tous deux de parler un instant. Le temps que je me ressaisisse un peu. Des sueurs froides m'envahirent. Les poils me hérissèrent sur les bras. Nous y étions. Ou presque. Nous allions freiner la folie meurtrière de Peter Ramsay, communément appelé L'Avorteur. J'avais donné un nom au meurtrier. Et ce nom lui avait collé à la peau dans les médias, auprès des instances policières et même dans la communauté.

Ryan Beckham poursuivit. Lui et l'enquêteur en chef du NYPD ne s'en étaient pas tenus là. Ni l'un ni l'autre n'avaient eu le temps de dresser la liste des femmes âgées de 20 à 80 ans décédées au cours de la dernière année. Convaincu que Peter Ramsay pouvait être L'Avorteur, le criminologue avait effectué des recherches sur sa mère, dont il avait obtenu le nom par Peter Ramsay lui-même. Et dont le statut avait été confirmé dans les archives de l'état civil. L'extrait de naissance de L'Avorteur confirmait que Madeleine Ramsay était sa mère. Et le registre de l'état civil révélait également que cette dernière était décédée 11 mois plus tôt d'un AVC à l'âge de 77 ans. Il avait ensuite eu la brillante idée d'écrire ce nom dans la barre de recherche du répertoire de l'archidiocèse. Il s'avérait que celle-ci était membre de la Coalition des douze et de la Fondation voir le jour.

Cette dernière piste avait éveillé des soupçons auprès de Larry Robinson qui, lui, avait eu l'idée d'exiger une recherche dans les archives des patients des deux cliniques liées aux meurtres de L'Avorteur, où Peter Ramsay travaillait également. Madeleine Ramsay avait fréquenté les deux cliniques il y avait de cela une trentaine d'années pour des avortements à répétition. Treize avortements.

Il était noté à ses deux dossiers que Madeleine Ramsay avait subi de multiples avortements clandestins avant d'être patiente des cliniques. Conséquences de son métier et de son mode de vie malsain. Elle était droguée, prostituée et pauvre, nous apprenaient ses dossiers médicaux. Il s'agissait d'un cas psychiatrique classé en haute importance, voire un cas dangereux pour elle-même et ses proches.

Bien qu'il était difficile de savoir pourquoi cette dernière était patiente à deux cliniques différentes pour le même motif, les médecins avaient supposé qu'elle devait penser ainsi pouvoir bénéficier d'avortements multiples plus facilement. La date du dernier subi par la mère de Peter Ramsay correspondait à la même période où elle avait intégré la Coalition des douze, selon le répertoire de l'archidiocèse. Elle était devenue membre de la Fondation voir le jour au cours des dernières années seulement, l'organisme étant beaucoup plus jeune.

Ryan Beckham souleva que ces nouveaux éléments concernant la mère de Peter Ramsay avaient servi. Le FBI avait réussi à obtenir un mandat, non pas d'arrestation, mais un mandat d'une journée permettant de fouiller l'appartement du suspect numéro un. Le FBI avait donc procédé au cours de la matinée. Il avait cru dur comme fer que cette procédure lui permettrait de trouver enfin une preuve accablante. Mais il n'en avait été rien.

Une équipe scientifique s'était affairée durant quatre heures à effectuer de méticuleuses fouilles ainsi qu'à relever de multiples empreintes et traces d'ADN. Mais aucun résultat tangible n'en était ressorti. D'abord, les relevés avaient été effectués seulement dans l'éventualité où un jour ils pourraient servir. Comme aucune trace d'ADN n'avait été prélevée sur les scènes de crime et les victimes, il n'y avait pas de comparaisons possibles. Pour ce qui était des fouilles, aucun élément, ni objet religieux, ni document incriminant le tueur n'avaient été trouvés. Rien d'anormal, si ce n'était que de l'insalubrité qui régnait. Rien n'étant lié à l'avortement. Aucun outil non plus qui aurait pu servir aux meurtres. Pas d'ordinateur à examiner. Même la crasse prélevée ici et là, aux fins de comparaison avec celle trouvée sur les objets religieux par Hannah Polanski, n'avait rien révélé. Cette dernière venait de divulguer ses analyses depuis une heure ou deux. C'était donc le point mort.

L'enquêteur du FBI fit une pause. Je vérifiai que mon cellulaire enregistrait toujours. C'était le cas. Il y avait tant d'information à assimiler. J'en avais la migraine et la tête qui tournait. Après tous les efforts que nous avions mis dans cette affaire afin de démasquer L'Avorteur, voilà que chacun des morceaux du puzzle se mettait en place. Mais Peter Ramsay était toujours libre.

Une illumination me vint soudain. Comment avais-je pu oublier ? James Gardner. L'ami de la première victime m'avait contactée en revenant des vacances des fêtes à la suite de mon appel au musée répondant à ses commentaires qu'il m'avait transmis. Après s'être repassé à maintes reprises les journées de travail des semaines précédant le meurtre de Tamara De Los Angeles, il s'était souvenu d'un inconnu qui l'avait questionnée plusieurs fois concernant le musée. Bien qu'il n'avait pas souvenir de son visage, qui était caché par ses vêtements et un bonnet, il se souvenait de deux particularités de l'homme. La première, il puait énormément. Il était carrément répugnant. La deuxième, il avait une petite croix tatouée entre le pouce et l'index de la main droite. Il l'avait remarqué lorsque Tamara De Los Angeles lui avait tendu des dépliants. Je me redressai sur mon siège et dévoilai cette nouvelle piste à mes deux collaborateurs.

Je me trouvai vraiment trop bête en pensant que j'avais presque oublié que je détenais ce nouvel indice entre les mains. Mes deux complices se regardèrent tout en réfléchissant. Ni l'un ni l'autre ne se souvenait d'avoir vu une croix tatouée sur la main de Peter Ramsay. Mais cette information serait vérifiée dès le lendemain. Le policier Beckham consulterait la série de photos du suspect contenues dans son dossier. S'il s'avérait que Peter Ramsay affichait une croix tatouée sur sa main, il demanderait à James Gardner une identification du suspect. Et de là, le FBI pourrait enfin obtenir un mandat d'arrestation.

19 h 45. Cela faisait déjà plus d'une heure que nous roulions dans les rues de Manhattan. Je regardai à l'extérieur pour une première fois. Nous nous trouvions à quelques rues de chez moi. Le vent commençait à se lever et des flocons tombaient vigoureusement. Depuis ma révélation, c'était le silence dans la voiture. Nous étions tous en mode réflexion. Tout avait été dit. L'enquêteur du FBI continua sa route jusque devant mon immeuble. Je sentis alors une grande déception. Nous y étions presque, mais L'Avorteur courait toujours. Ryan gara la voiture. Au moment où nous allions nous dire au revoir, son cellulaire sonna. Il répondit en me faisant signe d'attendre un instant avant de débarquer.

La conversation durait depuis quelques minutes. Le criminologue parlait à peine. Il écoutait plutôt attentivement son interlocuteur d'un air satisfait. Notre acolyte du NYPD lui demanda du bout des lèvres de qui il s'agissait. Il finit par répondre, lui aussi du bout des lèvres, qu'il parlait à Hannah Polanski. Ce qui me surprit. Elle travaillait encore à cette heure tardive. Était-ce qu'elle se trouvait sur une nouvelle piste, ou qu'elle avait résolu un élément important ? Je m'approchai entre les sièges avant, espérant entendre quelque chose. Mais je n'entendis que des chuchotements. Mon collaborateur du NYPD me parut aussi fébrile et curieux que moi. Notre complice finit par raccrocher une dizaine de minutes plus tard.

— Merde de merde ! s'écria le policier Beckham, en frappant sur son volant.

— Qu'est-ce qui se passe ? Allez, raconte ! Arrête de nous faire languir ! ordonna Larry Robinson.

— Ouais, qu'as-tu appris Ryan ? renchéris-je.

— Hannah est un génie ! Elle est un extraordinaire génie ! Vous m'entendez ! On le tient ce salaud de monstre d'Avorteur ! On le tient ! Je vous raconterai en chemin. Pas question de perdre une minute de plus, émit le policier en redémarrant le véhicule.

— Mais on va où là Ryan, hein ? demanda l'enquêteur Robinson.

— Écoute Larry, on a besoin d'un bateau. D'un petit bateau qui passera incognito. Nous avons besoin d'un bateau là, maintenant ! On oublie le FBI, je n'ai aucun collaborateur assez fiable à mettre sur le coup qui sait se taire. Et pas question d'avoir le FBI au grand complet au cul pour un bateau ! C'est notre histoire, notre affaire ! Larry, de ton côté, y a-t-il un de tes collègues qui saurait nous dénicher ça en moins de deux, tout en fermant sa gueule ? Et pas de NYPD au cul non plus ! Il nous faudrait aussi au moins deux lampes de poche, mais je crois que j'ai ce qu'il faut dans le coffre. Ton gars doit nous rejoindre au bord de l'East River à Port Morris. Cherche un endroit propice pour lui donner rendez-vous sur le GPS. D'accord ?

— OK ! À Port Morris ? Mais c'est là que demeure L'Avorteur, non ? Peter Ramsay, dois-je dire, comme il n'a pas été accusé ! questionnai-je.

— C'est ça, répondit Larry, tout en pitonnant sur le GPS. Je sais pas ce que tu mijotes Ryan, mais t'as tout intérêt à ne pas nous mettre dans le trouble ! Pour ce qui est du bateau, ouais, il y a bien un gars de confiance à qui je pense. En plus, il m'en doit une. Je l'appelle à l'instant. Ah, et voilà, j'ai trouvé sur le GPS ! Je lui dirai de nous retrouver au bout de la 138e Rue au quai situé près de la compagnie Castle Oil.

Le policier Robinson rejoignit son homme de confiance.

Il lui expliqua la situation brièvement en lui demandant sa plus grande discrétion. Puis, il lui donna les indications à suivre.

— Notre homme sera à Port Morris dans 45 minutes. C'est le mieux qu'il pouvait faire. Il ne dira rien, ne vous inquiétez pas ! C'est un gars de confiance. Mais mon Ryan, nous ne passerons pas trop inaperçus : il reste qu'il s'agit d'un bateau du NYPD. Maintenant, dis-nous ce qui se passe ! J'exige des explications sur-le-champ !

Ryan Beckham nous jeta un regard chacun à notre tour, tout en affichant un air d'hésitation. Il regarda ensuite droit devant nerveusement. Puis il se lança.

— Notre médecin-légiste a mis la main sur deux indices intéressants. Ce pourrait bien être le début de la fin pour L'Avorteur. D'abord, elle et son équipe ont contacté la direction des communications de l'archidiocèse afin de lui demander de collaborer pour l'identification des chapelets, avec l'accord de la direction du FBI, en mon absence. N'ayant aucune piste intéressante sur leur provenance, Hannah s'est dit qu'elle n'avait rien à perdre. Dans sa demande, elle a spécifié qu'elle voulait parler à un religieux membre de la Coalition des douze. Bien sûr, il s'agissait là de spéculations ! Elle n'avait aucune idée si un religieux de l'archidiocèse pouvait être membre ou non de la Coalition ! Vous n'en croirez pas vos oreilles ! On lui a offert de rencontrer le prêtre responsable des groupes de prières de la section de New York de la Coalition des douze. Rien de moins ! Il est à la tête de ce groupe depuis plus de 40 ans. Hannah a donc demandé si cela était possible pour le prêtre de se déplacer à son bureau de médecine légale. Le père a accepté. Tout simplement ! Elle lui a montré les trois chapelets en lui demandant de partager son expertise. Avait-il déjà vu des chapelets du genre ?

Savait-il où l'on pouvait se procurer de telles antiquités ? La réponse du prêtre a été foudroyante. Fou-dro-yan-te !

L'enquêteur du FBI se retourna vers son partenaire et ensuite vers moi afin de vérifier notre réaction. Il sourit et continua de déballer la sauce.

— Chaque année, il se rend au Vatican. De chacun de ses voyages, il rapporte des objets religieux précieux à l'archi-diocèse. Tels que des chapelets des morts. En fait, il s'agit de répliques des originaux. Paraît que ça se trouve assez bien dans les boutiques du Vatican, à Rome. Une fois de retour à New York, il gratifie les bons prêcheurs en leur offrant l'un de ces présents. Une sorte de rédemption, a-t-il précisé. Lors-qu'il a dévoilé cette histoire, Hannah l'a questionné à savoir s'il connaissait Peter ou Madeleine Ramsay. Le religieux a répondu par l'affirmative. Il connaissait bien Peter, mais il était plus près de sa mère, puisqu'il l'avait aidée à retrouver le droit chemin. Celui de l'amour de Dieu, de la foi. Alors, vous devinez que notre médecin-légiste lui a demandé s'il avait déjà offert un présent religieux à Peter ou Madeleine. Encore une fois, il a répondu que oui. Oui ! En lui disant qu'il avait donné en tout sept chapelets des morts à Madeleine. Tels que ceux retrouvés sur les victimes. Pour elle, un chapelet des morts représentait une seconde chance, selon le prêtre. À chaque chapelet qu'elle recevait, elle avait l'impression de monter une marche de plus vers la rédemption.

— Incroyable ! Non, mais dans quel monde vivons-nous ! s'exclama notre acolyte. Sacrée Hannah, c'est bien joué ! Mais quel est le rapport avec le bateau et Port Morris, dis-moi ? Je ne vois pas trop de liens, là !

— C'est vrai ça ! ajoutai-je. Ou bien, c'est nous qui n'avons pas saisi un bout de l'histoire ?

— J'y arrive. J'y arrive. Hannah a fait une autre spectaculaire découverte. Sur les deux chapelets et deux crucifix liés aux deux premières victimes, on sait qu'elle a trouvé des particules de moisissure intense et de défécation de rongeurs et d'insectes. Sur le crucifix et le chapelet de la troisième victime, elle a relevé des particules de fiente d'oiseaux. Elle a aussi trouvé d'infimes particules de fiente dans les cheveux de la victime. Elle a donc passé à nouveau au peigne fin les deux autres cadavres et les objets religieux à la recherche de particules semblables. Sur le message de la première victime, elle a trouvé une particule de fiente grosse comme une tête d'épingle. Même constat sur le crucifix lié à la première victime, et sous un ongle de son cadavre. Elle a donc fait analyser chacun des prélèvements par un expert en la matière, un collègue du laboratoire. Il en est venu à la conclusion que toutes les fientes provenaient de bihoreaux gris. Ça ressemble à un héron, mais en plus petit et avec les pattes coupées, si on veut. Selon le collègue d'Hannah, il est peu probable que des fientes de cette espèce proviennent de la grande ville. Il y a donc peu de bihoreaux gris sur l'île de Manhattan. Il faudrait vraiment un coup de malchance pour que leurs fientes se retrouvent sur la scène de crime à plus d'une reprise. De là, le bateau. L'une des plus grosses colonies de bihoreaux gris au monde niche sur North Brother Island. C'est bien connu dans le milieu scientifique. Donc, vous voyez où je veux en venir ! Hannah pense que nous avons toutes les raisons de fouiller l'île à la recherche d'indices. Nous n'avons rien trouvé dans l'appartement de Peter Ramsay. Mais il doit bien procéder à partir de quelque part pour ses meurtres ! Et n'oublions pas que nous n'avons jamais retrouvé les trois fœtus. Où sont-ils ? L'Avorteur ne les a sûrement pas arrachés des entrailles de ses victimes pour simplement les jeter à l'eau. Ça serait vraiment trop con !

— Attends Ryan. North Brother Island ? Mais qu'est-ce que c'est que cette histoire ? Je n'en ai jamais entendu parler. C'est quoi cette île, c'est où exactement ? l'interrompis-je.

— Je te laisse lui expliquer Larry, proposa-t-il.

— North Brother Island est une île située entre le Queens et le Bronx dans l'East River, commença le policier en se retournant vers moi. Aujourd'hui, c'est une île abandonnée. Une île qui fascine l'imaginaire collectif. D'ailleurs, il y a eu bien des reportages sur elle ! Elle a été inhabitée jusqu'en 1885. Cette année-là, l'Hôpital Riverside a déménagé sur cette île. On y traitait des cas de variole et autres maladies infectieuses. En fait, l'île servait à mettre en quarantaine les nouveaux arrivants et les habitants de New York touchés. L'hôpital aurait cessé ses activités vers 1940. Ensuite, elle a abrité d'anciens combattants après la Seconde Guerre mondiale. Puis dans les années 1950, on y a ouvert un centre pour traiter les adolescents toxicomanes. Il y avait une légende comme quoi ils y étaient retenus contre leur gré. On racontait que les héroïnomanes étaient confinés sur l'île et enfermés à double tour jusqu'à ce qu'ils soient guéris. Un centre de réadaptation, c'était une première dans le temps ! On n'y croyait pas vraiment. En 1963, le centre aurait été abandonné par le personnel. Par la suite, la Ville aurait tenté de vendre l'île à des investisseurs privés. Mais sans succès. Un projet de prison a même failli voir le jour. Du genre Alcatraz. Aujourd'hui, on y retrouve une forêt assez dense, des bâtiments désaffectés, des ruines et des vestiges. Les bâtiments sont curieusement assez bien conservés. Et bien sûr, l'île est habitée par l'une des plus impressionnantes colonies de bihoreaux gris au monde.

L'île est officiellement fermée au public, mais combien de reporteurs, de photographes, d'artistes, d'archéologues ou simplement de gens curieux s'y aventurent par plaisir !

— Ouain, eh bien, je dois avouer que je suis bouche bée, là ! On dirait bien qu'il manquait une partie de l'histoire de New York à ma culture. Mais Ryan, tu veux donc qu'on se rende là-bas tous les trois, seuls en pleine nuit ? Avec nos lampes de poche ? Dans la noirceur ? Comme ça ? T'as pas pensé qu'on aurait pu attendre à demain ? T'es pas un peu optimiste, non ?

— T'as les jetons, mon cher Watson ? Ouais, pour qu'on me dise qu'il faut un mandat et que je ne puisse pas l'obtenir ! Et qu'on me colle une équipe emmerdante au cul ! Non merci ! Écoute, tu voulais faire ta place au journal, eh bien, c'est la chance de ta vie ! Si on trouve des indices là-bas nous permettant d'arrêter L'Avorteur, tu pourras sortir le tout en primeur, en plus des confidences révélées dans cette voiture ce soir. Et tu auras des photos uniques. Le grand coup ! Tu ne vas pas te contenter d'avoir couvert la série meurtrière de L'Avorteur ? Il te faut viser plus haut pour te faire respecter. Tout comme moi et Larry. Comment crois-tu qu'on y est arrivés pour occuper les fonctions qu'on a aujourd'hui, et pour les garder ? Nous sommes les meilleurs ! Parce qu'on prend des risques. Comme là, tu vois, on se porte responsables de toi en t'emmenant. On risque d'être réprimandés ! Mais, ça serait une grosse perte de temps de faire demi-tour pour te reconduire. Et tu sais ce qui est le plus à notre avantage dans tout ça, c'est que tu vas rapporter la nouvelle de façon à ce que Hannah, Larry et moi passions pour des héros à New York ! Rien de mieux que d'être dans le feu de l'action pour raconter la meilleure histoire qui soit ! Alors tu suis ou je te débarque sur le bord du chemin ! Et on poursuit notre chemin sans toi, merde ! enragea Ryan.

Je me tus et j'acceptai de plonger tête première dans la mésaventure qui nous attendait. Afin de calmer mon acolyte, je promis aux deux policiers de ne pas les embarrasser une fois que nous serions rendus sur place. Et je les convainquis qu'ils seraient fiers de mon travail. En vérité, je ressentais une peur indescriptible. Je tremblais de terreur. Juste à repenser à ce que Larry Robinson venait de me raconter à propos de l'île, ça n'avait rien de rassurant. Mais le policier Beckham avait raison, je devais prendre mon courage à deux mains et épater la galerie. Je devais être forte et ne pas renoncer. Aller jusqu'au bout de cette enquête. Et par-dessus toute chose, atteindre mon objectif premier : contribuer à arrêter la folie meurtrière de L'Avorteur.

Chapitre 24

Tu ne prononceras point de sentence

20 h 10. Nous arrivâmes au point de rencontre donné au collègue de l'enquêteur en chef du NYPD. Le reste du trajet s'était déroulé dans le silence. Chacun se préparant mentalement à ce qui pouvait l'attendre sur North Brother Island. Le criminologue du FBI gara la voiture et laissa les phares allumés afin d'attirer l'attention de notre collaborateur.

20 h 30. Nous aperçûmes une lumière au loin dirigée vers nous. Notre chauffeur fit clignoter les phares de la voiture afin de signaler notre présence au policier. Les phares du bateau clignotèrent à leur tour. Plus la lumière avançait vers nous, plus je distinguais les formes du bateau. Il s'agissait en fait d'une chaloupe à moteur. J'imaginai combien nous serions gelés à son bord.

Notre complice du NYPD accosta la chaloupe. L'enquêteur Beckham nous fit signe de ne pas perdre de temps. Nous devions monter à bord. Je ramassai mon appareil-photo et mon cellulaire. Je laissai mon sac sur le siège arrière. Il était inutile de m'encombrer dans de telles circonstances. J'étais déjà bien assez nerveuse. Mon acolyte du FBI se pencha afin de ramasser son arme à feu dans le coffre à gants. Il me jeta un regard intense. Il était prêt à passer à l'attaque et voulait s'assurer que je l'étais tout autant. Je lui fis un signe de tête confiant. Notre complice du NYPD se retourna vers moi et me fixa à son tour. Le policier arrêta le moteur. Puis nous sortîmes tous les trois de la voiture de façon synchronisée.

Ryan Beckham prit les lampes de poche dans le coffre. Et nous avançâmes ensuite dans les herbes hautes enneigées. Nos pieds s'enfonçaient dans la neige. Il faisait un froid à glacer les os. Une tempête se pointait à l'horizon ; le vent et la neige étaient de plus en plus intenses. L'enquêteur en chef du NYPD embarqua le premier dans la chaloupe. J'emboîtai le pas. Puis le policier du FBI monta à bord à son tour. Les présentations furent rapides. Nous mîmes des gilets de sauvetage à la demande de notre capitaine et nous nous assîmes de façon sécuritaire.

Notre capitaine avait la figure détrempée et glacée par la neige qui lui frappait le visage. Les yeux mi-fermés, il nous avertit d'un geste de la main que nous allions démarrer. Le moteur tournait à basse vitesse. Avec le froid, nous ne pouvions avancer très vite. Je montai le capuchon de mon anorak sur ma tête et cachai mon visage avec mes mains. Je ne voyais plus rien, mais j'entendais le bruit des vagues se fracasser sur l'embarcation. Et je sentais la chaloupe qui faisait un bond à chacun des fracassements. Je me mis soudain à craindre que notre embarcation chavire. Nos gilets ne serviraient pas à grand-chose. Nous serions morts d'hypothermie dans les minutes qui suivraient. Mon cœur s'emballa soudain à cette pensée. Je respirai un grand coup, puis un autre, et un autre, pour me calmer.

Une dizaine de minutes plus tard, le bateau accosta brusquement sur la terre ferme. Ce qui me fit tomber vers l'arrière sur Larry Robinson, qui me retint pour éviter que je ne me frappe la tête. Je me relevai pour m'asseoir en attendant les consignes. Notre capitaine lui indiqua qu'il nous attendrait dans l'embarcation. Il avait apporté avec lui une chaufferette portative au propane, des couvertures et un habit de neige de rechange. Il avait tout ce dont il avait besoin pour se réchauffer. Notre partenaire du NYPD le remercia et sauta du bateau. Ce fut mon tour, suivi de l'enquêteur Beckham. Je m'assurai que j'avais toujours mon cellulaire dans ma poche de manteau et mon appareil-photo autour du cou.

Notre partenaire Beckham prit les devants. Il nous expliqua qu'il connaissait très bien l'île pour y avoir effectué un entraînement et de la surveillance pour le compte du FBI. Nous n'avions rien à craindre. Nous étions en sécurité. Bizarrement, cela ne me rassurait pas du tout. À première vue, cet endroit me paraissait effroyable. À m'en donner la chair de poule! On entendait le vent frapper sur les arbres qui se balançaient dangereusement. On n'y voyait pratiquement rien depuis que les phares du bateau étaient éteints. C'était la noirceur totale. Qu'est-ce qui nous attendait?

Mon complice du FBI nous éclaira avec sa lampe de poche. Larry Robinson alluma la sienne à son tour. Avant de nous lancer, nous nous regardâmes une dernière fois dans les yeux, nos visages trempés par la neige.

Puis Ryan se mit à marcher droit devant lui en s'enfonçant dans la neige. Larry me fit signe de passer devant. Ma sécurité reposait entre leurs mains. Ryan. Larry. Je pensais maintenant à eux par leurs prénoms. Ce qui signifiait que la frontière entre collaborateurs et amis était maintenant franchie. À tout jamais. Je marchai donc dans les pas de Ryan. Larry me suivait de près. Nous avançâmes à pas de tortue. Il nous aurait fallu des raquettes. Je me concentrai pour suivre mon acolyte du FBI sans trop m'attarder à observer les alentours, afin de ne pas angoisser encore plus à la vue d'une forme non identifiable, d'un animal ou pire, d'un humain. Au moins,

il y avait peu de chances de se faire attaquer par des bihoreaux gris. Au mois de janvier, ils devaient avoir migré pour
l'hiver, me rassurai-je.

Cela faisait déjà près d'une heure que l'on s'enfonçait
dans le sous-bois. Mon visage, le bout de mes doigts et de
mes orteils était complètement gelé. Les articulations de mes
jambes me brûlaient tant je forçais pour marcher. Je perdais
toute mon énergie. La peur n'aidait en rien mes malaises
multiples. J'avais beau essayer de ne penser à rien. Mais des
tonnes d'images des scènes de crime de L'Avorteur défilaient dans ma tête. Lorsque les images cessaient, j'étais préoccupée par chacun des morceaux du puzzle de cette folie
meurtrière que je replaçais dans ma tête. Il y avait ce doute
qui n'arrangeait rien non plus. Pouvais-je être responsable du
deuxième meurtre de L'Avorteur et peut-être du troisième en
ayant poussé la note un peu trop loin ? Entre autres, en ayant
empiété sur le territoire religieux de L'Avorteur ?

Ryan me sortit de mes sombres pensées en nous annonçant que nous y étions presque. Nous arriverions aux bâtiments désaffectés dans une dizaine de minutes tout au plus.
Du même coup, Larry s'arrêta brusquement. Nous cessâmes
notre marche sur-le-champ. Nous nous retournâmes vers lui
afin de savoir ce qui se passait. Sans parler, il nous pointa des
traces de pas dans la neige qui semblaient prendre la même
direction que nous, mais en parallèle. Ce dernier éclaira la
piste. Nous pouvions clairement voir que les pas provenaient
d'un autre côté de l'île, mais ils rejoignaient les nôtres. En
examinant les lieux attentivement, nous constatâmes que ce
chemin avait été emprunté à maintes reprises. Les pas étant
multiples et la neige bien tapée, malgré la poudrerie qui sévis-
sait. Cela n'avait rien de rassurant. Je regrettai soudainement

d'avoir accepté l'invitation des policiers sur l'île.

Ryan décida que nous allions marcher sur les traces que Larry venait de découvrir. Et si c'était L'Avorteur ? Et si L'Avorteur était en fait deux hommes, ou trois ? Et si nous tombions nez à nez avec lui, ou eux ? Et si on nous attaquait ? Cela prendrait une éternité avant que l'on nous vienne en aide. Si jamais on nous venait en aide… Je me ressaisis en me souvenant que mes acolytes étaient tous deux armés et entraînés à tuer. Ils me protégeraient. Je l'espérais, du moins. Larry posa une main sur mon épaule et la serra en guise de réconfort. Je me retournai et lui souris nerveusement. Ryan se retourna à son tour afin de s'assurer que nous le suivions toujours.

Tout d'un coup, je remarquai des formes gigantesques qui se dressaient devant nous. Les bâtiments désaffectés. Enfin. Nous continuâmes notre marche durant quelques minutes. Puis nous arrivâmes au pied d'un des bâtiments. Ryan et Larry pointèrent leurs lampes de poche vers celui-ci. Il s'agissait d'un édifice de briques brunes recouvert de végétation morte. Un des murs était à moitié écroulé. Les fenêtres étaient pratiquement toutes cassées. Et la porte principale avait été arrachée. Ryan nous invita à le suivre. Nous pénétrâmes dans la ruine. Mon cœur battait la chamade. J'avais l'impression de me retrouver au beau milieu d'un atroce cauchemar. Pour une énième fois. Ou pire, d'un film d'horreur où la fin serait tragique. Je me cognai le pied sur un débris de ciment. Je faillis tomber sur le sol, mais Larry me retint par le bras. J'avais mal !

Une odeur de soufre et de moisissure envahit mes narines. Ce qui me donna un haut-le-cœur. Les murs étaient couverts de peinture écaillée turquoise et blanche. Quelques chaises traînaient ici et là le long des murs. Des pièces se succédaient de chaque côté du couloir où nous nous trouvions. Mes deux complices pointèrent leur lampe de poche à tour de rôle dans chacune d'elles. De vieux lits, bureaux et chaises en décomposition occupaient les pièces. Des poubelles, livres, statuettes, instruments divers étaient éparpillés sur les planchers.

Je me penchai pour ramasser l'un des livres. Les écritures étaient si délavées et les pages si moisies et grugées par les bestioles qu'il était pratiquement impossible de déchiffrer quoi que ce soit. Je me relevai et continuai de suivre Ryan et Larry. Nous arrivâmes dans une pièce qui ressemblait à une infirmerie. Ils fouillèrent à travers les débris à la recherche d'indices. Un peu plus loin se trouvait une immense salle de bain. Des baignoires, toilettes et douches fracassées habillaient la place. De jeunes malfaisants devaient s'être amusés à les casser à coups de masse à voir l'amoncellement de morceaux de porcelaine sur le sol.

Nous fîmes assez rapidement le tour du bâtiment. Nous ressortîmes pour nous aventurer dans un bâtiment voisin. Cette fois-ci, j'avais l'impression qu'on se trouvait dans une salle de cinéma ou de spectacle avec tous ces bancs cordés en rangées. Ou du moins ce qui en restait. L'odeur de pourriture et de soufre était aussi forte que dans le bâtiment précédent. Ou bien était-ce un mélange de pourriture et de fientes d'oiseaux ? De bihoreaux gris ?

Nous visitâmes un autre bâtiment, puis un autre. Et un autre. Mais tout ça n'était que de vieilles ruines. Rien d'irrégulier ne nous portait à croire qu'une personne pouvait occuper les lieux. Étions-nous venus jusque-là pour rien ?

Alors que nous sortions du bâtiment où nous nous trouvions, une lueur attira notre attention. Ryan nous fit signe de ne pas bouger. Je m'exécutai. Mes complices fermèrent leurs lampes de poche instinctivement. Nous fixâmes tous les trois cette lueur dans la forêt. Les yeux craintifs. Et nous tendîmes l'oreille à la recherche de bruits. Mais le silence régnait. Ryan décida donc que nous allions nous rapprocher de cette lueur.

La chair de poule s'empara de moi. Mes dents claquaient de frayeur les unes contre les autres. Nous n'étions pas seuls. J'essayai de me convaincre qu'il s'agissait probablement de jeunes faisant la fête sur l'île. Que nous ne courrions aucun danger. Plus nous avancions, plus il était facile de deviner qu'il s'agissait d'une maisonnette éclairée de l'intérieur. Je pris le bras de Ryan et le serrai sans réfléchir. Ce dernier se retourna et saisit mes épaules en me fixant dans les yeux. Après quelques mots de réconfort, il reprit sa marche.

Nous nous trouvâmes bientôt à quelques mètres de la maisonnette. La lumière qui l'éclairait était en fait une série de chandelles vacillantes. Cachés derrière deux arbres, nous analysions la scène. Bizarrement, il ne semblait y avoir personne à l'intérieur. Rien ne bougeait et le silence persistait. Ryan s'approcha de cette cabane. Il demanda à Larry d'ouvrir la marche. Lui, il surveillerait nos arrières. Il m'ordonna de suivre pas à pas Larry sans déroger d'un cheveu de sa trajectoire, tout en me faisant silencieuse.

Je pris une grande respiration et m'exécutai. Je sentis des larmes de peur qui montaient dans mes yeux. À chaque pas que je faisais, mes jambes tremblaient un peu plus. Un bourdonnement intense surgit dans mes oreilles. Mes jambes devinrent de plus en plus molles. Mais il n'était pas du tout le temps de céder en m'évanouissant. Je m'évertuai alors à m'emplir la tête d'images et de pensées positives.

Larry posa une main sur la poignée de l'entrée principale,

qui se situait sur un balcon sur le point de s'effondrer tant le bois était pourri. C'était déverrouillé. Il tourna la poignée doucement sans faire de bruit. Ryan surveillait toujours nos arrières.

Une odeur de pourriture et de merde envahit nos narines dès que la porte s'ouvrit. Larry éclaira le refuge dans tous les sens. Un affreux spectacle s'offrit à nous. L'endroit était d'une insalubrité inimaginable. Et que dire de tous ces images et objets religieux qui décoraient le refuge ! Les lieux étaient occupés. Nous y découvrîmes de vieux meubles délabrés, des murs cartonnés et moisis et des tas d'ordures accumulés sur le plancher. Des rongeurs se nourrissaient à même les déchets. En les regardant, je vis apparaître d'énormes insectes. Je n'avais jamais vu un endroit habité aussi insalubre de toute ma vie ! Je devais faire des efforts colossaux pour éviter de vomir. Mais le plus dérangeant était ces crucifix, images religieuses et objets fanatiques. Même des messages bibliques étaient écrits sur les murs. Il n'y avait plus de doute dans ma tête. Nous étions au beau milieu du refuge de L'Avorteur. Son lieu sacré.

Larry se dirigea vers la cuisine. Là aussi, c'était l'horreur. Des montagnes de vaisselle et de nourriture étaient accumulées à la grandeur des comptoirs. Les coquerelles s'en donnaient à cœur joie. Ryan ouvrit le réfrigérateur. Une odeur horrible le repoussa. Il n'y avait là que des restants en décomposition.

Nous visitâmes ensuite la salle de bain. Je fus incapable d'y pénétrer. L'odeur d'urine et de défécation était trop intense. J'attendis à l'extérieur que mes collègues aient fini d'analyser les lieux.

Nous finîmes notre visite par la seule chambre qui occupait les lieux. Si on pouvait appeler ça une chambre. Elle était à l'image des autres pièces, encrassée et souillée. Un matelas déchiré était appuyé sur un mur. Des couvertures sales traînaient sur le plancher. Et encore là, Dieu était partout. Absolument... partout !

Larry nous tapa sur une épaule à Ryan et moi. Puis, il pointa son doigt vers le plancher. Une trappe. Le matelas devait servir à la dissimuler. Pourquoi était-elle à découvert ainsi ? Larry s'apprêtait à tirer sur la poignée de celle-ci. Mais je le suppliai de ne rien faire. Ryan me chuchota de me calmer et de suivre Larry. Il nous rejoindrait dans une minute, le temps de refaire un tour de l'endroit pour s'assurer que nous n'étions pas surveillés. Que le champ était libre.

Je ressentis un serrement dans ma poitrine en suivant Larry. Ironiquement, je priais Dieu de nous protéger, de nous laisser sains et saufs. Encore et encore. À chaque marche que je descendais, les étoiles s'accumulaient autour de moi. Je cherchais de l'air sain à respirer. Or, la puanteur m'étouffait. Je posai enfin un pied sur le sol. Nous étions coincés dans un minuscule cachot où s'accumulaient là aussi des déchets. Le nombre impressionnant d'objets religieux accrochés au mur me traumatisa. Diffuseurs d'encens, cadres, bijoux, cierges, morceaux d'étoles, médaillons, chapelets, tissus, lampions, photos, pages de la Bible, messages bibliques. Il devait y en avoir trois fois plus qu'au premier étage. Comment pouvait-on être fou à ce point ? J'étais effrayée.

Je suivis Larry, qui venait de découvrir une porte. Il l'ouvrit d'un bond sans réfléchir. Un autre escalier. Il pointa sa lampe de poche vers celui-ci, mais comme il était trop étroit, il était impossible de bien voir ce qui se cachait là-dessous. Il remarqua un interrupteur sur le mur. Il vérifia s'il fonctionnait. À notre grande surprise, une ampoule s'alluma au bas de l'escalier. Il décida de s'aventurer dans cette seconde partie du cachot. Avant d'emboîter le pas, je vérifiai si Ryan nous suivait. Non seulement je ne l'aperçus pas, mais il n'y avait aucun bruit de pas au-dessus de nos têtes. Ce qui m'inquiéta. Je me retournai en fixant l'escalier nerveusement. Larry se trouvait déjà au bas de celui-ci. Il m'indiqua que la voie était libre. Je pris donc mon courage à deux mains et je le dévalai rapidement en laissant derrière moi mes inquiétudes pour Ryan.

J'étais si affolée que les cheveux m'en dressaient sur la tête. Cette partie du cachot ressemblait à l'autre étage que nous venions de visiter, mais à la puissance dix. Il y avait tant d'objets religieux entassés les uns sur les autres ! Une véritable collection au nom de Dieu, de la foi ! J'étais figée par la peur. Frigorifiée. L'air était humide et très froid. Si froid. Ce lieu macabre était à l'image de L'Avorteur.

Malgré le fait que j'étais apeurée, ma curiosité m'amena à explorer le cachot. Sur une table étaient exposés des instruments chirurgicaux. À leur vue, je blêmis et les poils me hérissèrent sur les bras. Il y avait aussi différents contenants, des gants, des pots de médicaments. Des détergents et produits désinfectants étaient aussi disposés sur cette table, ainsi que des ciseaux, de la colle et des crayons. L'équipement qui se trouvait sous mes yeux avait été utilisé par L'Avorteur pour commettre ses meurtres. C'était une terrifiante certitude.

Sur une autre table située un peu plus loin, des bibles et des magazines découpés s'empilaient. Je fouillai dans ce désordre afin d'y trouver d'autres indices. Je laissai tomber par mégarde ce qui semblait être des photos. Je me penchai pour les ramasser et je les examinai une à une. Les victimes. Puis moi. Moi ! Je ressentis un choc foudroyant dans ma poitrine en me voyant exposée sur ces photos. Tantôt en sortant de chez moi, à d'autres moments du journal, puis d'Eataly. Mon cœur cogna de plus en plus fort. Des frissons me parcoururent la tête. Alors ceux qui avaient supposé que j'avais attisé la colère de L'Avorteur avec mes reportages avaient donc raison ? Je me sentais comme un suppôt de Satan.

Soudainement, j'entendis un craquement. Je me retournai brusquement en laissant tomber les photos sur le sol de ciment. Larry était en pleine exploration non loin de moi. Un deuxième craquement se fit entendre. Il provenait du fond du cachot. L'endroit était mal éclairé. Je croyais apercevoir une étagère. Mais je ne distinguais pas très bien son contenu. Malgré l'effroi qui m'envahissait et mon corps qui tremblait, je m'avançai de plus près. J'étais trop fascinée. Puis, je me penchai pour observer.

Sans que j'aie le temps de réagir, un bras m'agrippa fortement par le cou. Et me serra. Une odeur de sueur intense me monta rapidement au nez. Je me retins sur les bras de mon agresseur couverts de tuméfactions et de crasse. Je glissai sur ses mains. Je remarquai que l'une d'elles était tatouée d'une croix entre le pouce et l'index. Ma vue devint alors de plus en plus floue. J'étais en train d'étouffer.

Mes jambes flottaient dans le vide. Larry nous fixait, son arme pointée sur nous. Ses yeux dégageaient une telle frayeur. Mon heure était-elle venue ? J'avais l'impression d'être en transe. Celui que je devinai être L'Avorteur se mit à prononcer le Notre Père. Et il recommença. Et il recommença. J'essayai de me déprendre avec le peu de force qui me restait, mais sans succès. J'étais à l'agonie. Larry lui ordonna de me lâcher. Mais L'Avorteur ne réagissait pas. Il continua de prier. Sans répondre.

Alors que j'étais sur le point de m'évanouir, mon agresseur me tourna la tête vers l'étagère. À la vue de la monstruosité qui s'étala sous mes yeux, je vomis sur L'Avorteur. Cela ne parut pas le déranger le moins du monde. Il continua de prier de plus en plus fort. Des larmes de désespoir parcouraient mes joues. Je mourrais bientôt avec comme dernière image ces trois bocaux. Ces trois bocaux dans lesquels reposaient paisiblement trois fœtus. Les trois fœtus arrachés des entrailles de leurs mères, les victimes de L'Avorteur.

Je fermai les yeux et je récitai à mon tour le Notre Père de ma faible voix. Mes mots s'entremêlèrent à ceux de L'Avorteur. Les sons autour de moi s'assourdissaient tranquillement. Même les odeurs de sueur et de vomissure devenaient de moins en moins perceptibles.

Je tombai de façon foudroyante sur le sol et je me fracassai la tête. Mon agresseur s'effondra à mes côtés. Son sang jaillit sur moi. Je levai les yeux et je vis Ryan descendre de l'escalier en courant vers moi. Larry le rejoignit aussitôt en le remerciant à maintes reprises. Je compris alors qu'il venait de tirer sur L'Avorteur du haut de l'escalier. Mon cauchemar était enfin terminé. Je n'allais pas rendre l'âme. Et L'Avorteur, lui, ne tuerait plus jamais. Jamais. Ryan et Larry m'aidèrent à me soulever du sol.

Avant de sortir du cachot, je demandai à mes deux amis de me laisser un instant. Je m'agenouillai vers L'Avorteur afin de le fixer dans les yeux. Des yeux vides. Des yeux sataniques. J'avais tant attendu ce moment.

Tu ne prononceras point de sentence

Parce qu'ils ont fendu le ventre des femmes enceintes, j'allumerai le feu dans les murs de Rabba, et il en dévorera le palais. (Amos 1 : 13-14).

Tu ne commettras point de sentence inique, et tu ne feras point mourir l'innocent et le juste ; car je n'absoudrai point le coupable. (Exode 23 : 7)

Tu ne tueras point. (Exode 20 : 13)

Brûle en enfer pour la damnation !
(Lily-Rose L'Espérance, chapitre dernier, verset dernier)

Épilogue

Lundi 14 janvier, 10 h. Une semaine s'était écoulée depuis que L'Avorteur était mort. Ryan avait visé la tête. Je lui devais la vie. Je me sentirais toujours redevable envers lui. Et je n'avais cessé de lui signifier combien j'étais reconnaissante. Les renforts étaient arrivés une bonne heure après sa mort. Le FBI et le NYPD avaient passé la semaine à analyser le refuge de L'Avorteur et les alentours. Le puzzle était maintenant réellement complété. Des éléments incriminant L'Avorteur, il y en avait à la tonne. Tout meurtrier finit par commettre une erreur. L'erreur de L'Avorteur avait été d'envoyer des courriels de menaces à la Fondation voir le jour. De cette faille, chacun des morceaux du puzzle s'était mis en place l'un après l'autre.

De mon côté, j'avais non seulement fait la une du *New York Today Journal* durant des jours, mais aussi celle de la majorité des médias new-yorkais. Les demandes d'entrevues avaient fusé de toutes parts, au grand plaisir de mon rédacteur en chef. C'était une belle publicité pour le journal.

Aujourd'hui, je m'apprêtais à écrire un dernier article sur L'Avorteur. En primeur, cela allait de soi. Il y avait une question, une seule question qui était demeurée en suspens jusqu'à ce jour. Je venais d'avoir Larry au téléphone. Le NYPD venait d'élucider cette grande question. Pourquoi L'Avorteur avait-il choisi North Brother Island comme refuge pour s'exécuter ?

Il se trouvait que la mère de Peter Ramsay avait commencé

à se prostituer et à se droguer dès l'âge de neuf ans. Son père l'obligeant à se livrer à des actes dégradants. Déjà, à l'âge de 13 ans, elle comptait quatre avortements clandestins à son actif. Un voisin avait fini par se rendre compte de la situation. Il avait dénoncé le père aux services sociaux. Madeleine Ramsay avait donc été extirpée de son foyer familial, et le père arrêté.

Afin de la désintoxiquer, les autorités avaient décidé de l'envoyer dans un centre de rétablissement pour toxicomanes. À nulle autre place qu'au centre de North Brother Island. Quelques années plus tard, le centre avait fermé, et la mère de L'Avorteur s'était retrouvée à la rue en plein cœur de New York. De là, elle avait recommencé à se prostituer et à se droguer. Avortement après avortement, du cannabis à l'héroïne, elle avait dépéri de jour en jour. Jusqu'à ce qu'elle croise le chemin d'un membre de la Coalition des douze qui l'avait intégrée au groupe. Les avortements avaient cessé. Elle avait mis au monde Peter Ramsay. Profondément ancrée dans la religion, elle s'était mise à militer, entre autres contre l'avortement. Elle avait ainsi joint la Fondation voir le jour et elle participait à des groupes de prières à l'archidiocèse. Mais le passé la rattrapait par moments. Elle avait rechuté dans la drogue et la prostitution, elle se faisait avorter, encore et encore. Puis elle avait repris le dessus grâce à la Coalition et la Fondation. Mais elle rechutait à nouveau sans cesse. Un cercle vicieux.

L'Avorteur avait donc grandi à Port Morris, dans ce cercle malicieux : pauvreté, insalubrité, violence et maladie mentale. Il était mal nourri, non éduqué. Mais il avait toujours été reconnaissant envers sa mère pour lui avoir laissé la vie sauve. Il était le seul enfant de la femme. En grandissant, Peter Ramsay avait eu la chance d'être pris en charge par la Coalition et la Fondation. De là, son intelligence avait pu se développer. Et il avait pu manger à sa faim, être éduqué, obtenir des soins et de l'amour. Or, tout au long de son enfance et de son adolescence, il avait dû porter le poids de sa mère sur ses épaules. Il s'en était occupé comme un père envers son enfant.

Plus il vieillissait, plus il avait la foi. Jusqu'au jour où il fit le serment à la Coalition et à la Fondation de faire de la lutte contre l'avortement sa mission. Pour la rédemption de sa mère. Malgré le fait que Peter Ramsay se transformait tranquillement en un être religieux d'une extrême dangerosité, il demeura toujours pacifique dans ses actes. Pendant ce temps, il essayait de gagner sa vie en occupant un emploi puis un autre. Mais il finissait toujours par être mis à la porte.

Il finit par trouver un emploi stable d'homme à tout faire auprès d'une compagnie desservant des cliniques de New York. Il s'était organisé pour être placé à deux cliniques qu'il connaissait bien. Là où sa mère avait interrompu 13 grossesses. Il pensait pouvoir livrer la bonne parole auprès des femmes pécheresses, tout en travaillant.

Tout se déroulait bien. Mais un jour, sa mère mourut d'une overdose. Ce qui avait déclenché sa folie meurtrière. Et l'avait poussé à tuer atrocement trois jeunes femmes voulant se faire avorter. Trois jeunes femmes qui étaient des patientes du Westside Women's Medical Pavilion et du Manhattan Women's Medical. Il avait choisi North Brother Island comme refuge pour mettre son plan meurtrier à exécution. En souvenir de sa mère qui y avait vécu. En souvenir aussi des nombreuses promenades qu'il avait faites avec elle sur l'île dans le but de se remémorer cet endroit qui l'avait transformée. Un endroit loin des tentations, loin du péché. Un endroit où elle avait eu le droit de vivre en paix. Lors de ses promenades, elle se sentait revivre comme lorsqu'elle était adolescente. Des moments de quiétude précieux pour Peter Ramsay.

Après la parution de mon dernier article sur L'Avorteur, mon rédacteur en chef m'annonça une grande nouvelle. Je ferais officiellement partie de l'équipe des crimes et enquêtes du *New York Today Journal*. Afin de repartir sur des bases solides, Chris m'annonça une seconde bonne nouvelle. Je bénéficierais de six semaines de vacances aux frais du journal. J'acceptai sans aucune hésitation. Je ressentais un tel besoin de me reposer. Toute cette histoire avait été fort éprouvante pour moi. Mon intrusion dans le refuge de L'Avorteur m'empêchait encore de dormir la nuit.

Mais j'avais réussi ma mission haut la main ! Et plus encore… Ma joie était indescriptible ! J'étais fière de moi. Et j'aurais tant aimé que mon défunt conjoint, Émile, soit présent pour partager ce bonheur ! Lui qui avait été à mes côtés depuis mes débuts à l'université. C'était en grande partie grâce à ses nombreux encouragements et au fait qu'il croyait en moi que j'avais persévéré. C'était lui qui m'avait donné le courage d'aller au bout de mes rêves. Il n'était plus là pour me soutenir, mais j'avais la foi, oui, la foi qu'il veillerait toujours sur moi et me protégerait. Tout comme mon père qui devait être fier de sa fille de là-haut. Lui qui m'avait tant aimée, appris, tant donné et qui m'avait sans cesse poussée à me dépasser. Cette foi en ces deux êtres chers m'aiderait à me battre à tout jamais.

Sur ces pensées, je décidai de partager mon enthousiasme

avec une autre personne sans laquelle je n'aurais jamais abouti au *New York Today Journal* : Bruce Payne, mon ancien rédacteur en chef du magazine québécois *Société d'ici et d'ailleurs*. Je contactai aussi Georges, qui m'avait offert sur un plateau d'argent la chance d'enquêter sur un crime. Puis, je téléphonai à ma mère, à qui je devais ma force de caractère, ma personnalité colorée, mon dévouement et mon empathie. Et pour terminer, j'envoyai des messages textes à mon frère ainsi qu'à mes amies Zoé, Charlie et Marguerite, dont je m'ennuyais tant.

Ma première semaine de vacances avait été plutôt tranquille. Je partageai quelques bons repas avec Georges, de retour à New York. Enfin, l'affaire Keystone était classée ! Les environnementalistes qui avaient menacé le président des États-Unis avaient été arrêtés et subiraient un procès. Puis, la semaine suivante, je la passai enfin au Québec auprès de ma famille et de mes proches afin de retrouver mes racines et un peu de réconfort.

De retour à New York, mes plans étaient maintenant au point mort. À mon arrivée chez moi, je rangeai mes effets personnels, j'entrepris ensuite de faire le lavage et le ménage. Et je me préparai un bon repas accompagné d'un verre de vin rouge. Une journée bien ordinaire. Tout en faisant mes tâches ménagères, je pensai à Larry et Ryan dont je n'avais pas eu de nouvelles dernièrement. Ma relation avec eux ne serait plus jamais pareille après avoir vécu ensemble des événements si marquants. Je le savais. De nouveaux liens s'étaient tissés entre nous.

La sonnerie de mon cellulaire me sortit de mes pensées. Le nom de Ryan s'affichait à mon écran. Il lisait dans mes pensées, me dis-je. Je répondis.

— Lily! J'espère que tu t'es bien reposée au Québec! Écoute, j'ai une offre alléchante à te faire. L'affaire étant maintenant classée, j'ai décidé de prendre un mois de vacances. Tu sais où? En Italie! Mais voyager seul, je trouve ça un peu moins intéressant qu'à deux. Donc tu pars avec moi! Je m'occuperai de tout! T'auras qu'à sortir l'argent! C'est une idée un peu folle, mais t'es partante? Le départ est dans deux jours. Ah, et t'en fais pas, ça restera un voyage amical!

Sans même réfléchir, j'acceptai son invitation. Depuis qu'il m'avait sauvé la vie, je me sentais plus proche de lui. Et je méritais bien de partir à la grande aventure! Et il n'y avait pas de doute que je ne m'ennuierais pas avec lui. Bien que ce voyage demeurerait amical, j'en convenais.

— OK, mon cher Sherlock Holmes! Pourquoi pas, hein! J'accepte ton offre avec plaisir! Nous partons en Italie faire la fête! m'exclamai-je joyeusement.

Ce que nous ne savions pas encore, c'était qu'un imprévu allait perturber ce merveilleux voyage en Italie…

F I N

En exclusivité...

Chers lecteurs,

Je tiens à vous remercier sincèrement de vous êtes joints à moi dans cette belle aventure ! En ce sens, j'ai le plaisir de laisser Lily-Rose L'Espérance vous dévoiler en primeur quelques indices sur sa deuxième enquête ! Question de vous tenir en haleine d'ici la sortie de mon prochain roman... En attendant, sachez que je serais très honorée que vous soyez encore une fois au rendez-vous !

P.-S. Je vous invite aussi à échanger avec moi et à me suivre sur Facebook !

LETTRE AUX LECTEURS

par Lily-Rose L'Espérance

La vita è bella ! *C'était du moins ce que nous pensions, Ryan et moi, lors de notre merveilleux périple en Toscane ! Mais lorsqu'un corps a été repêché aux abords du USS Intrepid, célèbre porte-avions de l'Intrepid Sea-Air-Space Museum, nous avons dû revoir légèrement nos plans...*

Mais qu'allions-nous apprendre de cette fameuse victime empoisonnée et mystérieusement munie d'un organe constitué de tissus cellulaires inconnus ?

De retour à New York, j'étais bien loin de me douter que mes prochains reportages me mèneraient vers une quête au nom de l'évolution de l'humanité. Une quête obsessionnelle contrôlée par un meurtrier voulant dominer le monde. Ce génie paraissait tout à fait inoffensif aux yeux de tous… Mais il se plaçait constamment en situation de défis, en laissant derrière lui beaucoup trop de cadavres. Et en créant des armes terrifiantes sans en mesurer les conséquences.

L'intolérance au hasard, à l'inconnu… jusqu'où peut-elle nous mener ? Entre un discours idéologique et un discours de peur, peut-on trouver un compromis éthiquement acceptable ? Une solution nous permettant de franchir toutes les limites de la première cause mondiale de souffrance ?

Ma deuxième enquête criminelle à New York s'est avérée une véritable histoire de science-fiction. J'ai été propulsée dans un autre univers. Un autre univers, mais combien réel pour nous tous. À suivre…

Pour l'instant, je peux simplement vous dire que depuis mon enquête sur L'Avorteur, j'ai dû faire preuve d'audace au journal pour me démarquer. Les nouvelles technologies de l'information prenant de plus en plus de place… et les compétiteurs étant de plus en plus agressifs… Je peux aussi souligner que j'ai beaucoup appris en ce qui concerne les sciences «forensiques» — je devrais plutôt dire la criminalistique – au sein du FBI et du NYPD grâce à mes collaborateurs assidus… J'ai hâte de partager avec vous mes nouvelles expériences et connaissances… Et qu'en est-il de mes relations avec mes acolytes, mes collègues et ma famille, de mon cheminement personnel ? vous demandez-vous chers lecteurs. Eh bien là, je vous laisse imaginer…

Ne vous inquiétez pas, je vous raconterai tout sur ma nouvelle aventure très bientôt…

Votre fervente journaliste aux crimes et enquêtes du New York Today Journal,

Lily-Rose L'Espérance

Lily-Rose L'Espérance

Remerciements

J'aimerais prendre le temps de remercier
Marie-Claire Saint-Jean, directrice littéraire de
Guy Saint-Jean Éditeur. Merci pour ta confiance, tes
excellents conseils, ton dynamisme et ton professionnalisme !
Et bien sûr pour m'avoir permis de réaliser un grand rêve,
une grande aventure : publier un premier roman !

Je souhaite également remercier mon éditrice,
Isabelle Longpré. Merci de me guider si rigoureusement
et magnifiquement ! Merci aussi parce que tu m'apprends
à peaufiner mon style et que tu prends soin
de ne laisser aucun détail au hasard !

Et merci les filles pour vos bons mots d'encouragement
et votre très, très grand enthousiasme !

Merci et encore merci à toute l'équipe de Guy Saint-Jean
Éditeur pour votre grand dévouement, votre rigueur !
L'aboutissement et le succès d'un roman ne reposent pas
seulement sur un auteur, mais sur une équipe gagnante…

Et finalement, mille mercis sincères à ma famille et
mes proches qui m'ont encouragée à foncer, à persévérer
et qui m'ont soutenue dans ce beau défi ! Je vous aime !

MARQUIS

Québec, Canada

Achevé d'imprimer le 30 mars 2016

RECYCLÉ
Papier fait à partir
de matériaux recyclés
FSC® C103567

Imprimé sur du papier Enviro 100% postconsommation
traité sans chlore, accrédité ÉcoLogo et fait à partir de biogaz.